主　编　陈　灼
副主编　王世生

编　者　(按姓氏笔画)
王世生　左珊丹　沈志钧　汪宗虎
陈　灼　舒春凌

英文翻译　曾宪宇
法文翻译　刘京玉

上册编者分工如下:
陈　灼　第一课、第五课、第九课、第十二课;
舒春波、杨翼　第二课、第三课;
王世生　第四课、第八课、第十课、第十五课;
汪宗虎　第六课;
沈志钧　第七课、第十一课;
魏　威　第十三课;
杨　翼　第十四课。

北语对外汉语精版教材
BLCU'S BEST-SELLING CHINESE TEXTBOOKS FOR LEARNERS OVERSEAS

桥　梁

——实用汉语中级教程

BRIDGE

— A Practical Intermediate Chinese Course

陈　灼　　主编

上　册

Book One

北京语言文化大学出版社

（京）新登字 157 号

图书在版编目（CIP）数据

桥梁：实用汉语中级教程（上）陈灼主编．
－北京：北京语言文化大学出版社，2000.2 版，2001 重印
北语对外汉语精版教材
ISBN 7－5619－0476－2
Ⅰ．桥…
Ⅱ．陈…
Ⅲ．对外汉语教学－高等学校－教材
Ⅳ．H195.4

责任印制：乔学军
出版发行：北京语言文化大学出版社
（北京海淀区学院路 15 号　邮政编码 100083）
印　　刷：北京北林印刷厂
经　　销：全国新华书店
版　　次：1996 年 6 月第 1 版
2000 年 8 月第 2 版　2001 年 3 月第 10 次印刷
开　　本：787 毫米×1092 毫米　1/16　印张：20.25
字　　数：306 千字　印数：39001－45000
书　　号：ISBN 7－5619－0476－2/H·0037
定　　价：40.00 元

发行部电话：010－82303651　82303591
传真：010－82303081
E-mail：fxb@blcu.edu.cn

《桥梁——实用汉语中级教程》修订说明

《桥梁——实用汉语中级教程》出版后，不仅迅速成为近年来国内对外汉语课堂上最主要的一套中级汉语主干教材，而且对新疆少数民族汉语教学产生了巨大的影响，还走进了美国哈佛大学的中文课堂。从1996年出版至今，不到5年就已经发行了近30000套，也就是说，从这座“桥梁”走过的人已将近三万之众了！

这次我社把《桥梁——实用汉语中级教程》列入《北语对外汉语精版教材》修订再版，用意仍是“精心选择、精心修订、精心印制，使之更实用、更好用，在质量上达到精品的水准”。考虑到这座“桥梁”仍然坚固如初、行人如织，同此前出版的几本“精版”教材改动较大不同，这次修订只作字句层次的修改，在不给使用者造成任何不便的情况下，使语言文字更规范，语法说明更准确，外文翻译更精当。相信这座修饰一新的“桥梁”能给过桥人带来更多的愉悦。

北京语言文化大学出版社编辑部

2000年5月10日

编写说明

《桥梁——实用汉语中级教程》是为学习现代汉语专业二年级的留学生编写的，是"中级汉语"主干课所使用的教材，并列为国家汉办规划教材。也可供学完现代汉语基本语法并已掌握2500个左右词汇的其他外国人学习使用。

一、编写原则

1. 注意交际性原则

本教材从主课文的选篇、副课文的匹配，到练习题的设计，都是以培养学习者的交际能力为目标，结合功能、文化项目，围绕教育、职业、婚姻家庭、经济、法律、道德、文化、交通、健康、环境等10个题材范围进行编写的。

本教材的构思、总体框架设计，吸取了功能教学法圆周式安排教学内容的精神，但在编写过程中，考虑到教材整体的纵横关系和难易程度，根据学习者需求和教学实际，有的题材循环了两次，有的循环了三次(小循环四到五次)。

2. 加强了科学性和系统性

(1) 汲取最新科研成果。本教材以《汉语水平词汇与汉字等级大纲》(国家对外汉语教学领导小组办公室汉语水平考试部编，北京语言学院出版社出版，1992年)、《汉语水平等级标准和等级大纲》(试行)(中国对外汉语教学学会汉语水平等级标准研究小组编，北京语言学院出版社出版，1988年)和《中高级对外汉语教学等级大纲》(孙瑞珍主编，北京大学出版社出版，1995年)为重要依据和参照，控制生词量和难易程度。

(2) 紧扣上述三个大纲筛选词汇和语法的讲练重点。以丙级词汇和语法项目为主，有目的有计划地重现、扩展、深化部分甲、乙级词汇和语法项目的内容，并根据话题范围，吸收一定比例的丁级词、超纲词和相关的语法点进入训练系统。

(3) 力求提高重现率。重现是第二语言教学的重要原则。本教材对重点讲练词汇、结构、常用句式、功能项目以及话题内容等，都根据交际训练的需要，安排了多个方面、多种类型的重现，并贯穿于教程的始终。

二、内容构成与教学建议

1. 内容构成

本教材分上下两册,共30课。每册书后附有生词总表。

每课书由正课文、生词、词语搭配与扩展、语法例释、副课文、练习六部分组成。

(1) 正课文 在力求题材广泛、体裁多样的同时,注意到时代感与稳定性的统一,科学性与趣味性的有机结合,中外文化的对比与交流。

(2) 生词 注有词性、汉语拼音、词汇等级(甲、乙、丙、丁……);并配有英、法文翻译。

(3) 词语搭配与扩展 根据词汇、词性、义项的不同,设置了不同的搭配框架,以帮助学习者掌握汉语词汇的搭配规律的特点。

(4) 语法例释 语法内容的编排,以教学要求和学习者的难点为出发点,兼顾语法体系和语言知识的系统完整,注重实用性和针对性。讲练的语法内容,根据课文的需要以"点"的形式出现。对于较难较复杂的语法项目,采取"化整为零"、"细水长流"的方式,分别解决。例如,"把"字句(1)、(2)、(3),"被动句"(1)、(2)、(3)、(4)等等。

(5) 副课文 副课文是对正课文的重现、补充、阐述、拓宽和深化。每课都配有阅读、会话、听力副课文各一篇。目的是便于直接围绕限定的结构与功能、文化项目进行听说读写的综合训练。使用时一定要有别于听力、口语、阅读的单项技能训练课。例如,本教材的听力课文,配有录音带,主要是为学习者课下"听"而设计的。教师可通过让学生"写"或课上回答问题,检查"听"的效果。

(6) 练习 语言能力、语言交际能力是通过操练、实践获得的。为此,我们在练习的模式设计上,注意了启发性、交际性的原则,采用了一些汉语水平考试的题型。练习内容分为三类:一类是理解性、记忆性的机械性训练;一类是半机械性、半交际性训练;第三类是交际性训练。机械性训练是前提、基础;交际性训练是练习系统的核心,是沟通课堂教学与真实交际的桥梁。本教材中,每篇课文所设计的交际训练,都是从示例、提示的作用出发,以期引发学生结合现实生活进行活用,从而顺利地到达自由交际的彼岸。

2. 教学建议

一般的进度,一周(6课时)一课书;较长的课文,三周学习两课。上下两册一学年学完。

本教材内容信息量大，覆盖面广，具有一定的弹性，便于使用者根据教学实际灵活掌握。本书配有录音带，为自学者提供了方便。

三、祝你成功

《桥梁》的作用在于过渡、沟通。本教材为学习者架起了一座从基础阶段过渡到高级阶段的桥梁。我们希望它能帮助你克服重重困难，达到理想的目标。我们也希望本教材在沟通中国与世界的交流方面起到一点作用。祝你成功！

本教材继承、吸收了众多汉语中级教材，特别是《中级汉语教程》（北京语言学院出版社出版，1987年）的长处和经验，同时，我们在第二语言教学理论、框架设计、选材、训练体系等方面进行了新的探索，做出了努力。但由于水平、时间所限，肯定会有需要探讨和进一步提高、完善之处，欢迎使用本书的教师、读者批评指正。

在本书编写和出版过程中，曾得到国家汉办、北京语言学院、北京语言学院汉语学院、文化学院和北京语言学院出版社等各级领导及同行们的大力支持和热情帮助。中级汉语教研室的老师们积极试讲、研讨。系领导王晓澎副教授、孙德金老师也提出了很好的意见和建议，并给予我们极大的鼓励。鲁健骥教授（前出版社社长兼总编辑）在审稿过程中，对“词语搭配与扩展”等项提出了宝贵的修改意见。李扬教授自始至终关心本书的编写，并对部分初稿提出过宝贵的意见。在此，我们一并致以衷心的谢意。

本教材的课文大多选自报刊或电视广播，根据教学需要，对原文进行了删改，并在文后注上作者的姓名。关于版权，我们已设法征得了绝大多数作者的同意。但其中部分文章或段落，由于诸多原因，如转载转录、作者不详，我们未能与作者取得联系，在此表示歉意和感谢。

编　者

1995年初夏

序

陈灼老师把她为外国人主编的中级汉语教程命名为《桥梁》，其用意在于为学习者架起一座从基础阶段过渡到高级阶段的桥梁。

外国人学习汉语，入门也许不难，越学越觉得不容易却是常有的事。学习者在基础阶段掌握了不少语法规则，进入中级阶段，随着所学词汇量的增长，说出或写出的句子，却时常出错，表达不当也多有发生，这些很令学习者茫然。这是因为随着词汇增多，句式也变得细密繁难，语境更复杂，语言得体性要求也随之提高。加之民族心理、社会背景，以及文化传统诸多因素的渗入，语言学习出现了爬坡现象。这似乎是学习任何一种第二语言，在向中级阶段迈进时，或多或少总会遇到的麻烦。

因此，外国学生在掌握了约2500个生词之后，如何进一步提高语言水平，着重从哪些方面进入训练，才能克服进入中级阶段所遇到的学习困难，避免陷入困境，不断地提高交际能力，一直是对外汉语教学界教材编写和课堂教学所着意要解决的问题。《桥梁》一书的编者深入钻研了第二语言习得理论，探讨学习者的学习规律，在教材的框架设计、选材目光、训练体系等方面进行了有益的探索，使新编的教材耳目一新。

目前，我国的对外汉语教材面对学习者的严格选择和教材之间的存优汰劣，竞争不能说不激烈，要推陈出新，受到使用者的欢迎，也须绞尽脑汁，颇费思索。我以为《桥梁》一书在以下几点颇出新意。

一、教材采用主课文匹配副课文的办法，每一课有阅读、会话、听力副课文各一篇，以此直接围绕教材所限定的结构、功能及文化项目进行听、说、读、写的综合训练。一本教材的得失优劣，能否受到学习者的欢迎，主课文是至关重要的一项。课文内容应新鲜有趣，有文化内涵，适合成年人的口胃，符合学习者的文化品位。语言应该是规范的，但不是学院式的语言或人造语言，应尽量做到准确、生动、实用。切忌内容幼稚，语言干瘪，故作幽默，博取噱头。本教材在这方面做出了努力。

二、教材所出词汇及语法以《大纲》的丙级词汇和语法项目为主，并根据选题范围，吸收一定比例的丁级词，甚至大纲以外的词和语法现象进入训练系统。这样灵活处理，有所本，但又不拘泥，着眼点正在于培养学习者的交际能力，使课文的编写不至于因词汇与语法的局限，而干涩，而拗口，而影响交际。

三、在基础阶段学习者虽掌握了汉语的基本句型，但对句式内部成分的隐层语义关系并不十分了然。他们不知道词语的不同义项所具有的不同的语法功能，以及由此带来的不同的搭配。教材中“词语搭配与扩展”一项正是据此而设计的。在语法例释一项，注重词的用法，根据课文需要以“点”的形式出现。“点”分三种：体系型语法点(属传统语法体系内容)、自主型语法点(虚词及难于把握的词的用法)、格式型语法点(常用格式的用法)。这样安排也是针对中级汉语学习者的需要，体现了语义语法的特点，是很讲究实用的。

四、练习拉开层次，有助于学习者掌握语言，提高交际能力，特别是篇章表达能力。从理解记忆性的练习，到半机械半交际性的练习，到交际性练习。练习的编排是体现编者匠心的，当然也加大了编写难度。一部教材能否使学习者达到编者所预期的学习目标，练习是重要的保证。练习的量、练习内容的覆盖面、练习项目的设计安排、练习方式的多样化，既能检验教学者，又可检查学习者。如果练习做完了，做对了，学习者就基本掌握了本课的学习内容，这应该说是一份好的练习。本书编者在这方面做出了努力。

“由行家编写教材”，是第二语言教学中应该恪守的一条不成文的规定，因为他们既有丰富的教学经验，又有编写教材的理论素养和文字能力。《桥梁》一书的编者们都是长期从事对外汉语教学，特别是中、高级汉语教学的有经验的教师，他们了解中级阶段学生学习的难点，懂得对症下药。他们吸取众多中级汉语教材的优点与长处，扬长避短，突出自己的特色，使这部中级汉语教材得以问世。编写一部好的对外汉语教材，所付出的辛劳，个中的甘苦，局外人是难以了解的。至于教材编成后到底好用不好用，应该由使用者去评说。我相信，这部教材会成为一座真正的桥梁，在基础汉语和高级汉语之间，起到应起的过渡与沟通作用。我相信这是一座坚固、平稳、通畅的桥梁。

赵金铭

1996.4.10

目　录

第一课 …………………………………………………………………… (1)
一　课文　我的"希望工程"　(1)
二　生词　(2)
三　词语搭配与扩展　(6)
"宣布"、"拆"、"拒绝"、"任何"、"出事"、"打工"、"算(是)"、"负担"、"感受"、"挫折"
四　语法例释　(8)
"轻易"、"其实"、"因为……而……"、"凭"、"尽管"、"总算"、"对……来说"、"……下去"
五　副课文　(11)
(一)　阅读课文　为希望工程献上一片爱心　(11)
(二)　会话课文　学"东西"　(11)
(三)　听力课文　女儿暑假打工　(12)
六　练习　(13)
第二课 …………………………………………………………………… (18)
一　课文　差不多先生传　(18)
二　生词　(19)
三　词语搭配与扩展　(22)
"分明"、"讲究"、"算"、"搭"、"从容"、"称赞"、"无数"
四　语法例释　(23)
"凡……就……"、"何必"、"不是……吗"、"既……又……"、"一面……一面……"、"一时"、"从此"
五　副课文　(25)
(一)　阅读课文　我叫什么　(25)
(二)　会话课文　我该怎么回答　(26)
(三)　听力课文　胖嫂回娘家　(27)
六　练习　(28)
第三课 …………………………………………………………………… (33)
一　课文　我记忆中的两个女孩　(33)
二　生词　(34)
三　词语搭配与扩展　(38)

“塞”、“勉强”、“结婚”、“接触”、“合”、“控制”、“借口”、
“故意”、“遗憾”、“珍惜”
四 语法例释 (40)
“从来”、“始终”、“忍不住”、“……出来”、“一下”、
“竟”、“……下来”(“下来$_1$”)、量词(量词$_1$)
五 副课文 (43)
(一) 阅读课文 理想与现实 (43)
(二) 会话课文 电视红娘 (44)
(三) 听力课文 红娘 (45)
六 练习 (46)
第四课 …………………………………………………… (50)
一 课文 醉人的春夜 (50)
二 生词 (51)
三 词语搭配与扩展 (55)
“倒霉”、“无可奈何”、“串”、“似……非……”、“镇静”、
“帮忙”、“跨”、“招呼”、“掏”、“瞎”、“格外”
四 语法例释 (57)
“……起来” (“起来$_1$”)、“稍稍”、“不觉”、“差点儿”、
“……归……”、“冲”、“怪……的”、“打”、“随即”
五 副课文 (59)
(一) 阅读课文 真诚还在 (59)
(二) 会话课文 电话拜年 (60)
(三) 听力课文 月亮弯弯 (61)
六 练习 (61)
第五课 …………………………………………………… (66)
一 课文 话说“面的” (66)
二 生词 (68)
三 词语搭配与扩展 (71)
“挨”、“取消”、“让座”、“服”、“钻”、“罚”、“挽”、“观念”、“树立”
四 语法例释 (73)
“……得慌”、“至多”、“一……就……”、“不仅……也……”、
“从而”、“……过来”(“过来$_1$”)、“无论”、“……下来”(“下来$_2$”)
五 副课文 (76)
(一) 阅读课文 投诉拒载 (76)
(二) 会话课文 怎么叫丈夫起床 (77)
(三) 听力课文 一封电报 (77)
六 练习 (78)

第六课 ………………………………………………………………………………（84）
一 课文 眼光 （84）
二 生词 （86）
三 词语搭配与扩展 （89）
“实现”、“闭”、“充满”、“联系”、“花”、“清醒”、“避”、
“承认”、“毫无”、“加以”、“吃惊”
四 语法例释 （91）
“了”（“了$_1$”）、“……出去”、“毕竟”、“亲自”、“简直”、
“连……带……”、“……过来”（“过来$_2$”）
五 副课文 （93）
（一） 阅读课文 胡适的白话电报 （93）
（二） 会话课文 “吃”文化 （94）
（三） 听力课文 画家和他的孙女 （95）
六 练习 （96）
第七课……………………………………………………………………………（103）
一 课文 吸烟者的烦恼 （103）
二 生词 （104）
三 词语搭配与扩展 （107）
“者”、“瘾”、“干涉”、“尊重”、“保障”、“生气”、“为难”、
“委屈”、“同情”、“癌”
四 语法例释 （109）
“难怪”、“既然……就……”、“反正”、“况且”、“然而”、
“偏偏”、“甚至”、“居然”、反问句、“一……准……”
五 副课文 （112）
（一） 阅读课文 烟酒不分家 （112）
（二） 会话课文 烟酒对话 （113）
（三） 听力课文 不许偷看 （114）
六 练习 （114）
第八课……………………………………………………………………………（119）
一 课文 广告与顾客 （119）
二 生词 （121）
三 词语搭配与扩展 （124）
“保证”、“合格”、“赔偿”、“付”、“规定”、“如此”、“治疗”、
“举行”、“复制”、“吃亏”
四 语法例释 （126）
“……之一”、“于是”、“不料”、“像……似的”、“不得了”、
“怎么……也……不”、“……着……着”、“是为了……”、

表示动作的进行状态
五 副课文 (129)
(一) 阅读课文 1. 从美人说到广告 (129)
2. 广告妙用 (130)
(二) 会话课文 讨价还价 (130)
(三) 听力课文 消费者怎样投诉 (131)
六 练习 (132)
第九课…………………………………………………………………… (137)
一 课文 李群求职记 (137)
二 生词 (139)
三 词语搭配与扩展 (142)
"贴"、"报酬"、"选择"、"偶然"、"打扮"、"赚"、"价钱"、
"适应"、"淘汰"、"从事"、"业务"
四 语法例释 (145)
"把"("把$_1$")、"把"("把$_2$")、"……被"("被$_1$")、
"……一眼"、"……起来"("起来$_2$")、"趁(着)"、
"决不"、"是否"
五 副课文 (148)
(一) 阅读课文 招聘考试 (148)
(二) 会话课文 机会意味着什么 (149)
(三) 听力课文 再见,礼品店 (150)
六 练习 (151)
第十课…………………………………………………………………… (157)
一 课文 写在助残日之前 (157)
二 生词 (159)
三 词语搭配与扩展 (162)
"象征"、"文明"、"场合"、"享受"、"道歉"、"放弃"、"陌生"、
"推荐"、"钻研"
四 语法例释 (164)
"了"("了$_2$")、"不由得"、"因为……的缘故"、"尽量"、"不是……
而是……"、"临"、"特地"、"……之类"、"倒(是)"、"一连"
五 副课文 (167)
(一) 阅读课文 冬天里的一束鲜花 (167)
(二) 会话课文 送一份文化礼 (168)
(三) 听力课文 这个忙不能帮 (169)
六 练习 (170)

第十一课……………………………………………………………………………（175）
一 课文 热爱绿色 （175）
二 生词 （176）
三 词语搭配与扩展 （180）
“检验”、“消费”、“标准”、“观察”、“难以”、“客观”、“量”、
“后果”、“保护”
四 语法例释 （182）
“谁”、“看上去”、“令”、“即使……也……”、“别说……
即使……也……”、“据……”、“只要……就……”、“显然”
五 副课文 （184）
（一） 阅读课文 保护黄河 （184）
（二） 会话课文 我对青霉素过敏 （185）
（三） 听力课文 小心钥匙 （186）
六 练习 （187）
第十二课……………………………………………………………………………（193）
一 课文 买彩票 （193）
二 生词 （194）
三 词语搭配与扩展 （198）
“兴”、“赌”、“凑”、“骗”、“仔细”、“信任”、“种类”、“喘”、“嫉妒”
四 语法例释 （200）
“由……”、“哪怕……也……”、“万一”、“照例”、
“总得”、“另”、“拿……来说”、“随时”、“难道”
五 副课文 （203）
（一） 阅读课文 八万元奖金应该属于谁 （203）
（二） 会话课文 买彩票与心理卫生 （204）
（三） 听力课文 周末之夜 （205）
六 练习 （206）
第十三课……………………………………………………………………………（213）
一 课文 我的第二故乡 （213）
二 生词 （215）
三 词语搭配与扩展 （220）
“传统”、“尽”、“安”、“流行”、“相处”、“允许”、“提前”、“教训”
四 语法例释 （222）
“被……所……”（“被$_2$”）、“以……方式”、“除此之外”、“一旦”、
“把……当做”（“把$_3$”）、“悄悄”、“尤其”、“偶尔”、“大致”、

"把……出来"("把$_4$")
五 副课文 (225)
(一) 阅读课文 男人的天空也下雨 (225)
(二) 会话课文 "气管炎"和"四二一综合症" (226)
(三) 听力课文 我的丈夫——老郭 (227)
六 练习 (228)
第十四课……(235)
一 课文 在那遥远的地方 (235)
二 生词 (238)
三 词语搭配与扩展 (243)
"喜爱"、"青春"、"收集"、"改编"、"流传"、"拍摄"、"风格"、"欣赏"
四 语法例释 (245)
"重新"、"不仅……而且……"、"手舞足蹈"、"被……作为……"("被$_3$")、"……,而……"、"正当……"、"任"、"是……的"
五 副课文 (247)
(一) 阅读课文 贺绿汀的音乐生活 (247)
(二) 会话课文 "重大"发现 (249)
(三) 听力课文 误会 (250)
六 练习 (251)
第十五课……(258)
一 课文 公文包丢失之后 (258)
二 生词 (260)
三 词语搭配与扩展 (264)
"委托"、"保管"、"刊登"、"履行"、"辩论"、"违背"、"真实"、"主动"、"维护"
四 语法例释 (266)
"并"、"由……而……"、"因而"、"以……为……"、"则"、"本来"、"反而"、"固然"
五 副课文 (269)
(一) 阅读课文 女儿的肖像权 (269)
(二) 会话课文 姓名问题 (270)
(三) 听力课文 租房 (271)
六 练习 (272)

词汇总表……(278)

第一课

一　课文　我的“希望工程”

1989年10月30日，中国青少年发展基金会召开新闻发布[1]会，正式宣布[2]：“建立我国第一个救助[3]贫困[4]地区失学[5]青少年基金会”。此项工程定名为“希望工程”。

几年来，“希望工程”救助了成千上万[6]的失学青少年，使他们重新[7]回到了校园。

一位北京的大学生收到了井冈山少年的一封信，由此引出下面一个感人的故事——

我用颤抖[8]的手拆[9]开邮包[10]，由于激动，用力过猛[11]，葵花子[12]洒[13]了一地。不知怎么，我的心一酸，眼前一片模糊[14]。人们常说，男子汉是轻易[15]不掉眼泪的。可此时，我控制[16]不住自己了。

邮包上的字歪歪扭扭[17]，仿佛跳着舞在向我讲述[18]：在那遥远[19]的山沟[20]里，有多少孩子想读书，想学写字啊。他们恳求[21]自己的父母——我可以带着弟弟去上课……我一定干完地里的活儿再去上学，放学以后还可以挑水、拾柴……星期天也能帮助家里干活儿，让我把小学念完吧。

六个月前，当一封印有“希望工程”字样的信从北京一条小胡同[22]寄到我手里时，命运[23]就安排了我要认识你。其实[24]，到现在，我只知道你的名字：黄志强——江西井冈山上一个因为贫穷[25]而[26]不得不[27]三次停学，常常对着书包落泪的11岁的少年。

志强，多好的名字啊！就凭[28]你这名字，我还有什么理由拒绝[29]每学期寄给你学费呢？尽管[30]我也是一个穷学生。

收到我寄的钱后，你回信了。信里既没有感激[31]的话，也没有表示什么决心，只有六个字：“叔叔，我上学了。”这六个字像火一样地燃烧着我，我反复[32]看着读着……我感到一种强大的压力[33]，一种时代的责任感[34]。

此后几个月,没有你的任何[35]消息。叔叔心里很不安[36],总担心你家里出了什么事[37],你又失学了。下课后,我常常跑到传达室[38],看看有没有你的信。今天总算[39]盼[40]到了你的信,还有一包葵花子。我急忙打开你的信:

"叔叔,我期末考试的平均[41]成绩是99分。你寄来的30元钱收到了,我哭了……我怎么报答[42]你呢? 我没有什么好东西可以送你。我想寄几块红薯[43]给你,走了五十里山路,可乡里的邮局不让寄。后来,我想出一个好办法,在院子里种了几棵向日葵[44]。每天浇水、拔草、捉虫,天天都要摸摸[45]它们,盼着它们快快长大。盼呀盼呀,终于盼到了收获。我又到邮局去寄,这次阿姨不但让我寄了,还没有收我的邮费。叔叔,你知道这是为什么吗? ……"

信还没读完,我的泪水已经打湿了信纸。我仿佛看到这满地的葵花子已长成一片竹林,是井冈山上的竹林。

志强,不要再给叔叔寄什么了。虽然叔叔并不富裕[46],也要靠打工[47]来完成学业。每学期寄出30元,对叔叔这样的穷学生来说[48],并不算[49]轻松[50]。但叔叔不觉得是负担[51],叔叔已经得到了最好的报答,得到了无价之宝[52],那就是从你那幼小的心灵[53]深处感受[54]到的人间[55]真情,明白了自己身上的责任。

志强,在今后生活、学习的道路上,还会遇到许多想不到的困难,你一定要坚持下去呀! 要像你的名字一样,要对得起[56]你的名字。

志强,今后叔叔无论[57]走到哪里,无论遇到什么困难,受到什么挫折[58],都会按时给你寄钱的。最近,我又给你买了几本书和一些学习用品。只要一想到你,叔叔就觉得有力量,就马上想去做事情。叔叔会打字、画画儿,会修理电视、录音机、自行车……是你给了叔叔希望。你,是叔叔的"希望工程"。

(选自《北京日报》,作者:方略。有删改。)

二　生　词

1. 发布	(动)	fābù	release publier	丁
2. 宣布	(动)	xuānbù	declare; announce annoncer	乙
3. 救助	(动)	jiùzhù	help sb. in difficulty assister	

4. 贫困	（形）	pínkùn	poor; poverty-stricken pauvre	丁
5. 失学		shī xué	discontinue one's studies abandonner les études	丁
6. 成千上万		chéng qiān shàng wàn	thousands upon thousands des milliers et des milliers	丙
7. 重新	（副）	chóngxīn	again à nouveau	乙
8. 颤抖	（动）	chàndǒu	quiver trembloter	丙
9. 拆	（动）	chāi	tear open ouvrir (une lettre)	乙
10. 邮包	（名）	yóubāo	postal parcel colis	丙
11. 猛	（形）	měng	violent brusquement	丙
12. 葵花子	（名）	kuíhuāzǐ	sunflower seeds graine de tournesol	
13. 洒	（动）	sǎ	spill laisser échapper	乙
14. 模糊	（形）	móhu	blurred flou	丙
15. 轻易	（副）	qīngyì	lightly facilement	丙
16. 控制	（动）	kòngzhì	control se contrôler	乙
17. 扭	（动）	niǔ	askew être de guingois	乙
18. 讲述	（动）	jiǎngshù	tell about raconter	丁
19. 遥远	（形）	yáoyuǎn	remote lointain	丙
20. 山沟	（名）	shāngōu	mountain areas régions montagneuses	丁
21. 恳求	（动）	kěnqiú	implore supplier	丁
22. 胡同	（名）	hútòng	lane ruelle	丙

23. 命运	（名）	mìngyùn	destiny; fate destin	乙
24. 其实	（副）	qíshí	actually en réalité; de fait	丙
25. 贫穷	（形）	pínqióng	poor pauvre; misérable	丙
26. 而	（连）	ér	and donc; et	乙
27. 不得不		bùdébù	have no choice but to être obligé de	乙
28. 凭	（介）	píng	base on selon	丙
29. 拒绝	（动）	jùjué	refuse refuser	乙
30. 尽管	（连）	jǐnguǎn	though malgré; bien que	乙
31. 感激	（动）	gǎnjī	be thankful éprouver de la reconnaissance	乙
32. 反复	（副、名）	fǎnfù	repeatedly; relapse à plusieurs reprises	乙
33. 压力	（名）	yālì	pressure pression	丙
34. 感	（尾）	gǎn	sense (of responsbility) sentiment(de responsabilité)	丁
35. 任何	（代）	rènhé	any n'importe quel	甲
36. 不安	（形）	bù'ān	uneasy (être) dans les transes	丙
37. 出事		chū shì	meet with a mishap avoir un accident	丙
38. 传达室	（名）	chuándáshì	reception office loge du concierge	
39. 总算	（副）	zǒngsuàn	finally finalement	丙
40. 盼	（动）	pàn	long for espérer	丙
41. 平均	（动、形）	píngjūn	average égaliser; moyen	乙
42. 报答	（动）	bàodá	repay; requite remercier	丁

43. 红薯	（名）	hóngshǔ	sweet potato patate douce	
44. 向日葵	（名）	xiàngrìkuí	sunflower tournesol	
45. 摸	（动）	mō	feel; stroke; touch toucher	乙
46. 富裕	（形）	fùyù	prosperous riche	丙
47. 打工		dǎ gōng	work as a casual labourer （faire des études）tout en travaillant	
48. 对……来说		duì…láishuō	（the phrase indicates the person or thing to whom or which a statement pertains） en ce qui concerne	乙
49. 算(是)	（副）	suàn(shì)	consider être consideré comme	丙
50. 轻松	（形）	qīngsōng	light; relaxed facile; léger	乙
51. 负担	（名）	fùdān	burden; load charge	丙
52. 无价之宝		wú jià zhī bǎo	invaluable asset trésor sans prix	
53. 心灵	（名）	xīnlíng	heart; soul; spirit coeur	丁
54. 感受	（动、名）	gǎnshòu	feel; experience éprouver; impression	丙
55. 人间	（名）	rénjiān	the world le monde	丙
56. 对得起		duìdeqǐ	not let sb. down être digne de	丙
57. 无论	（连）	wúlùn	no matter what, how, etc. n'importe qui（quoi, ou...）	乙
58. 挫折	（名）	cuòzhé	setback; reverse revers; échec	丙

专　　名

1. 中国青少年发展基金会　　Zhōngguó Qīngshàoniān Fāzhǎn Jījīnhuì
China Development Foundation for Teen-agers
Fondation pour le développement des adolescents de Chine

2. 井冈山	Jǐnggāng Shān	Jinggang Mountain nom de lieu
3. 黄志强	Huáng Zhìqiáng	name of a person nom de personne
4. 江西	Jiāngxī	Jiangxi Province nom de province

三 词语搭配与扩展

(一) 宣布

[动～] 要求～|希望～|害怕～|拒绝～
[～动] ～散会|～成立|～结束|～结婚
[～宾] ～命令|～消息|～成绩|～一件事
[状～] 正式～|庄严地～|愉快地～|向世界～
[～补] ～得及时|～不了|～一下|～过好几次
[～中] ～的时间|～的地点|～的原因
(1)今天宣布了出国访问人员的名单。
(2)大会刚宣布结束,他就走了。

(二) 拆

[动～] 赞成～|希望～(下来)|拒绝～(房)|决定～(下来)
[～宾] ～信|～机器|～房子
[状～] 一点一点～|赶快～|用手～|从上面～
[～补] ～完了|(把零件)～下来|～不开|～了一上午
[～中] ～的结果|～的原因|～的时间
(1) 这房子拆了一半怎么就不拆了?
(2) 不应该随便拆别人的信。

(三) 拒绝

[动～] 受到～|遭到～|打算～(他)
[～动] ～回答|～修改|～发表|～接受
[～宾] ～对方|～他(的要求)|～了这个小伙子
[状～] 坚决～|无理～|找借口～|被他～了
[～补] ～得好|～得没有道理|～了好几次
[～中] ～的原因|～的方式
(1) 那小伙子已经拒绝过我一次了。
(2) 她找不出拒绝的理由,只好接受了。

(四) 任何

[~中]　~国家|~条件|~困难|~压力|~负担|~变化|~反映|~挫折|~感受|~借口

(1) 任何困难也吓不倒我们。

(2) 他现在没有任何负担,很轻松。

(五) 出事

[动~]　怕~|担心~

[状~]　差点儿~|恐怕~了|连续~|一直没~|不会~

[出……事]　从未出过事|出了大事|出不完的事|出了好几件事

(1) 他弟弟是不是又出事了?他出什么事也不奇怪。

(2) 咱们单位今年出了好几件新鲜事。

(六) 打工

[主~]　学生~|四川人~|老外~

[状~]　一直~|连续~|课余~|业余~|出国~

[打……工]　打不上工|打不了工|打了半年工|打了好几份工

(1) 他从来没打过工,所以很担心干不好。

(2) 学生们都是利用放假的时间打工。

(七) 算(是)

[~动/形]　(不)~骂人|~犯法|~讲得好的|~合格|~干净的|不~太热

[~宾]　~学生|~外国人|~大事|不~病|~你赢|~咱俩有缘分

[状~]　应该~|不能~及格|竟然~模范

(1) 走路的人口渴了,摘一个瓜吃,我们这里是不算偷的。

(2) 他什么病也不会治,也算大夫?

(八) 负担

[动~]　增加~|减轻~|拒绝~|开始~

[~动/形]　~增加|~取消|~(太)重|~轻

[~宾]　~学费|~老人|~这个家庭

[定~]　家庭~|工作~|经济~|思想~

[状~]　主动~|全部~|独自~|由……~|从……就~

[~补]　~到底|~起来|~不起|~不了|~了两年

[~中]　~的条件|~的费用

(1) 他的家庭负担太重,少分给他一点任务吧。

(2) 不告诉他,是怕给他增加思想负担。

(九) 感受

[动~]　有~|得到(一些)~|获得(新的)~|开始~到……

［～形］　～很深｜～深刻

［～宾］　～(到)变化｜～(到)鼓舞

［定～］　生活的～｜过去的～｜痛苦的～

［状～］　强烈地～｜突然～到……｜逐渐～到……

(1) 他的不负责任的态度,我是太有感受了。

(2) 打工以后,他对生活有了一种新的感受。

(十) 挫折

［动～］　受到～｜避免～｜害怕～｜战胜～｜经不起～

［～动］　～教育了……｜～锻炼了……

［定～］　很大的～｜意外的～｜爱情的～｜事业的～

(1) 人的一生总是要遇到各种各样的挫折。

(2) 挫折使他变得更坚强了。

四 语法例释

(一) 男子汉是轻易不掉眼泪的

"轻易",副词。多用于否定。

1. 表示随随便便的意思。多作状语。例如:

(1) 你不了解情况,不要轻易发表意见。

(2) 张教授太严肃,大家不敢轻易跟他开玩笑。

(3) 任何一种语言都不是轻易可以学好的,一定要下苦功夫。

(4) 他就这样轻易地做出了决定,太不负责任了。

2. "轻易不"、"轻易……不"还表示"很少"、"不容易"的意思。例如:

(5) 大李身体很好,轻易不感冒。

(6) 赵先生太忙了,你轻易找不到他。

(7) 平时,他轻易不喝酒,今天是太高兴了。

(二)其实,到现在,我只知道你的名字

"其实",副词。说明事情的真实情况和实质。"其实"前后的话语,意思上往往有转折;"其实"也可以放在一句、一段的开头,起承接作用。例如:

(1) 我以为这篇课文很容易,其实很难。

(2) 他不愿意再重新抄一遍,其实,多抄一遍对他复习生词有好处。

(3) 大林和小妹生活了一辈子,其实,大林并不真正了解小妹。

(4) 他除了上课就是做作业,其实,听广播、看电视也是学习汉语。

(5) 昨天,学校又宣布了两项规定。其实,那些不遵守纪律的学生,根本不把规定放在心上。

(6) 大家只知道他会写文章,其实他画画儿也画得很好。

(三) 一个因为贫穷而不得不三次停学……的少年

"而",连词。常与介词"因为"、"因"构成"因为……而"、"因……而"的格式。"因为"、"因"后面可以是词、词组,表示原因。"而"连接由此引起的情况或结果。例如:

(1) 刘小红因为挨了批评而生气不干了。

(2) 他们因为怕得肝炎而不敢在外边吃饭。

(3) 奶奶因为怕光而整天挂着窗帘。

(4) 他因怕得感冒而不停地喝水。

(5) 大哥因为要给妹妹交住院费而不得不每天去打工。

(四) 就凭你的名字

"凭",介词。用来介绍出行为、动作所依据的事物、条件或理由。有时,"凭"的后面可带"着"。例如:

(1) 她们凭着自己的力量,办起了小工厂。

(2) 凭过去的老经验办事不行了。

(3) 晚会要凭票入场,别忘了带票。

(4) 老张凭耳朵听,就能知道机器出了什么毛病。

(5) 就凭他现在的外语水平,还当不了翻译。

(6) 他凭着老朋友的关系找到了这份工作。

"凭什么"是一固定格式,表示质问。例如:

(7) 他们凭什么随便罚款?

(8) 你凭什么检查我的证件?

(五) ……尽管我也是一个穷学生

"尽管",连词。意思相当于"虽然",表示让步,用来连接转折复句。常与连词"但是"、"可"、"可是"等相呼应。例如:

(1) 尽管他没有给我什么帮助,但我还是很感激他。

(2) 尽管在这个班学习有压力,可他还是不愿意离开。

(3) 尽管经理脸上没表现出来,可是心里已经很生气了。

有时,由“尽管”引起的副句可放在主句之后。例如:

(4)这次水灾,他捐了很多钱,尽管他并不富裕。

(5) 今天晚上他的体温还要上去,尽管现在已经控制住了。

(六) 今天总算盼到了你的信

“总算”,副词。表示经过较长的时间或做了很大的努力以后,某种愿望终于实现。例如:

(1) 唉呀! 这些人总算走了,我可以睡觉了。

(2) 我们恳求了他半天,这次他总算没拒绝。

(3) 找了一上午钥匙,总算找到了。

(4) 试验成功了,大家总算没白努力。

(5) 手术以后,他的病情总算控制住了。

(6) 经过各方面的努力,住房问题总算解决了。

(七) 对叔叔这样的穷学生来说

“对/对于……来说/说来”,这个固定格式表示从某人或某事的角度来看待某一问题。在句中作状语。例如:

(1) 对于这些年轻人来说,没有克服不了的困难。

(2) 学汉字,写汉字,对日本学生来说,困难少一些。

(3) 这儿的环境,对一个病人来说,太闹了。

(4) 老师这种反复练习的方法,对我来说很适合。

(5) 翻译这份材料,对你说来很容易,对我来说,可是一个很大的负担。

(八) 你一定要坚持下去呀

“……下去”,趋向补语。引申义表示已在进行的动作、行为继续进行。例如:

(1) 你应该继续学下去,要有信心呀!

(2) 他心里有急事听不下去了。

(3) 雨越下越大,比赛进行不下去了。

(4) 照这样争论下去,永远不会有结果。

(5) 凭他的勤劳节省,日子还算过得下去。

(6) 无论有什么困难,也要坚持下去。

五 副课文

(一)阅读课文 为希望工程献上一片爱心

三封来自青海、甘肃小学校的信飞到了张文、李大勇、赵正的手中。信上写着:"……因为生活困难,我们曾不得不离开学校,是你们使我们的上学梦变成了现实——我们又重新回到了课堂上。"合上信,这三个东北的大学生笑了。

去年春天,张文、李大勇、赵正从报纸上看到了中国青少年基金会向全社会发出的号召:"中国每年有百万儿童失学,他们期待(qīdài)着你的帮助……"他们三人没有商量,没有约定,拿起笔分别向基金会提出资助(zīzhù)贫困地区失学儿童的申请。很快,他们得到了回音。按照基金会提供的地址和姓名,他们把钱寄给了青海、甘肃三个陌生(mòshēng)的小朋友。如今,他们已资助这三个失学儿童两个学期了。

其实,这三个东北的大学生也并不富裕。张文是农民的儿子。上小学时就曾交不起学费而着急、难过。到了中学二年级,他又因为生病住院花去很多钱。是全校同学为他捐(juān)钱,他才能够继续读书的。他说:"没有同学们的爱心,我就念不了书,也成不了大学生。如今,还有那么多孩子没有书读,我要像大家帮助我一样地去帮助那些失学儿童。因为我对想上学而上不了学的感受实在太深了。"

李大勇、赵正和张文一样,家里也都不富裕,资助孩子们的钱是从自己的生活费中节省下来的。他们的共同心愿是:真希望有一天,没有一个儿童因为贫困而失学!

(二)会话课文 学"东西"

(课堂上,汉语教师教外国学生学"东西"这个词。)

老师:同学们,你们知道什么是"东西"吗?

学生:桌子是"东西",椅子是东西,我是东西,你是东西。

老师:不对,不对。

学生:啊,对不起,老师,你不是东西。

老师：更不对了，不能说“你不是东西”，这是骂人的话。
学生：那么你到底是不是东西？如果是东西的话，你是个什么东西？
老师：不行，不行。“你是个什么东西?”也是骂人的话。
学生：唉呀！“东西”这个词太复杂了。
老师：“东西”这个词一般指事物。指人的时候是有限制的，而且一般不用于肯定句。比如，不能说“我姐姐是东西”，“刚进来的那个同学是东西”。
学生：如果用在否定句和疑问句里，就是骂人了，是吧。
老师：对，像刚才说的“你不是东西”、“你是个什么东西”就是骂人。再加上一些修饰(xiūshì)语，就更加强了骂人的程度。比如：“你这个狗东西！”，“他这个坏东西！”，“这老不死的东西！”，“这鬼东西！”。
学生：老师，那为什么张爷爷有时叫我“小东西”、“鬼东西”、“坏东西”呢？
老师：那就要看具体的语言环境了。这样的叫法，在开玩笑、表示喜爱(xǐ'ài)时也用。所以说，语言这东西不是轻易可以学好的，非要下苦功不可。
学生：老师，语言也是东西呀？
老师：是的。知识也是东西。可以说：“我今天跟老师学了不少东西”、“这个人肚子里没有什么东西”。
学生：老师，这“东西”里还真有不少东西呀！

（节选自《汉语教学漫议三题》，作者：王德春。有删改。）

(三)听力课文　女儿暑假打工

我女儿17岁上大学，今年暑假以后该上二年级了。暑假的第二天，她就和同学们到百货大楼打工去了。原来，我和妻子都希望她能利用假期好好复习复习功课。可女儿说：“我要凭自己的本事挣钱交学费。”我们觉得她说的也有道理，让她试着锻炼锻炼吧。

第一天下班回来，女儿激动得不得了，觉得自己长大了，能挣钱了，计算着一个暑假下来能挣多少钱，还计划着用多少钱给我们买礼物，剩下的钱交学费。第二天晚上回来，给我们讲各种顾客买东西时的不同心理，觉得又新鲜又有意思。第三天晚上回来，女儿什么话也没有了。问她怎么了，她只说头疼，腰疼，哪儿都疼。临睡觉的时候，女儿小声对妈妈说：“妈，我现在才知道爸和您挣钱真不容易。”十天过去了，女儿的话又多起来。

开学了，女儿结束了打工。她把挣的钱交给妈妈之后，好半天才说出一句话：“将来一定要当老板！”我和妻子都呆住了。

（成语：十年树木　百年树人）

生　词

1. 挣	（动）	zhèng	earn gagner（de l'argent）	丙
2. 心理	（名）	xīnlǐ	psychology psychologie	丙

六　练　习

（一）熟读下列词组：

重新认识	反复考虑	遥远的地方	坚持下去
重新决定	反复修改	地方很遥远	继续下去
相同的命运	颤抖的双手	对得起他	控制不住
命运的安排	颤抖起来	他对得起	控制起来

（二）给下列词语填上补语：

1. 扭________　2. 摸________　3. 负担________　4. 折________
5. 洒________　6. 富裕________　7. 轻松________　8. 拒绝________

（三）用指定词语完成句子：

1. 过去，这山沟里的农民生活很苦，________________。（富裕）
2. 他把拆开的邮包________________。（重新）
3. 前边的车子出事了，________________。（不得不）
4. 大家都以为他是日本人，________________。（其实）
5. ________________，最后才做出了这个决定。（反复）
6. 阿里写作业时非常认真，________________。（轻易）
7. 他因为怕出事，________________。（而）
8. 李小山明白，只有坚持学下去，________________。（对得起）
9. 我走以后你要注意安全，________________。（任何）
10. 一连下了七八天雨，________________。（总算）
11. ________________，但我还是把这篇文章翻译完了。（尽管）
12. 汉语有四个声调，________________。（对……来说）

（四）用指定词语回答问题：

1. 你觉得这篇课文难吗？

______________________________。（算）

2. 你熟悉北京的胡同吗？

______________________________。（算）

3. 参观新华中学要办什么手续吗？

______________________________。（凭）

4. 你怎么知道何塞来过中国？

______________________________。（凭）

5. 小健不是戒烟了吗？怎么又抽起来了？

______________________________。（控制）

6. 老王为什么精神负担那么重？

______________________________。（出事）

7. 安娜接到那个通知以后怎么样？

______________________________。（控制）

8. 你对中国的“希望工程”有什么看法吗？

______________________________。（成千上万）

9. 杨青在学习上遇到了困难，咱们怎么鼓励她呢？

______________________________。（……下去）

10. 各方面的压力这么大，咱们还干吗？

______________________________。（……下去）

（五）根据课文内容，判断下列句子对错，并说明理由：

（　　）1. 我用力拆邮包，是因为怎么拆也拆不开。

（　　）2. 邮包上写着，失学的孩子们恳求父母让他们去上学。

（　　）3. 11岁的黄志强因为贫穷而不得不三次停学。

（　　）4. “我”可以打各种工，所以给志强寄学费不觉得是负担。

（　　）5. “我”感到一种强大的压力，那就是要按期给志强寄钱。

（　　）6. 人间真情，对“我”来说，就是无价之宝。

（　　）7. “我”今后无论遇到什么困难、挫折，都不会忘记“我”的“希望工程”。

（　　）8. 从志强的求学过程中，“我”也受到了教育和鼓舞。

（六）根据课文内容回答下列问题：

1. 什么是“希望工程”？

2. “我”收到邮包后的心情怎么样?
3. 寄邮包的人是谁? 他为什么给“我”寄邮包?
4. 志强第一次寄邮包为什么没寄成? 这次不但寄成了,而且没有收邮费,为什么?
5. 志强的名字是什么意思? “我”为什么说“要对得起你的名字”?
6. “我”为什么说“你,是叔叔的‘希望工程’”?

(七) 阅读练习:

1. 根据阅读课文内容,选择一个最恰当的答案。

(1) 三个大学生看完信以后笑了。是因为:

A. 三个失学儿童回信了。

B. 三个失学儿童做了一个上学的梦。

C. 失学儿童请大学生帮助他们实现上学的梦想。

D. 三个失学儿童又重新回到了课堂。

(2) 基金会提供给三个大学生失学儿童的住址、姓名。是因为:

A. 基金会号召社会救助失学儿童。

B. 三个大学生自己提出申请资助失学儿童。

C. 三个大学生已经资助过失学儿童。

D. 三个大学生从报纸上看到了中国青少年基金会的号召。

2. 根据阅读课文内容回答:

(1) 张文为什么说:“没有同学们的爱心,我就念不了书,也成不了大学生”?

(2) 三个大学生自己也并不富裕,为什么还要资助失学儿童?

(八) 口语练习:

1. 分角色进行对话练习,注意语音语调。

2. 读读下面的句子。注意读出语气的变化。

(1) 这小东西真可爱!

(2) 你这个坏东西,下次不跟你一起看电影了。

(3) 我今天跟老师学了不少东西。

(4) 他是什么东西! 也来管我。

(5) 这人,太不是东西了,说话不算话。

(九) 听力练习:

1. 根据录音内容复述大意。

2. 听录音填空:

(1) 我女儿17岁上大学,今年暑假以后________上二年级________。

(2) 原来,我和妻子________希望她________利用假期好好复习复习功课。________女儿说:"我要________自己的本事挣钱交学费。"我们觉得她说的________有道理,________她试________锻炼锻炼吧。

(3) 第一天下班回来,女儿激动得________,觉得自己长________了,________挣钱了。

(4) ________睡觉的时候,女儿小声________妈妈说:"妈,我现在________知道爸________您挣钱真不容易。"

(5) 十天过去了,女儿的话又多________。开学了,女儿结束________打工。她________挣的钱交________妈妈之后,好半天才说________一句话:"将来一定________当老板!"我和妻子都呆________了。

(十) 交际训练:

1. 请告诉你的朋友:(说一段话或写一段话)

(1) 现在,在中国的农村、遥远的山沟里,还有很多孩子……

(2) 我到了一个新的班,尽管……

(3) 今天我收到了一封盼了很久的来信……

下面的词语可以帮助你表达:

贫穷、不得不、资助、捐、希望工程、压力、负担、轻松、重新、信心、拆、颤抖、反复、感激

2. 讨论:

(1) 你对中国的"希望工程"有什么看法?

(2) 介绍一下你们国家发展教育的情况。

(3) 你怎么看待学生打工的问题?

(4) 你同意"任何一种语言都不是轻易可以学好的,非要下苦功不可"这种看法吗? 为什么?

3. 语言游戏:

(1) 发给八个同学每人一张卡片,请他们念出卡片上的词、词组或句子,同学们记录下来后,再连成一段话。

卡片1) 这一切

2) 遇到了我小学时的好朋友

3) 其实

4) 我不能相信自己的眼睛

5) 我在北京的一条胡同里

6) 仿佛是命运的安排

7) 这种情况差不多谁都遇到过

8) 今天

(2) 请读读下面的句子,你懂它的意思吗?

请讲给大家听听,并写出与此有关的一个成语。(见听力课文后答案)

一年之计,莫如树谷;

十年之计,莫如树木;

百年之计,莫如树人。

4. 看一看,说一说,写一写。

九九歌

一九二九不出手
三九四九冰上走
五九六九沿河看柳
七九河开
八九雁来
九九加一九,耕牛遍地走

北京地区　民谣

天津杨柳青年画

孩子是希望

第二课

一　课文　差不多[1]先生传[2]

你知道中国最有名的人是谁？提起此人，人人都知道。他姓差，名不多，各省各县各村都有叫这个名字的。你一定见过他，一定听别人谈起过他。差不多先生的名字，天天挂在大家的嘴上，因为他是很多人的代表[3]。

差不多先生的相貌[4]和你我都差不多。他有一双眼睛，但看得不很清楚；他有两只耳朵，但听得不很分明[5]；有鼻子和嘴，但他对于气味[6]和口味[7]都不很讲究[8]；他的脑袋也不小，但他的记性[9]却不很好。

他常常说："凡[10]事只要差不多就好了，何必[11]太精细[12]呢？"

他小的时候，他妈妈叫他去买红糖，他买了白糖回来。他妈骂他，他摇摇头说道："红糖白糖，不是差不多吗？"

他上学的时候，有一次老师问他："古城西安在哪一个省？"他说在山西。老师说："错了，是陕西，不是山西。"他回答："山西同陕西不是差不多吗？"

后来，他在一个银行里工作，他既会写又[13]会算[14]，只是总不精细。"十"字常常写成"千"字，"千"字常常写成"十"字，经理生气了，常常骂他。而他只是笑嘻嘻[15]地赔不是[16]道："'千'字比'十'字只多了一小撇[17]，不是差不多吗？"

有一天，他为了一件要紧的事情，要搭[18]火车到上海去。他从从容容[19]地走到火车站，迟[20]了两分钟，火车已经开走了。他白[21]瞪[22]着眼，望着远去的火车，摇摇头道："只好明天再走了，今天走同明天走也还差不多。可铁路部门[23]也未免[24]太认真了，八点三十分开同八点三十二分开，不是差不多吗？"他一面说，一面[25]慢慢地走回家。心里总不很明白，为什么火车不肯等他两分钟。

有一天，差不多先生忽然得了急病，赶快叫家人去请东街的汪先生。那家人急急忙忙地跑去，一时[26]寻[27]不着东街汪大夫，却把西街的牛医王大夫请来了。差不多先生病在床上，知道寻错了人，但病急了，身上痛苦，心里焦急[28]，等不得了，心里想到："好在[29]王大夫同汪大夫也差不多，让他试试看吧。"于是，这位牛医王大夫走近床前,用医[30]牛的方法给差不多先生治[31]病。不到一个小时,差不多先生就死了。

差不多先生差不多要死的时候,一口气[32]断断续续[33]地说道:“活人同死人也差……差……不多,凡事只要差……差……不多……就……好了,……何……何……必……太……太……认真呢?”他说完这句名言就断了气。

他死后,大家都称赞[34]差不多先生样样事情看得开,想得通;大家都说他一生不肯认真,不肯算账[35],不肯计较[36],真是一位有德行[37]的人。于是大家给他取了个死后的法号[38],叫他圆通大师。

他的名声[39]越传越远,越传越大,无数[40]的人都学他的榜样。于是[41]人人都成了一个差不多先生——如果是这样的话,中国从此[42]就成了一个懒[43]人国了。

(选自《微型小说选刊》,作者:胡适。有删改。)

二 生 词

1. 差不多	(形)	chàbuduō	not far off à peu près	乙
2. 传	(名)	zhuàn	biography biographie	丁
3. 代表	(名)	dàibiǎo	deputy; representative délégué	丙
4. 相貌	(名)	xiàngmào	facial features; looks physionomie	
5. 分明	(形)	fēnmíng	clearly clair; net	丙
6. 气味	(名)	qìwèi	smell odeur	丙
7. 口味	(名)	kǒuwèi	the flavor or taste of food goût	
8. 讲究	(形、动)	jiǎngjiu	be particular about difficile sur; se montrer exigeant	丙
9. 记性	(名)	jìxing	memory mémoire	
10. 凡	(副)	fán	every; all tout	乙

11. 何必	（副）	hébì	there is no need；why à quoi bon	丙
12. 精细	（形）	jīngxì	careful minutieux	
13. 既……又……	（连）	jì…yòu…	both...and；as well as aussi... que...； à la fois	乙
14. 算	（动）	suàn	calculate；reckon compter；calculer	甲
15. 笑嘻嘻	（形）	xiàoxīxī	grinning tout souriant	
16. 赔不是		péi búshi	apologize demander pardon	
17. 撇	（动）	piě	left-falling stroke （in Chinese characters） trait descendant en s'incurvant vers la gauche	丁
18. 搭	（动）	dā	go by prendre（le train）	乙
19. 从容	（形）	cóngróng	unhurried sans hâte	丙
20. 迟	（形）	chí	late retardataire	丙
21. 白	（副）	bái	for nothing；in vain en vain	乙
22. 瞪	（动）	dèng	stare écarquiller les yeux	丙
23. 部门	（名）	bùmén	department；branch secteur	乙
24. 未免	（副）	wèimiǎn	a bit too；rather un peu trop	丁
25. 一面……一面……		yímiàn…yímiàn…	at the same time en même temps	丙
26. 一时	（名）	yìshí	for a short while momentanément	乙
27. 寻	（动）	xún	look for chercher	丙
28. 焦急	（形）	jiāojí	anxious anxieux	丙
29. 好在	（副）	hǎozài	luckily heureusement	丁

30. 医	（动）	yī	cure; treat soigner; guérir	丁
31. 治	（动）	zhì	cure; treat soigner; guérir	乙
32. 气	（名）	qì	breath air	丙
33. 断断续续		duànduànxùxù	disjointedly par intermitence entrecoupé	丁
34. 称赞	（动）	chēngzàn	praise faire le'éloge de	乙
35. 账	（名）	zhàng	account compte	丙
36. 计较	（动）	jìjiào	fuss about chicaner sur	丁
37. 德行	（名）	déxíng	moral conduct vertu	
38. 法号	（名）	fǎhào	name for Buddhist nom de religion d'un bonze	
39. 名声	（名）	míngshēng	reputation réputation	
40. 无数	（形）	wúshù	countless innombrable	乙
41. 于是	（连）	yúshì	thereupon et; alors	乙
42. 从此	（副）	cóngcǐ	from now on dès lors	乙
43. 懒	（形）	lǎn	lazy paresseux	乙

专 名

1. 西安	Xī'ān	Xi'an (name of a city) nom de ville
2. 山西	Shānxī	Shanxi Province nom de province
3. 陕西	Shǎnxī	Shaanxi Province nom be province
4. 圆通大师	Yuántōng Dàshī	Flexible Great Master Maître Habile

三　词语搭配与扩展

(一) 分明

［主～］　态度～|公私～|是非～|爱憎～|黑白～
［～动］　～是……|～看见|～想|～听见|～说过
［～形］　～对了|～错了|～容易|～坏了
［状～］　很～|不～|要～|确实～
(1) 他的态度分明是不同意你去。
(2) 他说没时间来,分明是故意找借口。

(二) 讲究

［主～］　家具～|衣服～|饭菜～|穿戴～
［动～］　开始～(起来)|喜欢～|需要～|布置(得)～
［～动］　～吃|～穿|～打扮|～享受
［～宾］　～质量|～营养|～形式|～款式
［状～］　过分～|确实～|必须～|一向～
［～补］　～起来|～极了|～过几天|～一下
［～中］　～的程度|～的方式|～的地方
(1) 做学生的不必过分讲究打扮。
(2) 随着生活水平的提高,人们越来越讲究营养了。

(三) 算

［动～］　要求～(清楚)|允许～……|拒绝～|同意～
［～宾］　～账|～水电费|～数学题|～人数
［状～］　认真～|难～|重新～|一笔一笔地～|用计算机～
［～补］　～错了|～起来|～得快|～不出来|～了一上午|～了两次
(1) 你刚才算错了,这回算得对。
(2) 我这些年的苦不是你拿钱算得清的。

(四) 搭

［动～］　禁止～(车)|准备～……|计划～……
［～宾］　～时间|～钱|～火车
［状～］　必须～(车)|不难～|随便～|一起～(车去)
［～补］　～得快|～得及时|～不了|～过一回|～一下儿
［～中］　～的办法|～的方式|～的地方
(1) 我们决定搭明天的火车去广州。

(2) 他迟到是因为搭错了车。

(五) 从容

［主～］　态度～|举止～|样子～|表情～

［动～］　显得～|回答(得)～|走(得)～|说(得)～

［～动］　～地讨论|～地上车|～地走去|～地退出|～地叙述

［状～］　相当～|十分～

［～补］　～极了|～得很|～点儿|～一些

［～中］　～的态度|～的样子|～的步伐|～的表情

(1) 他做事情总是很从容,一点也不慌忙。

(2) 他从容地站了起来,向门口走去。

(六) 称赞

［动～］　受到～|值得～|得到～|赢得～

［～宾］　～售货员|～……的态度|～……的文章|～……的精神

［状～］　热情～|极力～|一致～|普遍～

［～补］　～得好|～得过分|～一番

［～中］　～的理由|～的原因|～的对象

(1) 大家一致称赞他是一个讲文明、懂礼貌的孩子。

(2) 他刻苦学习的精神很值得称赞。

(七) 无数

［～主］　财富～|珠宝～|星星～|朋友～

［～中］　～事实|～的打击|～的烦恼|～的亲人|～次机会

(1) 遭受了无数次打击之后,他变得越来越坚强了。

(2) 无论走到哪儿,他都觉得有无数的朋友在身旁。

四　语法例释

(一) 凡事只要差不多就好了

“凡”表示在某个范围内无一例外,有“只要是”的意思,句中常用“就”、“便”、“都”或“没有不”等词语与之呼应,也可写成“凡是”。例如:

(1) 凡跟他在一起工作过的人没有不称赞他的。

(2) 凡犯了错误的人就应该认真接受批评。

(3) 凡孩子就都有受教育的权利。

(4) 凡有责任感的人都不会轻易拒绝别人。

(5) 凡是学过的生词我都能记住。

(6) 凡是这个作家写的小说,我没有不看的。

(二) ……何必太精细呢

"何必",副词。相当于"为什么一定要……"的意思。表示说话人认为某种事情或行为的进行是没有必要的。一般多用于反问句。例如:

(1) 路又不远,何必坐车去呢?

(2) 他犯的又不是什么大错,何必批评呢?

(3) 孩子的事尽管让他们自己决定,何必管那么多呢?

(4) 吃饱了就行了,何必那么讲究呢?

(5) 那些小事你何必计较呢?

(6) 他迟到又不是故意的,你何必责备他呢?

(三) 红糖白糖,不是差不多吗

"不是……吗?"构成反问句,表示肯定,并有强调的意思。例如:

(1) 你不是已经去过上海了吗? 怎么还要去?

(2) 他不是不喜欢那个公司吗? 怎么又去那儿工作了?

(3) 你去他去不是一样吗? 你们不要再争了。

(4) 他不是分明在气你吗? 你怎么不生气呢?

(5) 那个电影你不是看过吗? 为什么还要去看?

(6) 你不是不缺钱吗? 为什么还去打工?

(四) 他既会写又会算,只是总不精细

"既……又……"表示同时具有两方面的性质或情况。用于并列复句,放在主语后,连接两个并列成分(多为形容词、动词短语)。例如:

(1) 他既懒又笨,什么事也干不成。

(2) 她既漂亮又温柔,没有人不喜欢她。

(3) 尽管他既懂英语,又懂法语,可到现在还没找到一个理想的工作。

(4) 我们既要肯定成绩,又要看到不足。

(5) 小刘既聪明又努力,确实是一个好学生。

(6) 那种毛衣既好看又便宜,他不仅给自己买了两件,还帮朋友买了一件。

(五) 一面说,一面慢慢地走回家

"一面……一面……"表示两种以上的动作同时进行。多用在动词前。书面语。例如:

(1) 他一面上学,一面打工,很是辛苦。

(2) 孩子们一面唱，一面跳，玩得很开心。

(3) 他一面讲述，一面在黑板上画着图。

(4) 他一面哭，一面连声赔不是。

(5) 小王一面听，一面做笔记，显得非常认真。

(6) 他一面跑，一面叫，大家都奇怪地望着他。

(六) ……一时寻不着东街汪大夫

“一时”，副词。表示行为、状态存在的时间很短暂。例如：

(1) 这到底是怎么回事，我一时也无法解释。

(2) 困难只是一时的，我们不应该被吓倒。

(3) 其实他只是一时糊涂，请你原谅他。

(4) 他只是一时激动，过一会儿就好了。

(5) 我一时生气，批评了他几句，他就不高兴了。

(6) 小王一时拿不出那么多钱，只好向别人借。

(七) 如果是这样的话，中国从此就成了一个懒人国了

“从此”，副词。意思是从说话人所指明的时间起，表示某事或某种情况从某时开始发生或出现。例如：

(1) 他1943年来到中国，从此，他就一直呆在这儿。

(2) 他骗了我，从此，我再也不相信他了。

(3) 前年，父亲因病去世了，从此，我不得不失学在家。

(4) 我反复恳求他，他也不肯原谅我，从此，我们就再也不说话了。

(5) 小刘大学毕业后就来这儿工作，从此，再也没有回过老家。

(6) 五年前她看过《乡村女教师》这部电影，从此，她爱上了教师这个职业。

五　副课文

(一)阅读课文　我叫什么

这两天身体不舒服，到医院看病，没想到却为改名字上下楼跑了三遍，惹了一肚子的不痛快。

那天看病的人特别多，好不容易挂上号，没几分钟就看完了。递上新买的病历(bìnglì)本，大夫问：“叫什么？”“李东。”他迅速填上病历，让我去划价(huàjià)、取药。下到一楼划价处，我拿到药方(yàofāng)，一看，忙说：“同志，名字写错了,您给改改,否则单位不能报销(bàoxiāo)。”女护士瞪了我一眼,扔出一句:“看看你的病历本。”我拿出病历本一看,大夫竟(jìng)把“李东”写成了“李通”。我赶忙跑上三楼找到原来的大夫,一个劲儿(yígèjìnr)地道歉,说自己说得不清楚,求他给改过来。大夫一面批评我,一面给我改了。我捧着病历本,赶紧下到一楼划价处,还算顺利。可到交费处,麻烦又来了,交费处的小姐看了半天,一扬手把单子扔了出来:“去让划价的把名字写清楚点!”我赶紧跑回划价处,等拿过药方一看,只见上面清清楚楚地写着“李冬”两个字。我忙说我是“东方”的“东”,错一个字也报销不了。“别说了,找大夫去!”划价女士的一句话又把我送上了三楼。

大夫一见我就把脸拉下来了,不过还是把“冬”改成了“东”。要说大夫还是挺负责任的,可能他觉得一个字划了三个黑疙瘩(gēda)不太好看,特意(tèyì)把名字在旁边重写了一遍。我仔细看了一遍那个“东”字。这回一点没错,我跑回一楼,刚递进药方,里边又问了:“嗨(hāi),你到底姓什么?”我接过药方一看,哎呀,怎么又把“李东”写成“刘东”了呢?没办法,我不得不再上三楼。这回大夫火了:“你有完没有?一个破字得改多少回?”我赔着笑脸听着,心里却很生气。大夫这回写得一点没错儿,确实是我的名字“李东”。

就这样,这位马马虎虎的大夫害得我跑上跑下一个多小时。我想没病的人也得给气出病来。

(二)会话课文 我该怎么回答

(英国留学生丹尼刚来中国半年,却遇到了很多问题,好在现在有了张明这个新朋友,可以好好地问问他了。)

丹尼:张明,你好!
张明:丹尼,你好!你上哪儿去?
丹尼:上哪儿去?怎么你们中国人一见面就爱问上哪儿去?
张明:这是我们打招呼的方式,可以说是一种礼貌。
丹尼:礼貌?我们觉得这很不礼貌,我们是不喜欢别人关心我们的私事的。
张明:这我明白,可这是我们多少年来形成的一种习惯。尤其是老人,这么问是表示对你的关心。
丹尼:你们还喜欢问“吃了没有?”“多大了?”等问题,我们听起来感到很奇怪。
张明:可我们听起来却很亲切,甚至我们还会问你“结婚了没有?”“每月工资多少?”等让你们觉得很难回答的问题。
丹尼:我真是怕了,每当有人问我这些问题时,我都不知道怎么回答才好。
张明:其实,你根本不必怕,问你的人一般并不是真想打听你的私事,而只是为了礼貌,跟你打声招呼而已(éryǐ)。所以,如果你不愿回答,撒个谎(sā ge huǎng)也没有关系。

丹尼：撒谎？
张明：对。如果别人问你上哪儿去，你可以简单回答“出去”、“看朋友”或“进城”等等。
丹尼：如果别人问我“结婚了没有？”我该怎么回答？
张明：你可以不回答。但为了礼貌，你也不用生气。应该迅速改变话题(huàtí)，你可以改问对方“最近身体怎么样？”“工作顺利吗？”等等。
丹尼：我明白了，如果不愿回答的问题就假装(jiǎzhuāng)没听明白。
张明：你真聪明！

(三)听力课文　胖嫂回娘家

胖嫂结婚一年，就生了一个胖儿子，日子过得很开心。

一天，她丈夫出去了。晚上，胖嫂一个人哄着孩子睡觉。忽然有人敲门。原来她妈妈病了，让她快些回去。胖嫂急得不得了，马上抱起孩子就走。那天晚上没有月亮，胖嫂走着走着就进了西瓜地。她被绊了一交，孩子也被摔到了地上。她连忙爬起来，抱起孩子就走。到了娘家才发现，她手里抱的并不是孩子，而是一个西瓜。她急忙点上灯，到瓜地里找孩子，可是找了半天只找到了一个枕头。她急得又从原路找回家去，进屋一看，发现孩子在床上睡得正香呢。

生　词

1. 娘家	(名)	niángjia	a married woman's parents' home famille de l'épouse	
2. 开心	(形)	kāixīn	happy joyeux	丁
3. 哄	(动)	hǒng	coax cajoler	丁
4. 绊	(动)	bàn	stumble; trip trébucher	
5. 交	(名)	jiāo	fall culbute	
6. 枕头	(名)	zhěntou	pillow oreiller	丙

专　名

胖嫂	Pàngsǎo	Fat Woman nom de personne

六　练　习

(一) 画线连词：

1. 讲究	分明	2. 态度	事实
算	车	无数	从容
是非	卫生	值得	质量
搭	账	讲究	称赞

(二) 用指定词语完成句子：

1. ________________没有不感动的。　(凡)
2. ________________都会意识到自己身上的责任。(凡是)
3. 学校已宣布放假了，________________？　(何必……呢)
4. 其实你家并不贫困，________________？　(何必)
5. ________________怎么还到这儿来打工？(不是……吗)
6. 你应该好好报答他，他____________？　(不是……吗)
7. ____________，同学们都说值得买。　(既……又……)
8. 他________________，怎么会出事呢？　(既……又……)
9. 小王____________，觉得这里的一切都很新鲜。(一面……一面……)
10. 他________________，把葵花子洒了一地。　(一时)
11. 他____________，心里焦急，急忙向出事地点跑去。　(一时)
12. 因为家里太贫穷，去年爸爸不得不让我停学，每天上街卖红薯________________。　(从此)
13. 无论我怎么恳求他，他都不肯原谅我，____________。　(从此)

(三) 用指定词语改写句子：

1. 任何被“希望工程”救助的孩子都很感激他们的救助人。(凡……没有不……的)

2. 只要是有责任感的人都会努力地工作。(凡是……就……)

3. 你很熟悉那个地方，就请你给我们带路吧！(不是……吗)

4. 你算账总是很精细，怎么会出这种错呢？（不是……吗）

5. 北京大学离这儿又不远，为什么一定要坐车去呢？（何必……呢）

6. 治病救人是我的责任，你们不用称赞我。（何必……呢）

7. 小王会唱会跳，相貌也不错，公司盼着她尽早来公关部门工作。（既……又……）

8. 我和小刘一边欣赏着这海上的景色，一边沿着海边的小路慢慢走着。（一面……一面……）

9. 他暂时拿不出那么多钱，不得不去向别人借。（一时）

10. 因为生活困难，去年他失学了，从那以后，他再也没跨进过学校大门。（从此）

（四）整理句子：

1. 在　故意　他　借口　是　分明　找

2. 讲究　过分　衣着　他　打扮

3. 准备　我　去　上海　火车　搭　明天　的

4. 你　这么　呢　何必　计较

5. 回答　他　从容　很　问题　总是

6. 学生　好　称赞　老师　他　个　是

7. 无数　克服　困难　了　他　才　成功　获得　了

（五）根据课文内容回答下列问题：

1. 差不多先生有什么特点？

2. 差不多先生最爱说的一句话是什么？

3. 差不多先生是怎么死的？

4. 差不多先生临死前留下了什么“名言”？

5. 为什么大家认为差不多先生是一位有德行的人？

6. 如果大家都以差不多先生为榜样，会出现什么情况呢？

（六）阅读练习：

1. 根据阅读课文内容，选择一个最恰当的答案。

(1) 划价处的护士把名字写错了，是因为：

A. “我”说得不清楚。

B. 那天护士特别忙。

C. 大夫把病历本上的名字写错了。

(2) 划价处的护士认为：

A. 是“我”写错了名字。

B. 写错了名字是大夫的责任。

C. “我”应该看看自己的病历本再划价。

(3) 大夫一见“我”就把脸拉下来了，因为：

A. 他觉得自己挺负责任的。

B. 我认为“我”在药方上划了三个黑疙瘩不好看。

C. 他觉得“我”在给他找麻烦。

(4) 为什么我要反复找大夫改名字？

A. 重视自己的名字。

B. 名字写错了就不能报销。

C. 名字写错了就不能取药。

2. 根据阅读课文内容回答：

(1) 为什么“我”到医院看病却惹了一肚子不痛快？

(2) 你认为写错名字主要是谁的责任？为什么？

(3) 你觉得大夫和两位小姐的工作态度怎么样？

(4) 大夫为什么发火？

（七）口语练习：

1. 分角色进行对话，注意语音语调。

2. 问答练习：

有人问到你不愿谈论的话题时，你怎样回答比较礼貌？例如：

(1) 你为什么跟妻子离婚?
(2) 你每月工资多少钱?
(3) 你在跟谁谈恋爱?

(八) 听力练习:

1. 根据录音复述大意。
2. 听录音填空:

(1) 胖嫂结婚一年,就生了一个胖儿子,日子过得＿＿＿＿＿＿。
(2) 晚上,胖嫂一个人哄＿＿＿＿＿＿孩子睡觉。忽然有人敲门。
(3) 胖嫂急得＿＿＿＿＿＿,马上抱起孩子就走。
(4) 胖嫂走＿＿＿走＿＿＿就进了西瓜地。她＿＿＿绊了一交,孩子也被摔＿＿＿了地上。
(5) 她连忙爬＿＿＿＿＿＿,抱＿＿＿＿＿＿孩子＿＿＿＿＿＿走。
(6) 到了娘家才发现她手里抱的并＿＿＿＿＿＿孩子,而＿＿＿＿＿＿一个西瓜。
(7) 进屋一看,发现孩子在床上睡得＿＿＿＿＿＿。

(九) 交际训练:

1. 说或者写一段话:

(1) 我有个朋友,干什么都特别马虎,例如……
(2) 我有个朋友,特别精细,例如……

词语提示:记性、计较、无数、凡是……都、既……又……、懒、焦急、任何、从此、讲究、称赞、尽管、出事

2. 自由讨论:

(1)“差不多”真是一个人的名字吗?为什么说各省各县各村都有叫这个名字的人?
(2) 在你的周围有“差不多”先生吗?讲一讲他们的表现。
(3)“差不多”先生是个悲剧人物还是个喜剧人物?

3. 语言游戏:

(1) 发给六个同学六张卡片,请他们念出卡片上的词组或句子,同学们记录下来后,再联成一段话:

卡片 1) 就是有点马虎
2) 由于“马虎”
3) 丁力是一个喜欢帮助别人的学生
4) 好事没做成

5）常常在帮助别人的时候

6）反而给别人带来麻烦

（2）你知道“粗心大意”、“粗枝大叶”这两个成语的意思吗？如不明白，请查查词典或问问你的中国朋友，下次讲给大家听听。

4. 看一看，说一说，写一写。

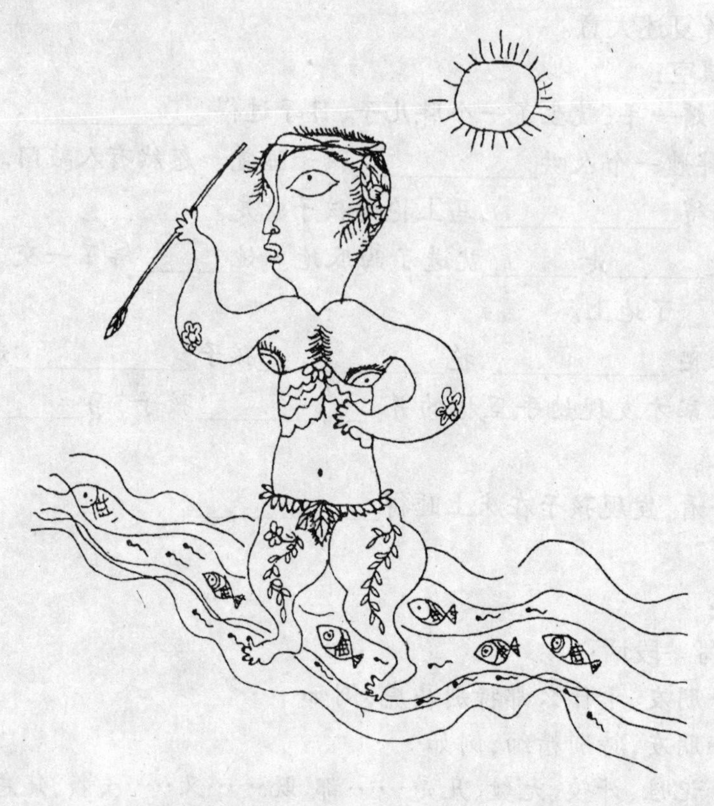

rén
人

我们的祖先是根据直立着的人侧面形象来构造“人”这个字的，人作偏旁时也可作“亻”，用来表示与人有关的事物和活动。

——选自《汉字的故事》，施正宇编著

第三课

一　课文　我记忆[1]中的两个女孩

有两个女孩我很难忘记：一个，她爱我，我不爱她；另一个，我爱她，她却不爱我。

前者[2]是一个湖南女孩，我大学时的同班同学，她长得一般，又不太爱说话，所以我很少注意到她。没想到大学三年级的一天，她找到了我，把一封信往我手里一塞[3]，做贼[4]似地逃走了。打开一看，我全明白[5]了。我当时只觉得她好笑，因为在我的记忆里，从来[6]没有过她的位置。

第二天课间，我把那封信还给了她。直到下课，她也没有抬起头。从此，每当见到我，她总是低着头，静静地走过。

那学期末，我得了一场[7]病，在医院一住就是一个多月，正当[8]我为即将[9]到来的期末考试着急时，没想到她来看我了，还带来了我最爱吃的梨，我真不好意思。她边削[10]梨边说："我不怨[11]你，感情[12]上的事不能勉强[13]……你安心养病吧，五门[14]课的笔记我全帮你补了。"凭着她那清晰[15]的笔记，我顺利通过了考试。

毕业后，我到了江苏，她到了湖南，她常常给我来信，对我十分关心[16]。后来，她谈了恋爱[17]，结了婚[18]。但我们仍然[19]是很好的朋友，书信[20]不断。

后来，我虽然也接触[21]过一些女孩，但始终[22]没有一个合[23]我心意[24]的。工作三年后，我考上了研究生[25]。就在上研究生的第二年，我遇到了一个化学系的女孩儿。这一次我的感情彻底失去[26]控制了。那是个苏州女孩，有着一双[27]明亮的大眼睛，一口[28]白白的牙齿[29]；她的衣服虽不算是时髦[30]，可总是很得体[31]。和你讲话时，她总是含[32]笑地看着你，显得[33]很美。

她和我的老乡[34]住同一宿舍，我每天都去找老乡，这当然只是借口[35]。哪一天不见到她，我就觉得好像丢了些什么。这种状况一直持续[36]了半年。终于有一天我再也忍不住了。我找到了她,故意[37]装出无所谓[38]的样子说,我最近看了一本小说,很感动。她问是本什么样的书,我说是一个爱情悲剧[39]:一对男女互相喜欢,但由于都不好意思表白[40],最后还是留下了遗憾[41]。我接着问她:“你有没有爱上谁而不好意思说呢?”她的脸一下子[42]红了,轻声说:“有。”“那你就该告诉他。他是哪儿的?”我着急地问。“就在你们那座[43]楼。”我十分激动[44]:“哪一层?”“第三层。”“哪个房间?”我的声音有些颤抖。“312。”我好像突然被人推进了冰水中——我在301。

以后又谈了些什么,我记不得了。只记得走出她的宿舍时,脚下发软……那夜我总觉得明天太阳再也不会出来了。我有些恨她。

一个星期过去了,我仍然没能从痛苦[45]中解脱[46]出来。一天吃过晚饭,我来到校园里的湖边,一个人慢慢地走着。忽然,我发现了一个女孩坐在湖边的椅子上,头伏[47]在膝盖[48]上,分明是在哭。我走了过去,想安慰[49]那个女孩一下儿,没想到竟[50]是她。“怎么了?”我问。她大哭起来,等平静下来,她告诉我:那天我俩谈话后,她终于[51]向312那位男士表白了,可没想到312那位男士说他心中早已有了偶像[52]。

那天我伟大极了,安慰了她半个多小时,可心里那股[53]酸劲就别提了。

回宿舍的路上,我一下子平静了许多,爱情是没有什么道理可讲的。有的人,可以一生做你的朋友,却永远不能做丈夫或妻子。这正如两条平行[54]线,虽然可以一直画下去,却始终不能相交。这可能就是所谓[55]的缘分[56]了。而缘分这东西却不是你想要就有的。我忽然想起了那个湖南女孩,顿时[57]有了新的感想:“有缘多珍惜[58],无缘莫[59]勉强。”

(选自《经济日报》,作者:王慧敏。有删改。)

二 生 词

1. 记忆	(名)	jìyì	memory mémoire	乙
2. 者	(尾)	zhě	(used after an adjective, verb, adjectival phrase or verbal phrase to indicate that a person or thing possesses that quality or performs that action) (placé après un adjectif, un terme	丙

			désignant une profession ou une doctrine，indique une personne ou une chose）	
3．塞	（动）	sāi	stuff；squeeze in glisser	丙
4．贼	（名）	zéi	thief voleur-se	丁
5．明白	（动）	míngbai	understand；know comprendre	丙
6．从来	（副）	cónglái	all along jamais；depuis	乙
7．场	（量）	cháng	（a measure word）spell；period （spécificatif）	
8．正当		zhèng dāng	just when justement	丙
9．即将	（副）	jíjiāng	be on the point of （être）sur le point de	丙
10．削	（动）	xiāo	pare with a knife peler；éplucher	丙
11．怨	（动）	yuàn	blame；complain reprocher	丙
12．感情	（名）	gǎnqíng	emotion；sentiment sentiment	乙
13．勉强	（形、动）	miǎnqiǎng	force sb．to do sth． se forcer à	丙
14．门	（量）	mén	（a measure word for subjects of study，connons，etc．） （spécificatif）	甲
15．清晰	（形）	qīngxī	clear clair	丙
16．关心	（动）	guānxīn	show loving care for se soucier de	甲
17．恋爱	（名、动）	liàn'ài	love être amoureux de qn，amour	乙
18．结婚	（动）	jiéhūn	marry se marier avec qn	乙
19．仍然	（副）	réngrán	still toujours de même；quand même	乙
20．书信	（名）	shūxìn	letter lettre	丁
21．接触	（动）	jiēchù	come into contact with avoir des contacts avec qn	乙

22. 始终	（副）	shǐzhōng	all along constant du début à la fin	乙
23. 合	（动）	hé	suit plaire à	乙
24. 心意	（名）	xīnyì	intention；purpose vœu；souhait	丙
25. 研究生	（名）	yánjiūshēng	postgraduate étudiant chercheur	丙
26. 失去	（动）	shīqù	lose perdre	乙
27. 双	（量）	shuāng	（a measure word）pair （spécificatif）	甲
28. 口	（名、量）	kǒu	mouth；（a measure word for thing with a mouth，etc.） （spécificatif）	甲
29. 牙齿	（名）	yáchǐ	tooth dents	丙
30. 时髦	（形）	shímáo	fashionable à la mode	丁
31. 得体	（形）	détǐ	appropriate；fit comme il faut	
32. 含	（动）	hán	contain sourire aux lèvres	乙
33. 显得	（动）	xiǎnde	look；appear paraître	乙
34. 老乡	（名）	lǎoxiāng	fellow-townsman concitoyen	丙
35. 借口	（名）	jièkǒu	excuse；pretext prétexte	丙
36. 持续	（动）	chíxù	persist；continue durer	丁
37. 故意	（形）	gùyì	on purpose；intentional exprès；intentionnellement	乙
38. 无所谓	（动）	wúsuǒwèi	indifferent indifférent	丙
39. 悲剧	（名）	bēijù	tragedy tragédie	丁
40. 表白	（名、动）	biǎobái	vindicate explication；expliquer	
41. 遗憾	（形）	yíhàn	regret；pity regret；dommage	丙

42. 一下子	（副）	yíxiàzi	in a short while tout d'un coup	乙
43. 座	（量）	zuò	(a measure word for buildings, mountains, etc.) (spécificatif)(pour le pont. montagne...)	甲
44. 激动	（形）	jīdòng	excite ému	乙
45. 痛苦	（形）	tòngkǔ	suffering; agony triste	乙
46. 解脱	（动）	jiětuō	free oneself se tirer de	
47. 伏	（动）	fú	bend over se pencher	丙
48. 膝盖	（名）	xīgài	knee genou	丁
49. 安慰	（动、名）	ānwèi	comfort consoler	乙
50. 竟	（副）	jìng	unexpectedly contre toute attente; malgré tout	丙
51. 终于	（副）	zhōngyú	finally finalement	乙
52. 偶像	（名）	ǒuxiàng	image; idol idole	
53. 股	（量）	gǔ	(a measure word for strength, smell, or a long, narrow thing, etc.) (spécificatif)	丙
54. 平行	（形）	píngxíng	parallel parallèle	丙
55. 所谓	（形）	suǒwèi	so-called soi-disant	乙
56. 缘分	（名）	yuánfèn	lot or luck by which people are brought together prédestination; affinité prédestinée	
57. 顿时	（副）	dùnshí	immediately immédiatement	丙
58. 珍惜	（动）	zhēnxī	treasure; cherish chérir	丙
59. 莫	（副）	mò	no; not ne... pas	

专　名

1. 湖南　Húnán　Hunan Province
nom de province
2. 江苏　Jiāngsū　Jiangsu Province
nom de province
3. 苏州　Sūzhōu　Suzhou (name of a city)
nom de ville

三　词语搭配与扩展

(一) 塞

[动~]　打算~(进去)|准备~(给他50块钱)|需要(往里)~(一下)
[~宾]　~报纸|~钱|~苹果|~着耳朵
[状~]　乱~|用力~|往里~|用棉花~|满满地~|尽量~
[~补]　~满|把……~住|~进去|~不下|~在枕头下|~了半天|~一下儿
[~中]　正~的时候|~的地方|~的方式|~的目的

(1) 他总是往抽屉里乱塞东西,该用的时候什么也找不到。
(2) 他不在家,我把报纸给他塞在门上了。

(二) 勉强

[动~]　显得~|觉得~|感到~|用不着~
[~动]　~毕业|~接受|~通过|~及格|~笑了笑
[~宾]　~孩子|~你买|(不要)~子女|~学生(这样做)
[状~]　别~|总~|一再~|决不~|不能~

(1) 你愿意干就干,不愿意干就算了,我决不勉强你。
(2) 他这学期身体一直不好,勉强坚持到期末。

(三) 结婚

[动~]　拒绝~|推迟~|希望~|同意~
[状~]　跟他~|已经~|还没~|决不~|必须~
[~中]　~典礼|~的仪式|~的方式|~的日期|~的地方|~的场面
[结……婚]　结了三次婚|结不了婚|结过婚

(1) 他俩还都不到结婚年龄,暂时还不能结婚。
(2) 我和男朋友已经恋爱四年了,我们打算明年旅行结婚。

(四) 接触

[动～]　开始～|停止～|准备～|保持～|去～

[～宾]　～实际|～社会|～群众|～……生活|～过(他的)作品

[状～]　广泛～|初次～|经常～|直接～|秘密～|和……～

[～补]　～得广泛|～起来|～过一段时间|～一下儿|～过几次

[～中]　～的目的|～的情况|～的原因|～的方式

(1) 我经常和中国人接触,所以比较了解他们的特点。

(2) 小王脾气很怪,不容易接触。

(五) 合

[～宾]　～(我的)胃口|～(一般人的)习惯|～心意|～标准

[状～]　轻轻地～(上书)|一直～(不来)|总是～(不上)|用力～

[～补]　～不上|把书～起来|～得来|～不拢|～了一会儿(眼)|～过一回(闸)|～一下儿

(1) 请把书合上,现在开始听写。

(2) 他慢慢地合上了眼睛。

(六) 控制

[动～]　设法～(他们)|决定～(钱数)|负责～(人数)|得到～

[～宾]　～局面|～感情|～温度|～资金|～人口增长率

[状～]　由计算机～|被他们～|牢牢地～|严格～

[～补]　～在20摄氏度左右|～得很严|～不住|～一下|～一会儿

[～中]　～的范围|～的手段|～的部门

(1) 中国一定要控制人口增长。

(2) 在大家面前,他控制住了自己的感情。

(七) 借口

[动～]　找～|是～|没有～|编造～

[～动]　～看(病)|～有(事)|～旅行|～不认识

[定～]　他的～|骗人的～|一种～

(1) 他总是借口有病不来上课。

(2) 她一次又一次地找借口拒绝我的邀请。

(八) 故意

[～动/形]　～反对|～不来|～迟到|～冷淡|～沉默|～错

(1) 他不是故意迟到,你不要怪他。

(2) 别理他,他故意装作不明白。

(九) 遗憾

［动～］　感到～｜觉得～｜表示～

［定～］　一点儿～｜终身的～｜深深的～｜内心的～

［状～］　真～｜确实～｜实在～｜太～了

［～补］　～极了｜～得不得了｜～了很长时间

［～中］　～的事｜～的感觉｜～的心情｜～的表情

(1) 那么精彩的演出你没看，真是太遗憾了。

(2) 那么好的机会你没抓住，我始终为你感到遗憾。

(十) 珍惜

［动～］　值得～｜希望～(这次机会)｜需要～

［～宾］　～时间｜～机会｜～友谊｜～文物

［状～］　好好～(它)｜十分～｜过分～｜加倍～

［～中］　～的程度｜～的原因｜～的意义

(1) 他十分珍惜这次学习汉语的机会。

(2) 得到她的感情不容易，一定要加倍珍惜。

四　语法例释

(一) ……从来没有过她的位置

“从来”，副词。有以下几种用法：

1. 表示从过去到现在都是如此。多用于否定句。用否定词“没(有)”时，动词或形容词后通常要带“过”。例如：

(1) 他从来不浪费粮食。

(2) 我从来没有听说过那件事。

(3) 上课的人数从来没少过。

(4) 她从来没拒绝过我。

(5) 我的屋子从来就很干净。

2. 在“从来＋没(有)＋形容词”的格式中，如果形容词前加上“这么、这样……”，意思就会跟原来完全相反。试比较：

(6) 情况从来没好过。(现在仍然不好)

(7) 情况从来没这么好过。(现在比以前任何时候都好)

(8) 他从来没有马虎过。(现在仍然不马虎)

(9) 他从来没有这样马虎过。(这次非常马虎)

(二) ……但始终没有一个合我心意的

“始终”,副词。表示从头到尾持续不变。常用于否定式。例如:

(1) 在困难面前他始终没后退。

(2) 他们的工作责任始终不明确。

(3) 虽然他遇到过许多挫折,但始终没失去信心。

(4) 从开学到放假,他始终没请过假。

(5) 这学期他学习始终很努力。

(6) 我始终认为这个错误不是他造成的。

(三) 终于有一天我再也忍不住了

“忍不住”,“动词+可能补语”词组。表示没有能力实现动作的结果。意思相当于“不能忍住”。例如:

(1) 皇帝忍不住问道:“你这些东西是怎么弄到的?”

(2) 听了阿里讲的故事,大家忍不住哈哈大笑起来。

(3) 那位老人一谈到过去的痛苦生活就忍不住流下了眼泪。

(4) 一听到音乐,罗希就忍不住要跳起舞来。

(5) 看见他又在骗人,我再也忍不住了,就骂了他一顿。

常用的“动词+可能补语”词组还有:控制不住、想不通、算不清……

(四) 我仍然没能从痛苦中解脱出来

“……出来”,复合趋向补语。当我们的立足点在外时,它表示动作使事物由里向外的移动。本句中的“出来”是引申意义,表示动作使人或物由某种状态转到另一状态。还可表示动作使事物从无到有或由隐蔽到显露。例如:

(1) 我眼前突然闪出一幅美丽的图画来。

(2) 刘强,星期五以前,你得把那篇文章赶出来。

(3) 我看出来了,这幅画儿画的是咱们这条街。

(4) 这一切都是劳动人民用双手创造出来的。

(5) 你说的那种建筑,现在还没设计出来。

(6) 请你把要说的话写出来。

(五) 想安慰那个女孩一下

“一下”,动量补语。在这里表示动作、行为进行的时间。时间的长短不定。常说的有:安慰一下、劝一下、说一下、照顾一下。当补语为“一下”,宾语为人名以及对人的称呼时，宾语可在补语前，也可在补语后。例如：

(1) 你们劝一下张明，他正为考得不太好难过呢。

(2) 我去安慰张明一下，你们先走吧。

(3) 请等小王一下，他马上就来。

(4) 对不起，我不知道小红的电话号码，请你问一下杨兰吧。

(5) 小赵最近总迟到，你说一下小赵。

(6) 我得马上去机场，你帮我找一下张师傅，好吗？

又：当补语为时量补语，人称代词作宾语时，宾语一般位于补语前。例如：

(7) 我安慰了她半小时。

(六) 没想到竟是她

“竟”，副词。表示出乎意料，与“竟然”、“居然”同义。例如：

(1) 今天本想出去玩，不料竟下起雨来。

(2) 没想到你竟答应了他提出的条件。

(3) 我以为考题很难，没想到竟这么简单。

(4) 从来不讲究的他，今天竟讲究起来了。

(5) 这么重要的事他竟没跟我商量就自己决定了。

(七) ……等平静下来(“下来$_1$”)

句中的“……下来”是复合趋向补语的引申用法，表示某种状态开始出现并继续发展，前面多为“暗、静、黑、冷静、平静”等可以表示由强到弱变化的形容词。例如：

(1) 天色渐渐暗下来。

(2) 会场很快安静下来。

(3) 他每天都注意减肥，终于慢慢瘦下来了。

(4) 听了朋友的劝告，他才慢慢冷静下来。

(5) 风浪平息下来了，大海又恢复了它往日的宁静。

(八) 量词 (量词$_1$)

汉语的量词分为名量词和动量词两种。本课中出现的“一场病、那座楼、那股酸劲、五门课、一口牙齿、一双眼睛”等都是名量词。名量词除了与具体事物组合外，还可以与抽象事物组合。例如：

一双手	一口井	一场大雪
一双儿女	一口气	一场误会

一座大山　　　　一股泉水　　　　一门技术

一座工厂　　　　一股力量　　　　一门心思

(1) 很远我就闻到了一股香味。

(2) 他总算掌握了那门复杂的技术。

(3) 我跟他之间曾经闹过一场误会。

(4) 三十年前,那个地方曾爆发过一场战争。

(5) 只要我们团结,就可以形成一股力量。

顺便说一下,"场"字作量词有两个读音,一个读 cháng,用于事情的经过,如课文中出现的"一场病",再比如:一场大雪、一场争论;另一个读 chǎng,用于文艺演出、体育比赛或考试等,如:一场电影、一场足球比赛、一场考试。

五　副课文

(一)阅读课文　理想与现实

刘先生和李小姐是两个很平凡(píngfán)的人。在两人 26 岁那年,有一位认识刘先生同时又认识李小姐的人,介绍两人谈朋友。听了介绍,两人都觉得对方很平凡:平凡的家庭,平凡的工作,没有什么特别使人满意的,也没有什么可不满意的。于是两人都同意见见面。当时两人都有个想法,也许对方的外表不错。两人见了面才发现,原来对方的外表(wàibiǎo)也是那么平凡。两人犹豫(yóuyù)了几天后,就都谢绝(xièjué)了介绍人。

第二年,有人又给他们俩介绍对象。这次介绍人是两个,一个认识刘先生,一个认识李小姐。两人在一起聊天,一个说他认识一位姑娘,27 岁了,还没有对象;另一个说他正好认识一个男的,也 27 岁了,也没有对象。于是两个介绍人连对方的名字都没弄明白就当起介绍人来,而刘先生和李小姐同样没有搞明白对方是谁就见了面。"原来是你!"两人忍不住说。有了上次分手(fēnshǒu)的经历,两人都没有意思继续下去,就很客气地分了手。

第三年,又有人给他俩介绍。这次两人倒是弄明白了对方是谁,但两人却都痛痛快快地答应见面。见了面李小姐很得体地笑了,刘先生也笑了笑。笑过之后李小姐很热情地说:"看来咱们还真有缘分。"刘先生说:"那咱们就结婚吧。"那口气(kǒuqì)就像两人已经恋爱了很长时间一样。

婚后有一次两人闲聊,刘先生问李小姐:"你为什么前两次都放弃了我,而后一次却又接受了呢?”李小姐笑了笑,很诚实地说:“第一次分手是因为你与我心中的偶像还有点距离,第二次分手是由于有过一次分手的经历,第三次接受了你是因为我觉得咱们有缘分。”

接着李小姐又问刘先生:“你当时又是怎么想的呢?”刘先生想了想,也很诚恳地说:“大概人的理想总是高于现实的吧。”两人不觉同时笑了起来。

(二)会话课文　电视红娘(hóngniáng)

(留学生杰克和中国学生丁力是好朋友。)

杰克:丁力,你给我介绍一下中国目前的婚姻恋爱情况好吗?

丁力:好啊,可是为什么你对这些情况感兴趣呢?想在中国找对象?(哈哈……)

杰克:你呀,总爱跟我开玩笑。我正在写一篇关于中国当代(dāngdài)婚姻恋爱情况的文章。

丁力:近年来,人们的恋爱婚姻观念(guānniàn)随着改革开放发生了很大的变化。

杰克:有些什么变化呢?

丁力:以前主要靠亲戚、熟人介绍对象,后来就在报上登征婚(zhēnghūn)启事(qǐshì),再后来又出现了婚姻介绍所……

杰克:对啦,上周我跟朋友去过一家婚姻介绍所……

丁力:哦(ó)?在那儿你找到了一位漂亮的——

杰克:我找到了“红娘”,“电脑(diànnǎo)红娘”!

丁力:看你那高兴劲儿!我还认识一位更让人喜欢的“红娘”呢。

杰克:还有什么“红娘”?你说说。

丁力:听说过北京电视台的“电视红娘”吗?

杰克:电视究竟怎样当“红娘”呢?

丁力:想通过电视征婚的人,可以到电视台报名,然后由电视台“今晚我们相识(xiāngshí)”节目组录像(lùxiàng),制作(zhìzuò)成节目后,再安排播放(bōfàng)。这样电视就成“红娘”啦!

杰克:电视广告几十秒就得几十万元,那通过电视征婚一定要花一大笔钱吧?

丁力:那倒不一定。听说只收二百元左右的摄像(shèxiàng)费。

杰克:征婚者都做哪些准备呢?

丁力:一方面要介绍自己的情况,另一方面要说明自己选择对象的条件,比如说对年龄、性别(xìngbié)、职业、学历(xuélì)、爱好、家庭等方面的要求。如果有电视观众看中了征婚者,可通过电视台进行联系。

杰克：什么时候能看到"电视红娘"呢？

丁力：每周五晚上北京电视台的"今晚我们相识"就是"电视红娘"。你想见"红娘"的心情这么迫切，看来不久我就会吃上喜糖啦！

（三）听力课文　红娘

红娘是中国元代杂剧《西厢记》中的一个人物。作为小姐崔莺莺的侍女，她聪明勇敢、天真活泼。崔莺莺遇见张生以后，两人产生了爱情。可是当时的社会不允许青年男女自由恋爱，莺莺的母亲也看不起张生，坚决反对他们恋爱。红娘不仅同情莺莺和张生，而且热情地帮助他们，为他们出主意，想办法，传送书信，终于促成了他们的结合。后来人们把热心促成别人婚姻的叫做"红娘"。随着社会的发展，现在人们也常把给别人介绍工作或推荐人才的单位和人叫做"红娘"，还有叫"职业红娘"、"人才红娘"的。

生　词

1. 杂剧	（名）	zájù	poetic drama set to music, flourishing in the Yuan Dynasty (1271 ~ 1368) drame poétique de la dynastie des Yuan
2. 侍女	（名）	shìnǚ	maidservant servante
3. 促成	（动）	cùchéng	help to bring about presser la réalisation
4. 推荐	（动）	tuījiàn	recommend recommander
5. 传送	（动）	chuánsòng	deliver transmettre

专　名

1. 红娘	Hóngniáng	name of a person (soubrette) nom de personne
2. 西厢记	Xīxiāngjì	*The West Chamber* nom de pièce de théâtre
3. 崔莺莺	Cuī Yīngying	name of a person nom de personne
4. 张生	Zhāng Shēng	a scholar named Zhang nom de personne

六 练 习

（一）熟读下列词组：

征婚者	故意迟到	塞饱肚子	珍惜时间
作者	不是故意的	往里塞	十分珍惜
前者	找借口	广泛接触	严格控制
后者	借口有病	接触实际	控制不了

（二）选词填空：

一场　　一双　　一口　　一座　　一股　　一门

________山	________学科	________工厂	________大炮
________气味	________热气	________报告	________技术
________功课	________力量	________电影	________球赛
________心思	________手	________战争	________雨
________气	________误会		

（三）词语搭配：

________口味	________分明	显得________	遗憾________
________位置	________遗憾	怨________	清晰________
________结婚	________及格	分明________	合________

（四）用指定词语完成句子：

1. 她总是那么温和，____ （从来）
2. ______________________________，他把那个人救活了。 （凭）
3. 那个邮包的秘密，他________________________________。 （始终）
4. 本来我轻易不掉泪，这一次却________________________。 （忍不住）
5. 电影快开演了，________________________________。 （一下）
6. 李强病了，起不来床，________________________。 （一下）
7. 现在他生活得轻松、愉快，________________________。 （……出来）
8. 听说他刚刚失去了亲人，________________________________。 （一下）

9. 他家并不富裕，但为了救助失学的孩子，他________________。（竟）

10. 我耐心地劝了他半天，____________________________。（……下来）

（五）判断下列句子对错并改正病句：

（　　）1. 我从来去过那个地方。

（　　）2. 你说得对！他从来就很计较。

（　　）3. 这次他是怎么啦？他可从来没考得这样糟过。

（　　）4. 凭学生，我可以买半价飞机票。

（　　）5. 他始终拒绝告诉我为什么要这样做。

（　　）6. 终于有一天，我再也忍得住了，我给他写了一封信。

（　　）7. 他始终没能从痛苦中解脱出去。

（　　）8. 你看他那么痛苦，你去安慰一顿他吧！

（　　）9. 其实我早就知道你竟会爱上他。

（　　）10. 他重新平静下来了。

（　　）11. 他总算瘦下来了。

（六）根据课文内容回答下列问题：

1. 那个湖南女孩交给“我”一封什么样的信？
2. “我”为什么拒绝了那个湖南女孩？
3. 后来，湖南女孩和“我”的关系怎么样？
4. “我”为什么会喜欢那个苏州女孩？
5. “我”怎样去接近苏州女孩？
6. “我”用什么办法来向苏州女孩表达感情？
7. “我”为什么没能得到苏州女孩的爱？
8. 失恋以后，“我”对爱情有了什么新的认识？

9. 为什么两个女孩会留在了“我”的记忆之中？

(七) 阅读练习：

1. 根据阅读课文内容判断下列句子对错：

(　　) (1) 刘先生和李小姐是偶然遇到的。

(　　) (2) 刘先生和李小姐第一次见面没谈成是因为觉得对方外表一般。

(　　) (3) 刘先生和李小姐第二次见面又没谈成是因为有第一次分手的经历。

(　　) (4) 刘先生和李小姐终于结了婚是因为他们都觉得自己28岁了，不能再拖了。

(　　) (5) 刘先生和李小姐恋爱三年后终于结了婚。

(　　) (6) 刘先生觉得人的理想总是高于现实的。

2. 根据阅读课文内容回答问题：

(1) 刘先生和李小姐怎么认识的？

(2) 刘先生和李小姐是怎样的两个人？

(3) 他们第一次为什么都回绝了对方？

(4) 他们第二次为什么又分手了？

(5) 他们最终为什么结了婚？

(八) 口语练习：

1. 分角色进行对话练习，注意语音语调。

2. 请你介绍一下北京电视台的“电视红娘”。

(九) 听力练习：

1. 根据录音内容复述大意。

2. 听录音填空：

(1) 人们常把热心促成别人婚姻的人叫做____________。

(2) 红娘是元代杂剧____________中的人物。

(3) 红娘的性格特点是____________。

(4) 红娘是崔莺莺的____________。

(5) 红娘热情地促成了____________和____________的婚姻。

(6) “职业红娘”的任务是________________。

(十) 交际训练：

1. 说或写一段话：

(1) 我想通过电视征婚找到一个理想的爱人,我希望她(他)是一个……

(2) 我是一个征婚者,当我在电视征婚节目中露面时,你一定想知道我各方面的情况。好,现在我就自我介绍一下……

2. 讨论:

(1) 谈谈你对爱情的认识。你相信缘分吗?

(2) 介绍一个给你留下深刻印象的人。

3. 语言游戏:

(1) 请你描述一位本班的同学,然后请大家猜一猜你讲的是谁?(可以结合相貌、性格特点、学习特点、衣着特点进行介绍)

注意使用学过的词语:

记忆、笑嘻嘻、牙齿、眼睛、从容、激动、瞪、时髦、显得、讲究、一面……一面……、既……又……、无所谓、接触、借口、忍不住、算(是)、始终、从来

(2) 你知道"有缘千里来相会,无缘对面不相逢"、"千里姻缘一线牵"这两句俗语的意思吗?试着给大家讲一讲。

4. 看一看,说一说,写一写。

第四课

一　课文　醉[1]人的春夜

“再遇到人,一定开口。”陈静想着,抬眼望了望胡同里昏[2]黄的路灯。夜深了,到处是一片片黑黝黝[3]的怪影。“唉! 这倒霉[4]的自行车!”她推着车子,无可奈何[5]地说。

身后传来一串[6]自行车铃声,陈静“哎”了一声,骑车的小伙子已经一掠[7]而过。

咦[8]! 骑车的小伙子又回来了。陈静心里却紧张起来:“这么晚了,他……”“您刚才喊我?”小伙子跳下车。“啊,没。”一种不安和自卫[9]的心理占了上风[10],她语无伦次[11]了。“是车子坏了吧?”一双似笑非笑[12]的细长眼睛望着她。陈静稍[13]稍镇静[14]了一下:“链子[15]卡[16]在大套里了。”她低着头,心里升起一线希望的光。“那,我也帮不了你的忙[17]了。没工具,谁也拆不开大链套[18]呀。”陈静心里又是一片黑暗。“你家远吗?”“我家?”她没了主意,不觉[19]推着车子往前走了几步。“这样吧,胡同口外左边,有个车铺[20],这会儿可能还有人,你去看看吧!”小伙子在她身后跨[21]上车子,边说边飞快地骑跑了。“这号人!”陈静差点儿[22]哭了。十一点了,哪家的车铺这时候还有人? 她心里咒[23]那小伙子:“骗人! 叫你今晚做个噩梦[24]。”

不信归[25]不信,出了胡同口,陈静忍不住真朝左手方向看了一眼。便道[26]上,果然有间小屋还亮着灯。她踌躇[27]地站住了。小屋里走出一位二十来岁的姑娘,冲[28]着陈静喊:“同志,来吧!”“哎呀,真是车铺!”陈静觉得周围一下子亮了起来,沮丧[29]、恐惧[30],一股脑儿[31]都没了。

这是间临[32]街的平房[33],通里屋的门关着。外面这间,只有一桌一床和一辆自行车。一个年轻人正蹲[34]在桌边翻看什么。“请进,就是地方小了点。”年轻人站起身,手里拿着把改锥[35]。陈静一愣[36]:“是你?”“是我。”年轻人笑了:

“我说有人嘛,还能骗您?”他调皮[37]地眨[38]了眨细长的眼睛。“我哥送我嫂子[39]上夜班[40],回来就急火火地把我叫起来,说有要紧的事,原来是……”跟在陈静后面的姑娘说话像是放机枪[41]。“还是有个体户[42]好。”陈静心里想着,感激地冲着那姑娘笑了笑:“太麻烦你们了。”“没什么,我哥怕您不敢来,才让我起来招呼[43]您。其实您也是胆子[44]太小,我就不怕。”说得陈静怪难为情[45]的。

会者不难,车很快修好了。“多少钱?”陈静打心里希望这小伙子多收她点儿钱。“钱?”小伙子一愣,随即[46]笑了:“给五块吧。”一只大手,满是油污[47],伸到陈静面前。“五块?!”陈静心里一惊[48],却又无可奈何地掏[49]出钱包[50]。“哥——”快嘴的姑娘拉长了声音叫着,“这么晚了,你还开玩笑!”说着把那只油污的手打下去,转头对着陈静:“同志,您别多心[51],他就这样,跟谁都瞎[52]逗[53]。我们又不是开业[54]修车的,哪儿有帮帮忙就要钱的?”姑娘有点不好意思,脸一下子红了。“好了,不开玩笑了。”小伙子搓[55]了搓手,咧[56]开嘴笑着,露出一排洁白[57]整齐的牙齿。

一路上,微风吹着陈静的长发,拂[58]到脸上,怪痒[59]痒的,又很舒服。她觉得今天晚上的路灯格外[60]地亮,亮得耀眼[61];空气中,也仿佛有种醇美[62]的甜味。

呵,这醉人的春夜!

(选自《微型小说选刊》,作者:吴金良。有删改。)

二 生 词

1. 醉	(动)	zuì	be drunk; intoxicate s'enivrer se soûler	乙
2. 昏	(形)	hūn	dusky sombre; obscure	丙
3. 黑黝黝	(形)	hēiyōuyōu	black; intense dark noir	
4. 倒霉		dǎo méi	out of luck; bad luck; get into trouble malchance	丙
5. 无可奈何		wú kě nàihé	be utterly helpless; unable to do bon gré mal gré	丙
6. 串	(量)	chuàn	(a measure word for a string of things) (spécificatif)	丙

7. 掠	（动）	lüè	flash; flit; plunder frôler	
8. 咦	（叹）	yí	(expressing surprise) well; why	
9. 自卫	（动）	zìwèi	defend oneself se défendre	丁
10. 上风	（名）	shàngfēng	upper hand position supérieure; avantage sur qn	
11. 语无伦次		yǔ wú lúncì	ramble in one's statement parler sans esprit de suite	
12. 似笑非笑		sì xiào fēi xiào	a faint smile sourire du bout des livres; avoire un sourire vague	丁
13. 稍	（副）	shāo	a little lêgèrement	乙
14. 镇静	（形）	zhènjìng	calm garder le sang-froid	丙
15. 链子	（名）	liànzi	chain chaîne	丁
16. 卡	（动）	qiǎ	stick coincer	丁
17. 帮忙		bāng máng	give a hand aider	乙
18. 链套	（名）	liàntào	chain case couvre-chaîne	
19. 不觉	（副）	bùjué	unconsciously malgré soi	丙
20. 车铺	（名）	chēpù	a shop for repairing bicycles garage	
21. 跨	（动）	kuà	bestride; step enfourcher	乙
22. 差点儿	（副）	chàdiǎnr	almost; nearly presque	乙
23. 咒	（动）	zhòu	curse; abuse maudire; injurier	
24. 噩梦	（名）	èmèng	terrible dreams; nightmare cauchemar	
25. 归	（动）	guī	despite être du ressort de	丙
26. 便道	（名）	biàndào	sidewalk; pavement trottoir	丁

27. 踌躇	（动）	chóuchú	hesitate hésiter	丁
28. 冲	（介）	chòng	facing; towards vers	丙
29. 沮丧	（形）	jǔsàng	dispirited; depressed; dejected découragé; désespéré	
30. 恐惧	（动）	kǒngjù	frighten; fear; dread craindre	丁
31. 一股脑儿	（副）	yìgǔnǎor	completely; root and branch tous à la fois; en bloc	
32. 临	（动）	lín	overlook; face donner sur	乙
33. 平房	（名）	píngfáng	one-storey house maison sans étages	
34. 蹲	（动）	dūn	squat on the heels s'accroupir	乙
35. 改锥	（名）	gǎizhuī	screwdriver tournevis	
36. 愣	（动、形）	lèng	dumbfound ébahi; ébahir	丙
37. 调皮	（形）	tiáopí	naughty espiègle; turbulent	丙
38. 眨	（动）	zhǎ	blink; wink cligner	丁
39. 嫂子	（名）	sǎozi	elder brother's wife belle soeur	乙
40. 夜班	（名）	yèbān	night shift de nuit	丁
41. 机枪	（名）	jīqiāng	machine gun mitrailleuse	丁
42. 个体户	（名）	gètǐhù	self-employed laborer travailleur individuel	丙
43. 招呼	（动）	zhāohu	call; greet; take care of appeler	乙
44. 胆子	（名）	dǎnzi	courage; nerve courage; audace	丁
45. 难为情	（形）	nánwéiqíng	embarrassed timide; honteux	
46. 随即	（副）	suíjí	immediately aussitôt	丙

47. 油污	（名）	yóuwū	greasy dirt souillure；tache de graisse	
48. 惊	（动）	jīng	start；be frightened s'alarmer	丙
49. 掏	（动）	tāo	pull out tirer	乙
50. 钱包	（名）	qiánbāo	purse porte-monnaie	
51. 多心		duō xīn	oversensitive soupçonneux，-se	
52. 瞎	（副、形）	xiā	groundless；blind étourdio-e；à l'étourdi	丙
53. 逗	（动）	dòu	tease（for fun） plaisanter	乙
54. 开业		kāi yè	（of a shop etc.）start business ouvrir；entrer en activité	
55. 搓	（动）	cuō	rub with the hands se frotter（les mains）	丙
56. 咧	（动）	liě	grin s'ouvrir	
57. 洁白	（形）	jiébái	pure white immaculé，e	丙
58. 拂	（动）	fú	stroke frôler；caresser	
59. 痒	（动）	yǎng	itch chatouiller	丁
60. 格外	（副）	géwài	extraordinary；all the more extraordinairement；spécialement	丙
61. 耀眼	（形）	yàoyǎn	dazzling éblouir les yeux	丁
62. 醇美	（形）	chúnměi	mellow；rich puret parfait	

专 名

陈静	Chén Jìng	name of a person nom de personne

三　词语搭配与扩展

(一) 倒霉

[动~]、自认~|找~|觉得~
[状~]　真~|太~了|要~|可能~
[~补]　~透了|~极了|~得很
[~中]　~的事|~的天气|~的时候|~的自行车

(1) 真倒霉,我今天进城买东西的时候,钱包被偷了。

(2) 怎么那么多倒霉的事都让你碰上了呢?

(二) 无可奈何

[主~]　妈妈~|老师也~|大家对他~
[~动]　~地问|~地说|~地叹了口气
[~中]　~的事|~的时候|~的眼光

(1) 我劝他别去,可他不听,我也无可奈何。

(2) 赵红无可奈何地说:"我的腿摔坏了,不能跟你们一起去旅行了。"

(三) 串

[~宾]　~味儿|~亲戚|~胡同
[~补]　~起来|~不了|~到一起
[~名]　一~钥匙|一~羊肉|一~珍珠|一~泪珠|一~自行车铃声|一~问题|一~数字

(1) 我们串了几条胡同才找到李明的家。

(2) 刚才我在门口捡了一串钥匙,是你丢的吗?

(四) 似……非……

~梦~梦|~烟~烟|~红~红|~笑~笑|~懂~懂|~哭~哭|~醉~醉|~睡~睡

(1) 我走进屋时,爷爷正似睡非睡地躺在床上。

(2) 学生似懂非懂地看着老师,不知怎么办好。

(五) 镇静

[主~]　内心~|态度~|神情~
[动~]　保持~|显得~|失去~|恢复~
[状~]　要~|必须~|特别~|不~
[~补]　~得多|~一些|~一下|~一会儿

(1) 几个坏人冲进银行,我不由一惊,但马上镇静下来。

(2) 你别过于激动,先镇静一下,咱们再谈。

(六) 帮忙

[动~]　想~|主张~|答应~|继续~

［状～］　常常～|应该～|主动地～

［～中］　～的目的|～的方式|～的报酬

［帮……忙］　帮不上忙|帮了我的忙|帮了我的大忙|帮不了你的忙|帮倒忙|帮一下忙|帮过几次忙|帮着忙|帮起忙来|帮帮忙

(1) 小张明天下午搬家,我去给他帮忙。

(2) 小伙子,过来帮帮忙,帮我把这些书搬上车。

(七) 跨

［动～］　打算～(过去)|决定～……

［～宾］　～(过)沟|～(上)车|～(进)门|～行业|～世纪

［状～］　向前～|大步～|从后边～|一下子就～上去了

［～补］　～上(马)|～在车上|～过来|～了一下|～了几步

(1) 小战士一下子跨上马,飞快地奔跑起来。

(2) 沟不太宽,你能跨过来。

(八) 招呼

［动～］　听到～|忘了～|打～

［～宾］　～客人|～朋友|～大家

［状～］　应该～(他)|拼命地～|快～(他们)

［～补］　～起来|～得快|～不了|～一下|～一会儿(他)

［～中］　～的对象|～的声调|～的态度|～的人

(1) 李大妈忙出来招呼我们进屋里暖和暖和。

(2) 路上碰见熟人,他总是热情地打招呼。

(九) 掏

［动～］　喜欢～(耳朵)|负责～(垃圾)

［～宾］　～(出)钱包|～书包|～月票|～打火机

［状～］　别～(姐姐的书包)|从口袋里～(出来)

［～补］　～干净|～出来|～得快|～不着|～了半天|～了几次

(1) 克里木从口袋里掏出一百美元,塞到我手里。

(2) 掏耳朵可不是个好习惯,你得改。

(十) 瞎

［～动］　～说|～问|～写|～花钱

(1) 你呀,瞎花钱,见着什么买什么。

(2) 别瞎闹了,上课了!

(十一) 格外

［～形］　～香|～安静|～努力|～轻松|～有意思|～小心

(1) 大明格外有钱,买什么都不在乎。

(2) 考完试了,我感到格外轻松。

四 语法例释

(一) 陈静心里却紧张起来("起来[1]")

"……起来",趋向补语。可紧跟在形容词和动词后面,引申义为某种状态开始发展,而且程度还在继续加深,或某种动作开始进行,并且还在继续进行。例如:

(1) 孩子们的胆子渐渐大起来。
(2) 他前些日子事不多,最近忙起来了。
(3) 只有酒能使他高兴起来。
(4) 不知为什么,他们说着说着就笑起来了。
(5) 风吼着,雨又下起来,越下越大。
(6) 你提到画儿,我才想起来了。
(7) 忽然,一群少年把他包围起来。

(二) 陈静稍稍镇静了一下

"稍稍",副词。表示程度轻微或时间短暂,在其所修饰的动词或形容词后面往往带着"一点、一些、一下"等词语。例如:

(1) 你来得稍稍晚了一点儿,他刚走。
(2) 老太太大哭了一场,现在心情稍稍平静了一些。
(3) 马路上传来孩子和妇女的哭叫声,直到天亮,才稍稍静了下来。
(4) 老王马上就来,请你稍稍等一会儿。
(5) 他 32 岁,个子不高,稍稍有点胖。
(6) 你一会儿再来,他刚吃完药,得稍稍休息一下。

(三) 不觉推着车子往前走了几步

"不觉",没有感觉到,指某种变化没有引起特别注意。例如:

(1) 哥俩边走边说,不觉到了村口。
(2) 吃过饭,小李躺在床上看小说,看着看着,不觉睡着了。
(3) 兰兰去国外学习不觉已经半年了。
(4) 时间过得真快,树上的苹果不觉已经红了。
(5) 牛车走得太慢,不觉天都快黑了,还没到家。

(四) 陈静差点儿哭了

"差点儿",副词。同"差一点儿",表示某种情况接近实现或勉强实现。

1. 如果是说话人不希望实现的事,说"差点儿"或"差点儿没",意思一样,都是指事情接近实现而没有实现。例如:

(1) 今天早上我去上课，差点儿（没）迟到。（没迟到）

(2) 前几天他得了场大病，差点儿（没）死了。（没死）

(3) 老太太脚底下一滑，差点儿（没）摔倒。（没摔倒）

(4) 三个孩子在河里游泳，越游水越深，差点儿（没）淹死。（没淹死）

2. 如果是说话人希望实现的事，“差点儿”和“差点儿没”的意思不一样。“差点儿”表示惋惜事情未能实现；“差点儿没”表示庆幸事情终于实现了。例如：

(5) 他差点儿就考上了，人家取10名，他的成绩是第11名。（没考上）

(6) 我差点儿就买到了文艺晚会的票，可惜排在我前边的那人把最后几张票都买走了。（没买到）

(7) 那本词典我去买的时候只剩一本了，买的人很多，我差点儿没买到。（买到了）

(8) 这次考试的题太多了，考了两个小时，我差点儿没做完。（做完了）

（五）不信归不信

“归”，动词。用在相同的动词、形容词、名词或动词、形容词、名词性结构中间，表示让步，有“虽然”的意思。例如：

(1) 我们俩吵归吵，吵完了还是好朋友。

(2) 那两口子骂归骂，闹归闹，可从来没提过离婚两个字。

(3) 你们好归好，在工作上可不能没有原则。

(4) 咱们朋友归朋友，钱你不能不收下。

(5) 老乡归老乡，该多少钱一斤你就卖我多少钱一斤。

(6) 不信归不信，出了胡同口，陈静忍不住真朝左手方向看了一眼。

(7) 你们之间有意见归有意见，可不要影响工作。

（六）冲着陈静喊

“冲”，介词。介绍出动作的对象，表示动作主体对着某人或对着某事物发出动作，有“朝、对、向”之意，用于口语。“冲”也可以说成“冲着”。例如：

(1) 不是他的错，你为什么冲他发脾气？

(2) 我一扬手，出租车便冲我们开过来。

(3) 老汉冲儿子瞪了一眼，扭头就走了。

(4) “我给你叫去。”小护士说着就冲北房喊叫。

(5) 那匹马高大得出奇，冲着我们直奔过来。

(6) 刘伟转过脸来，冲着我盯了好一会儿。

（七）怪难为情的

“怪”，副词。表示程度高，相当于“挺”。后边必须加“的”。“怪……的”中

间可以是形容词、动词(主要是表示心理状态的动词)或动词性结构。否定词"不"要放在"怪"之后、形容词或动词之前。例如:

(1) 三只小狗怪可爱的,在草地上互相追逐着。

(2) 风那么大,怪冷的,咱们明天再去找他吧。

(3) 这件事怪麻烦的,咱们别管了。

(4) 我和大哥好几年没见面了,心里怪想他的。

(5) 都深夜一点了,妹妹还没回家,我怪担心的。

(6) 那孩子很懂事,怪招人喜欢的。

(7) 他老大声说话,影响我睡觉,我心里怪不高兴的。

(八) 陈静打心里希望

"打",介词。"从"的意思,用于口语。例如:

(1) 你打这儿往前走,走十分钟就看见车铺了。

(2) 打你们村骑车到县城得多长时间?

(3) 咱们打明天开始种树,种一个星期。

(4) 我打上个月就看这本小说,看了一个多月了,还没看完。

(5) 黄先生打心里感激那个帮了他大忙的小伙子。

(九) 随即笑了

"随即",副词。表示某一件事是紧跟在另一件事之后发生的。用于书面语。例如:

(1) 骑在马上的战士说完后,随即轻快地跳下马。

(2) "好,就这么办吧。"刘良同意了,随即转身离开了。

(3) 宋胜站起来喊了一声,那个人影随即消失了。

(4) 张班长看到这种情况,随即带着我们跑上山去。

(5) 突然,他清醒了似的,随即又什么都不知道了。

(6) 他望望远处,随即拉住小王的手说:"我扶你走吧!"

(7) 主任亲切地把他带进屋里说:"你先看看这本书。"随即递给他一本《可爱的中国》。

五 副课文

(一)阅读课文　真诚(zhēnchéng)还在

早春的一个傍晚,我因为办事,错过了买《北京晚报》的时间,心里怪沮丧的。我骑着车,仍然寻找着卖《北京晚报》的人。"晚报,《北京晚报》!"在一个胡同口,一个残疾(cánjí)青年在晚风中正左手挥动着几份晚报,口里不停地招呼着。

我靠上去,停下车:"来份晚报!"我边说边从钱包里掏出一张50元的钱。"您没有零钱么?"他刚要递过来报纸,停下了。我把钱包打开,举到他面前:里面确实只有几张50元的钱。他似乎没有看。我失望地刚要骑车上路,他喊住了我:"报纸,您拿去!"我愣住了,没有用手去接。"一张报纸,没关系。"他冲我说。我接过报,说:"谢谢,明天一定给你送钱来。"

晚上,我边看报边想:"那个残疾青年真的相信我明天会给他送钱去吗?"我是个生意人,自然产生了这种想法。

第二天,一个电话打来,我得去南京三天。这三天里,我心里总是不安,似乎自己骗了一个尤其不该骗的残疾人。

回到北京,好容易到了下班时间,我骑车赶到他面前。我接过一份《北京晚报》,递上一元:"找两角!"他愣了一下:"您不是只买一份吗?""你怎么忘了?"我不好意思地讲了那次买报的经过。他这才想起来,说:"谢谢,谢谢您!""不,该谢的是你。谢谢你的信任!"我用力地握了一下他的左手。

打那天起,我总是多绕一两里路来买他的报,并且尽量多买几份。他也总是用感激的眼光(yǎnguāng)望着我。其实,是他的真诚感动了我。

(二)会话课文　电话拜年(bàinián)

(初一,近中午,刘师傅正在看电视。忽然,电话铃又响起来——)

刘师傅:喂?

小　马:刘师傅,我是小马。春节好,我这儿给您和大妈拜年啦!

刘师傅:春节好,小马。昨天晚上的春节联欢晚会怎么样?

小　马:我看还可以。我们全家边看电视边包饺子。夜里12点下锅,一起热热闹闹地吃团圆(tuányuán)饺子。12点一过,我们家的电话也跟着热闹起来了。不少朋友打来了拜年电话。

刘师傅:是呀,这几年不少人家装了电话。到家里拜年的人越来越少了。打电话问候一下,又方便,又亲切。平时关系好的会更好,有点矛盾的也就不计较了。

小　马:是这样。还有几个朋友给我打来"汉显"。什么"春节愉快"呀,"哥儿们(gēmen)新的一年再合作"呀,叫人心里怪高兴的。

刘师傅:什么叫"汉显"呀?

小　马:就是汉字BP机。

刘师傅:噢。我儿子的一个好朋友在国外留学。昨天夜里他给那个朋友打了个国际长途。"每逢佳节(jiājié)倍思亲"嘛,也让好朋友高兴高兴。

小　马：现在春节期间打国际长途和国内长途有新规定：国际长途优惠(yōuhuì)百分之三十，国内长途优惠百分之五十。所以今年电话拜年打国际、国内长途的人格外多。刘师傅，我就不去您家了。祝您全家快乐！

刘师傅：谢谢！也祝你全家春节快乐。向你父母问好。再见！

小　马：再见！

(三)听力课文　月亮弯弯

月亮弯弯。几只小船在湖中划着。由远而近，传来阵阵歌声……

高英和张大川肩并肩地坐在湖边的大树下。张大川用手指着划过来的小船说："我要是在船上，会跳下去游个痛快！"高英说："我信。全市大学生男子游泳冠军嘛！过两天教教我行吗？"张大川说："当然行了。不过，你没必要学；如果你掉进河里，我还能不救你吗？"高英一笑，说："你还是别演英雄救美人的戏啦！弄脏了你的新衣服怪可惜的。"张大川说："新衣服算什么，反正我爸有的是钱。为了你，命都舍得！"

话音刚落，湖中有人忽然大喊："救命啊！有人掉河里啦！……"高英一愣，随即着急地对张大川说："快，下水救人！快！"见他不动，又推了他一把："听见没有？你倒是快点呀！"

张大川无可奈何地脱下衣服交给高英，然后蹲下脱鞋，放在石头上；最后脱下裤子。没等他跳下水，掉在湖里的人已被救上岸。

不知什么时候，高英走了。石头上堆放着张大川的衣服。他独自站在那儿。晚风掠过，他感到格外凉。

生　词

1. 舍得	(动)	shěde	not grudge abandonner de bon gré renoncer à	丙
2. 独自	(副)	dúzì	by oneself seul	丙

六　练　习

(一) 用指定词语完成句子：

1. ＿＿＿＿＿＿＿＿＿＿＿＿我的钱包找不着了。　　(倒霉)

2. ______________交给咱们的任务还得完成。 (……归……)

3. 今天我上班,______________________。 (差点儿)

4. 买那本词典的人很多,______________________。 (差点儿)

5. ______________________,咱们还是到屋里谈吧。 (怪……的)

6. 时间过得真快,______________________。 (不觉)

7. 听说你考上了大学,______________________。 (打)

8. ______________________:"谢谢你,你帮了我的大忙。" (冲)

9. 父亲身体不好,我劝他不要去旅行,可他不听,______________。 (无可奈何)

10. 刘师傅看了我一眼,______________________。 (随即)

(二) 解释下列句子中带"."的词语:

1. 她没了主意,不觉推着车子往前走了几步。
2. "这号人!"陈静差点儿哭了。
3. 陈静觉得周围一下子亮起来,沮丧、恐惧,一股脑儿都没了。
4. 跟在陈静后面的姑娘说话像是放机枪。
5. 同志,您别多心,他就这样,跟谁都瞎逗。
6. 夜深了,到处是一片黑黝黝地怪影。
7. 陈静打心里希望这小伙子多收她点儿钱。
8. 一种不安和自卫的心理占了上风。

(三) 给下列句子中的趋向补语"起来"前边填上适当的动词或形容词:

1. 大雨哗哗地__________起来。
2. 说着说着,她伤心地__________起来了。
3. 两个人准备好材料后,便动手__________起来。
4. 快到夏天了,天气逐渐__________起来。
5. 最近这条马路两侧种上了树和花草,这条马路显得__________起来。
6. 针对这个问题,大家热烈地__________起来。
7. 哦,我__________起来了,我的书借给钱青了。
8. 开始写汉字时,我写得很慢,现在__________起来了。
9. 吃菜呀,咱们是老同学,你怎么__________起来了。
10. 以前我不喜欢自己的工作,现在开始__________起来了。

（四）选择适当的词语填空：

掏　格外　似懂非懂　帮忙　跨　瞎　招呼　随即　稍稍

1. 你＿＿＿＿＿说什么！他考试时并没问我。
2. 我明天去朋友家＿＿＿＿＿，不去玩了。
3. 你去＿＿＿＿＿客人，我去厨房做饭。
4. 老林从口袋里＿＿＿＿＿出一支笔，递给我。
5. 那个农民说的家乡话我＿＿＿＿＿。
6. 里面的那个房间＿＿＿＿＿安静，咱们去那儿开会吧。
7. 沟不宽，你能＿＿＿＿＿过来。
8. 孙国华看了一眼商店的牌子，＿＿＿＿＿走了进去。
9. 听大夫说，姐姐的病不要紧，我的心情才＿＿＿＿＿轻松一些。

（五）根据课文内容回答问题：

1. 骑车的小伙子回到陈静身旁时，陈静的心情怎样？为什么？
2. 骑车的小伙子想帮陈静修车吗？为什么没给她修？
3. 小伙子告诉陈静，胡同口左边有个车铺，陈静相信吗？为什么？
4. 小伙子为什么把妹妹叫起来招呼陈静？
5. 小伙子帮陈静修好了车要没要钱？为什么？

（六）阅读练习：

1. 根据阅读课文内容判断下列句子对错，对的画"√"，错的画"×"，并说明理由。

(　　)(1) 卖《北京晚报》的青年是个残疾人。
(　　)(2)"我"故意掏出一张50元的钱买晚报。
(　　)(3) 残疾青年没要"我"的钱，是因为相信"我"明天一定会把钱给他送来。
(　　)(4)"我"因为去外地办事，没及时把钱送还残疾青年。
(　　)(5) 一份《北京晚报》只卖两毛钱。
(　　)(6) 为了表达对残疾青年的感激，"我"总是去买他的报。

2. 复述这篇课文的主要内容。

（七）口语练习：

1. 分角色朗读对话。注意语音语调。
2. 根据对话回答下列问题：

(1) 为什么近几年在中国电话拜年的人越来越多？

(2) 电话拜年有什么好处？
(3) 什么叫"汉显"？
(4) "每逢佳节倍思亲"是什么意思？
(5) 为什么今年打国际、国内长途的人格外多？

(八) 听力练习：

1. 听录音判断正误，并说明理由。
( ) (1) 高英和张大川正在谈恋爱。
( ) (2) 高英是全市大学生男子游泳冠军。
( ) (3) 张大川的父亲很有钱。
( ) (4) 高英知道有人掉进湖里时希望张大川下水救人。
( ) (5) 张大川立刻脱掉衣服，跳进湖里。
( ) (6) 张大川终于把落水的人救上了岸。
( ) (7) 通过救人这件事，高英更爱张大川了。
2. 根据录音内容复述这个小故事。

(九) 交际训练：

1. 讨论：
(1) 骑车的小伙子回到陈静身旁时，陈静为什么"紧张起来"？
(2) 你认为帮陈静修车的小伙子怎么样？
(3) 在你的生活中遇到过帮助你的陌生人吗？请介绍一下事情的经过。
2. 请到讲台前，介绍一下本国人过节的情况(如圣诞节、狂欢节、斋月、新年等)。
3. 两个人打电话：
(1) 同学之间谈学习。
A. 喂？
B. 我是____________。这几天我没去上课。老师讲新课了吗？
A. 刚讲第____________课。你怎么没来上课？
B.……
这些词语可以帮助你表达：
倒霉、格外、勉强、竟、一下子、记性、不得不、任何、尽管、平均、反复、对……来说
(2) 朋友之间谈工作。
A. 喂？
B. 我是____________。你最近忙吗？
A. 我不在华夏旅行社工作了……

B：……

这些词语可以帮助你表达：

夜班、胆子、差点儿、既……又……、轻松、打工、……起来、怪……的、故意、终于、从来、何必

4. 看一看，说一说，写一写。

běi
北

两个人背靠背是“北”。后来，“北”用来表示方向，它的本义就用“北”下面加了一个“月（肉）”的方法来表示，写作“背”；读音也发生了变化，读作 bèi。

在战斗中，打了败仗的一方转过身去逃跑称为“败北”。

——选自《汉字的故事》施正宇编著

第五课

一　课文　话说"面的"[1]

年龄不饶[2]人，过了 80，有些事就感到力不从心[3]了。尤其是一个退休[4]的老人，整天足不出户，也憋[5]得慌。想出门，至多[6]在附近遛遛[7]。想走远点，上下公共汽车，得要点勇气[8]。除了小跑赶车外，到了车门，还得两手抓着点什么，因为腿脚不灵[9]了。可上下车都得挨[10]训[11]："快点！快点！"能快，我干嘛磨蹭[12]啊！人们不理解[13]，青年人一蹬[14]腿就上了车，一跳就下了车，那年月我也有过啊！可惜[15]，时光[16]一去不复返[17]了！上了车甭[18]想找个座，车上好像早已取消[19]了老幼孕妇[20]席[21]。意外有个座，见到后上车的老弱病人站不稳，或抱小孩的人，我也是自觉地站起让座[22]。

老了，不参加活动，也不可能。不仅[23]心气儿[24]高，不服[25]老，同时也想和老朋友团聚[26]团聚，说说话。可喜的是，这两年街上出现了"面的"（小面包车的士），10 公里 10 元钱，一个月花这么一次两次也值[27]！因为人生的温暖不是用钱来计算的。能参加一个座谈会，或者少数几个人约好到一个地方聚[28]聚，喝杯茶，消磨[29]一两个小时，精神得到满足[30]，似乎我还活在人群中。

我出门办事、会友经常打的[31]，从而[32]认识了开"面的"而致富[33]的一群新工人。

他们中真有好人！

"面的"司机大多是各行各业[34]转业[35]过来的，给我的第一个印象[36]是，他们那么和气[37]。车一停到面前，打开前门就伸手拉我一把。确实[38]，我怎么抬腿也上不去车，车门太高。接着就交谈起来：

"老人家，今年 70 了吧？"

"80 都过了！"

"您真硬朗[39]，过了 80 还一个人出门？我奶奶 70 岁就不迈[40]大门了。"

“老了也不能老闲在家里呀!”

“您真精神！过了80的人,脑子还这么清楚,牙齿都没掉。”

这类谈话,无论哪天、哪辆车、哪个人、几乎[41]是一个“拷贝”[42]。

当然我也同样地问同样的话:

“你怎么干这活儿,太辛苦了!”

“没法呀,为了挣钱养家!”

“这活儿挣钱多,是不是?”

“每月也就一千多两千的。”

“比教书、坐办公室多不是?”

“还得交份儿[43]呀！车坏了还得自己修……”

当然,他们也够累的。一天十几个小时,整天不回家,在外边吃饭,第二天一早就起床……

“面的”不怕车挤,它个儿小,东钻[44]西窜[45]尽可能地往前赶,但他们都怕警察和自行车。

自行车谁也怕,有的骑车人真会钻空子,“面的”得躲它。为什么怕警察?

“不知怎的,犯[46]在他们手上就罚[47]款!”

一天我招手要车,怎么也要不着,许多空车都跑过去了。后来一辆停了下来,却停得老远。我奇怪地问他干吗不早停?

“您站在警察旁边,我敢停吗?”

我才恍然[48]笑了。

一般开“面的”的司机不熟悉小胡同,还有二环、三环以外的路。一天我要到北京出版社,说清楚过了马甸桥就是,哪知半天都不到。我问“过了马甸桥了吗?”“早过了!”“那你拉我到哪儿去啊?”这时车已走上去昌平的公路了。北京日日在变,能怨司机吗?

有的司机跑过了头[49],不要我多给钱;有的司机到了地方,停下车,搀[50]我过马路……

这一新兴[51]行业[52]解决了北京市许多人“行”的问题,应该说,在城市交通上是个进步。

也曾听说有“宰人”[53]的司机,当然是个别的,希望个别现象会减少到消灭。因为法制[54]观念[55]已经树立[56]起来了,不是吗?

(选自《光明日报》,作者:凤子。有删改。)

二 生 词

	词	词性	拼音	释义	等级
1.	面的	（名）	miàndí	a kind of taxi une sorte de taxi	
2.	饶	（动）	ráo	have mercy on faire grâce à	丙
3.	力不从心		lì bù cóng xīn	ability falling short of one's wishes ne pouvoir faire autant que l'on voudrait	
4.	退休	（动）	tuìxiū	retire prendre sa retraite	丙
5.	憋	（动）	biē	feel oppressed se sentir oppressé	丁
6.	至多	（副）	zhìduō	at most au maximum; au plus	丁
7.	遛	（动）	liù	stroll; saunter flâner; se balader	
8.	勇气	（名）	yǒngqì	courage courage	乙
9.	灵	（形）	líng	nimble adroit; agile	丁
10.	挨	（动）	ái	suffer subir	丙
11.	训	（动）	xùn	rebuke; criticize critique; critiquer	
12.	磨蹭	（动）	móceng	move slowly traîner; lambiner	
13.	理解	（动、名）	lǐjiě	understand; understanding comprendre; compréhension	乙
14.	蹬	（动）	dēng	step on monter sur; pédaler	丙
15.	可惜	（形）	kěxī	it's a pity regrettable; Quel dommage!	丙
16.	时光	（名）	shíguāng	time temps	丁
17.	一去不复返		yí qù bú fù fǎn	gone forever être à jamais révolu	
18.	甭	（副）	béng	don't; needn't inutile de...; n'avoir pas besoin de	丙

19. 取消	(动)	qǔxiāo	abolish annuler	乙
20. 孕妇	(名)	yùnfù	pregnant woman femme enceinte	
21. 席	(名)	xí	seat siège	丁
22. 让座		ràng zuò	offer one's seat to sb. céder sa place à	
23. 不仅	(连)	bùjǐn	not only non seulement	乙
24. 心气儿	(名)	xīnqìr	aspiration envie	
25. 服(老)	(动)	fú(lǎo)	be convinced; accept (old age) se résigner à (son âge)	丙
26. 团聚	(动)	tuánjù	reunite se réunir	丁
27. 值	(动)	zhí	be worth valoir	丙
28. 聚	(动)	jù	get together se réunir	丙
29. 消磨	(动)	xiāomó	while away tuer le temps	
30. 满足	(动)	mǎnzú	satisfy se contenter de; être satisfait de	乙
31. 打的		dǎ dí	take a taxi prendre un taxi	
32. 从而	(连)	cóng'ér	thus; thereby ainsi; de ce fait	乙
33. 致富	(动)	zhìfù	become rich s'enrichir	丁
34. 各行各业		gè háng gè yè	all trades and professions tous les métiers	丁
35. 转业		zhuǎn yè	change one's profession changer de métier; se convertir	
36. 印象	(名)	yìnxiàng	impression impression	乙
37. 和气	(形)	héqi	gentle; amiable aimable; gentil	丁
38. 确实	(形)	quèshí	true; really vrai; sûr	乙

39. 硬朗	（形）	yìnglang	hale and hearty robuste；vigoureux	
40. 迈	（动）	mài	step franchir；ici：sortir	乙
41. 几乎	（副）	jīhū	nearly；almost à peu près；presque	乙
42. 拷贝	（名、动）	kǎobèi	copy copier；copie	
43. 交份儿		jiāo fènr	pay share acquitter sa quote-part	
44. 钻	（动）	zuān	get into；go through se glisser；s'enfoncer	乙
45. 窜	（动）	cuàn	flee；run away s'enfuir；s'introduire	丙
46. 犯	（动）	fàn	violate；offend tomber dans les mains de	乙
47. 罚	（动）	fá	punish punir	丙
48. 恍然	（形）	huǎngrán	suddenly (realize what has happened) prendre soudain conscience de qch.	
49. 过头		guò tóu	go beyond the limit dépasser la mesure	
50. 搀	（动）	chān	help by the arm soutenir qn par le bras	丁
51. 新兴	（形）	xīnxīng	new and developing en essor	丁
52. 行业	（名）	hángyè	trade；profession métier	丙
53. 宰人		zǎi rén	overcharge abattre；ici：prendre de l'argent par la ruse ou par la force	
54. 法制	（名）	fǎzhì	legal system légalité	丙
55. 观念	（名）	guānniàn	sense；idea idée；conception	丙
56. 树立	（动）	shùlì	set up；establish instaurer；établir	丙

专　　名

1. 马甸桥	Mǎdiànqiáo	Madian Bridge échangeur à Madian (lieu)	

2. 昌平　　Chāngpíng　　a country of Beijing
nom d'un district à Beijing

3. 二环　　Èrhuán　　the Second Ring Road
seconde périphérique

三　词语搭配与扩展

(一) 挨 (ái)

[~宾]　~批评|~骂|~欺负|~饿|~冻|~他们打|~雨淋|~烟熏|~蚊子咬|~时间|~日子

[状~]　艰难地~(过了那段日子)|勉强地~(过去了)|总算~(过去了)|从未~(过罚)|一直~(训)|始终~(欺负)

[~补]　~惯了欺负|挨打~怕了|~不了冻|~了一巴掌|~过好几次打|好容易~过去了

(1) 他没想到今天会挨批评。

(2) 你从来就没挨过别人欺负？

(二) 取消

[动~]　同意~|建议~|打算~

[~宾]　~考试|~比赛|~资格|~计划|~会议

[状~]　不得不~|被迫~|坚决~|主动~|积极~|把(明天的会)全部~|被……~了|终于~了

[~补]　~错了|~得好|~得及时|~不了|~过两次|~过一年

[~中]　~的原因|~的后果|~的手续

(1) 他因作弊被取消了考试资格。

(2) 因为天气的关系,明天的运动会不得不取消了。

(三) 让座

[动~]　想~|同意~|打算~|拒绝~

[状~]　主动~|积极~|抢着~|应该~|不肯~|被迫~|从来不~|给(老人)~

[让……座]　从未让过座|让一下座|让不了座|让出……个座来

[把+座+让……]　把座让出来|把座让给孕妇

(1) 他常常给老年人、抱小孩的让座。

(2) 为了不让座,他装作睡着了。

(四) 服

[~宾]　(他就)~老校长|不~老|不~输|~大哥管|~单位管

[状～]　不得不～|简直～(到家了)|从来不～……|总算～了|确实～了|表面上～了

[～补]　～极了|～得不得了|只～了那一次|(骂)～不了(人)|没～过(谁)

(1) 他虽然输了,但他心里可不服输。

(2) 老王总是能以理服人,我算服了他了。

(五) 钻

[动～]　准备～(进去)|害怕～(山洞)|打算～(出去)|担心～(不出来)

[状～]　偷偷地～|慢慢地～|不敢～|从外边～|把头～出来

[～补]　～进来|～出去|～过去|～进水里|～进人群里|～得快

(1) 他们钻制度不严的空子,经常偷税。

(2) 小鸡从鸡蛋壳里钻出来了。

(六) 罚

[主～]　管理局～|裁判～|警察～

[动～]　决定～|要求～|拒绝～|停止～

[～宾]　～款|～钱|～球|～站|～劳动|～他喝一杯|～他跳舞

[状～]　按规定～|狠狠地～|重重地～|别～

[～补]　～重了|～多了|～错了|～过一回

[～中]　～的根据|～的地点|～的钱数

(1) 违反交通规则是要挨罚的。

(2) 偷税漏税应该罚款。

(七) 搀

[动～]　继续～(着他走)|帮助～(起来)

[～宾]　～着老奶奶|～着残疾人|～着(她的)胳膊

[状～]　慢慢地～|主动地～|小心地～|快把她～起来|被他～走了

[～补]　～稳|～住|～到屋里|～(他)一下|～了一上午

(1) 他走路很稳当,不用别人搀。

(2) 我把老奶奶搀下楼晒晒太阳。

(八) 观念

[动～]　树立(法制)～|改变(旧)～|打破(传统)～|破除(旧)～|抱着(旧)～|有一种……～

[～动]　(旧)～害(了他)|……～约束着他|～决定(人们的行动)|～要改变|～是重要的|～不改变不行|～变了

[定～]　传统～|法制～|现代～|私有～|消费～|固有的～|老百姓的～|一种～

［～中］　～的产生|～的树立|～的破除|～的改变

(1) 这是多年的传统观念了,改变起来很难。

(2) 法制观念的教育,应从儿时做起。

(九) 树立

［动～］　准备～(这个典型)|同意～(这个榜样)|加以～|开始～(起来)

［～宾］　～信心|～榜样|～世界观|～远大理想

［定～］　典型的～|雄心壮志的～|世界观的～

［状～］　坚定地～|牢固地～|迅速地～|逐步地～

［～补］　～起来|～得很及时|～了一阵

［～中］　～的经过|～的结果|～的条件

(1) 要想获得成功,首先要树立信心。

(2) 光凭说空话,树立不起威信。

四　语法例释

(一) 整天足不出户,也弊得慌

“……得慌”,程度补语。“形/动＋得＋慌”,表示动作或状态的程度。如“累得慌、闷得慌、渴得慌、压得慌、想得慌、扎得慌”等等。常用于口语。例如:

(1) 这么多人住这间屋子,多挤得慌呀!

(2) 收音机开这么大声儿,你不觉得震得慌吗?

(3) 喝了这么多水,还觉得渴得慌。

(4) 这儿的路不平,骑车可颠得慌了。

(5) 我嫌他们吵得慌,快走!

(二) 想出门,至多在附近遛遛

“至多”,副词。表示最大限度或最大可能性,多用于对数量或情况的估计。后面常带有“不过”、“只有”之类的词语。例如:

(1) 这种药不能连续吃,至多不过一个星期。

(2) 他比我年轻,至多只有30岁。

(3) 你还得控制吃糖,每天至多两块。

(4) 这点秘密,他至多憋一上午。

(5) 安娜病刚好,至多就在院子里走走,不要轻易出大门。

(6) 老师至多给你讲讲大概的意思,不会详细分析的。

与“至多”相对的是“至少”。例如：

(7) 这种药至少要吃一个星期。

(8) 写一段话，至少要用上五个新词语。

(三) 青年人一蹬腿就上了车

用“一……就……”关联的紧缩句，一般包含着假设、条件的关系。表示前一种动作或情况出现之后，后一种动作或情况便随之产生。两个谓语可以都是动词(短语)或形容词(短语)，也可以一个是动词(短语)、一个是形容词(短语)。例如：

(1) 放心吧，我一到北京就打电话。

(2) 你真聪明，一学就会。

(3) 他俩一见面就打，一分开就想。

(4) 你试试，这种药特别灵，一吃就好。

(5) 安娜上课时，一紧张就说错。

(6) 真倒霉，他一吃鱼、虾就过敏。

(7) 他一睡不好觉就头疼。

(四) 不仅心气儿高，不服老，同时也想……

“不仅”，连词。常与“也、还、又、而且、并且”等连用，表示后边的意思进了一层，构成递进关系的复句。例如：

(1) 黑板上的词语，不仅要会念，还要会造句子。

(2) 不仅产量增加了，并且质量也提高了。

(3) 这条新闻不仅要登报，而且要通过电视播放。

“不仅”也可以说成“不仅仅”，起强调后一层的作用。例如：

(4) 他不仅仅是帮助小王学习，也是帮助小王从痛苦中解脱出来。

(5) 我弟弟不仅仅是会开车，而且还会修理、装配。

(6) 他不仅仅是有书本知识，而且有实际的经验和能力。

(7) 这不仅仅是为了你，也是为了我，为了大家。

(五) ……从而也认识了开“面的”而致富的一群新工人

“从而”，连词。表示结果或进一步的行动，用于后一小句的开头。前一小句是条件、方法、原因等。多见于书面语。例如：

(1) 大家通过讨论解决了矛盾，从而达到了新的团结。

(2) 他们制订了检查制度，从而提高了工作效率和产品质量。

(3) 我们从各方面做了准备,从而为大会的召开创造了条件。

(4) 这本翻译小说再版时,注释更加详细、准确,从而提高了翻译水平。

(5) 他们进行了各种调查、统计,从而保证了这套教材的科学性。

(6) 张先生的学术报告,使大家明确了努力方向,从而增强了大家的信心。

(六)"面的"司机大多是各行各业转业过来的("过来$_1$")

"……过来",趋向补语。表示事物的位置发生变化。引申意义除表示事物的位置、方向改变外,还表示恢复到原来的、所需要的正常状态。例如:

(1) 他是从北京大学转过来的。

(2) 李老师是从三年级调过来的。

(3) 这部英文电影,我第一次看时,还没翻译过来,昨天看的已翻成汉语了。

(4) 刚才,他俩又把座位换过来了。

(5) 阿里已经把错误的地方都改过来了。

(6) 今天算休息过来了,整整睡了两天两夜。

(7) 谢谢你们把他救过来了。

(8) 他身体还没恢复过来,再休息休息吧。

(七)无论哪天、哪辆车……

"无论",连词。表示在任何条件下结果或结论都不会改变。常与"也、总、都"等副词搭配,构成条件复句。"无论"后边要有"哪、什么、怎么"等疑问代词,或可供选择的两项或几项并列成分。例如:

(1) 无论在什么情况下,我们都不能失去信心。

(2) 无论出了什么事,你都要保持镇静。

(3) 无论大事小事,他都决定不了。

(4) 无论你怎么安慰他,他还是感到不安。

(5) 无论负担怎么重,他都没叫过苦。

(6) 国家无论大小,都各有长处和短处,人也如此。

(7) 他无论是拒绝还是接受,你都要马上告诉我。

(八)……停了下来("下来$_2$")

趋向补语"……下来"的引申义还有:

1. 表示动作使事物固定。例如:

(1) 我还没招呼他,他就停了下来。

(2) 刚想起一个好句子,快写下来。

(3) 小王已经把那个电视剧录下来了。

(4) 刚才的情况拍(摄)下来了吗?

2. 表示动作使事物分离。例如:

(5) 快把湿衣服脱下来。

(6) 车上的那个零件,怎么拆也拆不下来。

(7) 这张画是从哪儿撕下来的?

3. 表示动作或状态从过去继续到现在。例如:

(8) 这是我们祖先传下来的好传统。

(9) 每次学英语他都坚持不下来,这次坚持下来了。

五　副课文

(一)阅读课文　投诉(tóusù)拒载(jùzài)

一天午饭后,大家正热烈讨论"面的"拒载的问题时,办公室张主任进来了。小李问:"主任,您要碰上出租车拒载怎么办?"张主任笑笑说:"告诉你们一个好办法,你们若碰上拒载,马上从口袋里掏出笔和纸,假装记他的车牌号。司机准以为你要投诉,他会马上很客气地请你上车。这办法我用过多次,每次都很灵。这是我那开'面的'的儿子告诉我的。"

一天晚饭后,张主任和儿子聊天儿。儿子突然问道:"我告诉您的好办法,您是不是跟您单位的人说了?"张主任不明白地问:"怎么了?"儿子说:"今天下午我路过您单位时,从公司院里出来个人叫车。我一听又是九公里多。我刚说不往那边去,他马上伸手掏钢笔。我一看,心想,想用这办法治我呀,你还差点儿。我没等他摸着钢笔,一踩油门(yóumén)跟他拜拜(báibái)了。"

第二天上午,小李从外面进来就冲张主任叫开了:"主任,您那好办法不灵。昨天下午在咱们公司门口,我愣碰上了拒载。心想试试您的好办法吧,您猜怎么着?我刚掏笔,他一溜烟儿(yílìuyānr)地跑了,动作还真快。"张主任心里暗笑,嘴里却说:"那可能你动作太慢了。"小李不服气(fúqì)地说:"动作慢,我眼可不慢,刚一叫车的时候,我就把他的车牌号记住了。回到家,我就给他写了一封'表扬'信。今天一大早,我就把信寄出去了。"张主任一愣,张了半天嘴才说:"那……你……你的动作也够快的。"

(二)会话课文　怎么叫丈夫起床

冬梅:杨丽,星期天过得怎么样?我们那位又睡了一天的懒觉,我想让他陪我去商店也没去成。

杨丽:我们那位星期天也是要睡懒觉的。平时太忙了,半夜也常常让电话叫走。星期天他都得好好补补觉。

冬梅:那你们也是一天在家了?昨天天气那么好,在家憋着,真可惜。

杨丽:我一大早就起来了,收拾屋子,做早点,把要换的干净衣服找出来……都十点多了。他还在床上睡着呢。儿子又闹着要去公园。

冬梅:你让儿子去叫他了?

杨丽:没有。我轻轻地推开门一看,他早醒了,正躺着看书呢。

冬梅:醒了还不好办,你和儿子一起拉他起床。

杨丽:不管儿子怎么拉他,他嘴里答应着,可身子就是不动。我想这个星期天又完了,正不知该怎么办呢,一眼发现了他放在枕头旁边的BP机。

冬梅:你就有了好主意?

杨丽:对。我悄悄溜(liū)进客厅,拿起电话,声音压得很低:"请急呼3129。速来单位。"然后就像什么事儿也没发生一样,对着镜子梳(shū)起头来,从镜子里我能看见他和儿子。

冬梅:这时BP机就叫了,唉呀,你这坏东西!

杨丽:BP机一叫,他腾地(tēngde)就坐起来,手忙脚乱地穿衣服,嘴里念叨(niàndao)着:"可能有事,单位呼我。"说着,提上鞋就要回电话。

冬梅:那你儿子肯定又要噘(juē)大嘴了吧?

杨丽:儿子哭着脸说,今天又没戏了。看到他俩都如此认真,我忍不住笑了,赶快说:"是我呼的,叫你起床。"

冬梅:他一定气坏了吧,要是我们那位,就得发脾气(fā píqi)。

杨丽:他大喊:"上当啦!儿子,你妈骗人该打是不是?"

冬梅:儿子肯定向着你,要不,他能去公园吗?

杨丽:儿子高兴得拍着小手,左边看看爸,右边看看妈,拉着长声喊:"我不知道!"冬梅,你说这法子好吗?

冬梅:这,我也……

(三)听力课文　一封电报

3月25日,我们单位的王立江收到山东农村家里来的一封电报:"父死去,请速告详细路线。"小王一看,难过得直掉眼泪。他的朋友老孙看过电报后就怀疑起来:"父亲已死,为什么还要让快告诉他们来这里的路线呢?"老孙安慰小王不要太难过,先回山东农村家里看看。

三天后,小王回到村里。一进家门,心就放下了。第一个迎接他的不是别人,正是他日夜想念的父亲。家里人看到他突然回来,都非常奇怪。于是小王说出突然回家的原因。小王的哥哥还没听完就跑到县里邮局去查问原因。邮局的同志找出电报稿,没有发现什么错误。

小王回到工作单位,又去江西省邮局查问原因。一开始,也查不出什么。后来仔细查找,才发现是邮局下边的一个办事处的工作人员因为马虎,把"2984"(要)译成"2948"(死),也就是把"父要去"译成"父死去"。唉!真是一字之差,把活人说成了死人。希望今后这样的事情不再发生。

生　词

1. 怀疑	(动)	huáiyí	doubt douter; soupçonner	丙
2. 稿	(名)	gǎo	draft brouillon; manuscrit	丙
3. 唉	(叹)	ài	(interjection) (interjection)	丙

六　练　习

(一) 给下列词语搭配上状语:

1. ________遛
2. ________取消
3. ________让座
4. ________钻
5. ________挣
6. ________团聚
7. ________满足
8. ________理解
9. ________树立
10. ________可惜

(二) 给下列动词搭配上补语:

1. 憋________、________、________、________
2. 蹬________、________、________、________

3. 搀________、________、________、________
4. 罚________、________、________、________
5. 迈________、________、________、________
6. 宰________、________、________、________
7. 挨________、________、________、________

（三）根据指定词语回答问题：

1. 你对这儿出租车司机的印象怎么样？（不仅……还……）
2. 搀着那个孕妇的人是谁？（嫂子）
3. 听说出租车司机都怕警察，这是一种什么心理呢？（罚、除了……还……）
4. 你出门常坐出租车吗？（至多）
5. 你住的那个地方"打的"方便吗？（几乎）
6. 你们和父母的消费观念有什么不同吗？（几乎）
7. 这个假期你过得怎么样？（……得慌）
8. 为什么下星期的考试取消了？（不仅……又/也……）
9. 你遇到过"宰人"的情况吗？（至多）
10. 安娜最近的身体情况怎么样？（……过来）
11. 你晚上敢喝茶吗？（一……就……）
12. 老王退休以后的心情怎么样？（……得慌）
13. 张先生在穿的方面是不是不太讲究？（无论……都是……）
14. 李厂长的工作为什么能得到大家的支持？（从而）

（四）给下列句子填上适当的补语：

起来　　下来　　过来

1. 这个计划，经过反复讨论，总算定________了。
2. 是老赵骗了我，现在我才明白________。
3. 改革开放以后，农民的生活富裕________了。
4. 墙上的地图太旧了，快摘________吧。
5. 他的广东口音改不________了。
6. 哥哥已经决定了，但嫂子一劝他，他又踌躇________。

7. 尽管阿里不太愿意，但还是答应＿＿＿＿＿＿＿＿了。
8. 这房子质量不错，价钱也还可以，买＿＿＿＿＿＿＿＿吧。
9. 他气得眼睛都瞪＿＿＿＿＿＿＿＿了。

（五）根据课文内容，判断下列句子对错，并说明理由：

（　　）1. 八十多岁的老人上下车不方便，也就整天不出门了。
（　　）2. 老人腿脚不灵了，所以对年轻人一蹬腿就上了车不太理解。
（　　）3. 抱小孩的人，自觉地给老弱病人让座。
（　　）4. 他虽然老了，但心气还很高，也愿意常和老朋友们见见面。
（　　）5. 老人开会、办事都打"面的"，是因为他计算好了，10公里10元钱，不算贵。
（　　）6. 老人认为，在精神上得到满足，才是真正地活着。
（　　）7. "面的"司机大多是搞第二职业的。
（　　）8. 老人遇到的"面的"司机大多很和气。
（　　）9. 老人非常理解"面的"司机的辛苦。
（　　）10. "面的"司机常常违反交通规则，所以总躲着警察。
（　　）11. "宰人"的"面的"司机是个别的，所以没有什么关系。
（　　）12. "面的"的出现，是城市交通的进步，也使开"面的"的司机富了起来。

（六）根据课文内容回答下列问题：

1. 退休的老人想不想出门？为什么？
2. 老年人出门坐车会遇到什么问题？
3. 老年人参加活动是为了什么？有什么特别的意义吗？
4. 老人遇到的"面的"司机都怎么样？
5. 老人和"面的"司机都谈些什么？他们之间能互相理解吗？
6. "面的"司机为什么怕警察和自行车？
7. 为什么有的"面的"司机会跑过了头？
8. 有没有"宰人"的司机？搞好城市交通应该靠什么？

（七）阅读练习：

1. 根据阅读课文内容，选择一个最恰当的答案。

（1）回到家，我就给他写了一封"表扬"信。

这句话的意思是：

A. 写信给他表示感谢。

B. 写信给他表示表扬。

C. 写信给他进行批评。

D. 写了一封投诉信。

(2) 想用这办法治我呀,你还差点儿。

这句话里"差点儿"的意思是:

A. 差得远呢。

B. 差得不多。

C. 差得很少。

D. 少一点儿。

2. 根据阅读课文的内容回答:

(1) 小李问张主任一个什么问题? 张主任怎么回答的?

(2) 张主任的儿子是怎样对待乘客的?

(3) 为什么小李说张主任告诉他的好办法不灵?

(4) 为什么张主任一会儿说小李的动作太慢了,一会儿又说小李的动作够快的?

(八) 口语练习:

1. 分角色进行对话练习。注意语音语调。

2. 用第一人称"我"讲一讲"怎样叫丈夫起床"的小故事。

3. 对话:

甲:"嗷大嘴"是嘴张得很大吗? 什么时候这样说?

乙:________________。

甲:"我们那位"里的"那位"是指丈夫吗?

乙:__________,你们国家夫妻之间是怎么称呼? 跟别人谈话时提到自己的丈夫或妻子,怎么称呼?

甲:________________。

乙:"今天又没戏了"里的"没戏"是指没有戏看了吗? 什么时候这样说?

甲:________________。

(九) 听力练习:

1. 听录音判断正误,并说明理由:

(　　) (1) 王立江收到农村家里一封电报,让他迅速回家。

(　　) (2) 朋友老孙对电报的内容产生了怀疑。
(　　) (3) 小王回到家,看到父亲健康地活着。
(　　) (4) 家里人看到小王回来非常高兴。
(　　) (5) 大家商量让小王的哥哥去县里的邮局查问原因。
(　　) (6) 县里邮局的电报稿错了。
(　　) (7) 小王回到工作单位后,又去江西省邮局查问原因。
(　　) (8) 江西省邮局把电文译错了。
(　　) (9) 办事处工作人员把"父要去"译成了"父死去"。
(　　) (10) "一字之差"就把活人说成了死人。

2. 根据录音内容复述大意。

(十) 交际训练:

1. 自由对话:

同学们聚在一起,围绕着"我最怕堵车"、"我遇到过一个好司机"、"我被罚款了"、"我最怕……"等话题自由交谈。

下面的词语帮助你表达:

打的、格外、胆子、……起来、不觉、稍稍、差点儿、钻(空子)、蹬、跨、罚、红绿灯、一……就……、无可奈何、BP机、不仅……还……、镇静、搀、出事……

2. 给报社或电台写一封表扬信,或一封批评信,内容和交通有关,200字左右。

3. 讨论:

(1) 你对衣、食、住、行中的"行"有什么看法? 你有什么困难和希望?

(2) 介绍一下你们国家的交通情况(出租车、火车、地铁的情况,高速公路、交通规则,等等)。

4. 语言游戏:

(1) 趣味联句。

教师把学生分成四组,并准备好纸条。

第一组写名词:邮包、自行车、牙齿……;第二组写动词或动词短语:掏、蹲、骑起来、撞倒……;第三组写形容词或形容词短语:轻松一下、模糊、时髦、很清晰……;第四组写时间、地点:在银行、在胡同……

接着,请四个同学从每组中各抽出一张纸条,把纸条上的词语联成句子,念给大家听(或写在黑板上)。联成的句子可能是有意义的、正确的,也可能是错误、可笑的。如"小偷在邮局骑上了钱包"。然后,大家一起修改。

(2) 你听说过下边这个成语吗?

差之毫厘,谬以千里(chà zhī háolí, miù yǐ qiān lǐ)

讲一讲它的意思以及我们这课书里哪一篇短文可以用上这个成语。

5. 看一看，说一说，写一写。

第六课

一　课文　眼　光[1]

开幕[2]的热烈场面[3]过去了，来宾们走了一大半，留下的贵宾用完午餐之后也都一个个离去。展览厅里空空的，连一个观众都没有，只剩下他和年轻的妻子。

妻子原是他的一个学生，对他非常崇拜[4]。当崇拜变成爱情时，他不安了，但终于挡不住姑娘火一般的爱情攻击[5]，他跟生活了二十几年的老妻分了手[6]，和比他小二十几岁的崇拜者结了婚。老妻是位中学教师，不会画画儿，对他的作品从不多言多语。而年轻的妻子却[7]相反，对于他的每件[8]作品，都要大大称赞一番[9]。这个画展就是年轻妻子为他举办[10]的，作为献给他55岁生日的礼物。他画画四十多年，早就盼望能举办一次个人画展。但以前每次和老妻商量此事，她总是显得很不热情。这次展览虽然一幅作品也没卖出去，但毕竟开幕了，实现了他一生的一大愿望。

"老师！回家吧，该闭[11]馆了！"妻子还像做学生时那样叫他老师。

"闭馆了？"他慢慢抬起头，与妻子的目光[12]相遇了。妻子的眼中充满[13]了失望[14]，她心中的偶像已经动摇了。

几天来，展览大厅里非常安静。除了展览馆门口的一块广告牌子[15]，美术界[16]的人一句话也没说。电视台、报纸也都沉默着，观众少得可怜。他亲自[17]联系了几家小报的记者，并送了礼，但也仅有两家小报登了只有一两句话的简单新闻。展览结束前两天，他花钱又登了一次广告，提醒[18]人们注意这个画展的存在，但参观的人还是不多。

参加闭幕[19]式的人很少，最后剩下两个学生帮他收拾作品。他像骗子[20]一样避开妻子冷冷的目光，他真后悔[21]和一个崇拜者结了婚。他觉得自己欺骗了她，对不起她。她好可怜啊……

这时，展览馆办公室走来了一位职员，告诉他们，有20幅画已在昨晚被一位不肯说出姓名的海外[22]收藏[23]家买下了，他的代理人已将一万元送到。他简直[24]不敢相信这是真的，他以为这是一个梦[25]！可这的的确确是真的。

妻子冷冷的脸一下子笑开了，接着就像小姑娘一样跳起来，连呼带[26]叫地向丈夫扑过去，吊着他的脖子[27]响亮地吻[28]了一下。"老师，我没有看错你，我相信你是天才，早晚会被承认的！"她激动地说着。在她眼里，偶像似乎长高了许多。他觉得妻子到底有眼光，是她第一个发现了自己，选择了自己。当然自己也有眼光，坚决[29]地甩掉了毫无[30]共同语言的老妻而娶[31]了她……

他的画被海外收藏家买了20幅的消息一下子惊动了记者，大报小报纷纷[32]加以报道，家里的客厅天天人来人往，上门买画的人越来越多。不到一个月，展出过的一百幅画全部卖光，连画稿也卖出了几幅。不少报纸接连[33]发表[34]评论[35]和介绍文章，登他的作品，称赞这个大画家。他自己也完全糊涂[36]了，以为天上真的多出了一个太阳。

那天，他正一个人在家作画，忽然来了一位客人。客人衣服十分讲究，说着不太标准[37]的普通话[38]。他想：可能又是来买画的，就请他在沙发上坐下。客人并没有马上坐下，而是久久地盯[39]着他。

"知道三个月前买了你20幅画的海外收藏家是谁吗？"那人神秘[40]地笑了笑，"就是我。但我并不是收藏家，在海外我只是个普通[41]商人[42]！"

他愣了一下，接着热情地伸出双手。"谢谢，谢谢！"他连声地说。

"不用谢我，我是根据你前妻的请求办的。"商人又沉默了一会儿，"她至死都爱着你！"

画家吃了一惊[43]，怀疑地瞪着眼睛。

"她参观你的展览出来后遇上了车祸[44]。临死前，她把自己的两个眼角膜[45]给了我母亲，因为我母亲正等着做角膜移植[46]手术[47]。你前妻要求我以海外收藏家的身份收藏你的两幅画，结果[48]我就买了20幅！"画家差点儿晕[49]倒了，过了好一会儿才渐渐清醒[50]过来。"她，她为什么要这样做？"

来客想了一下，从口袋里摸出一盘[51]磁带放进收录机[52]里。不一会儿，里面便传出老妻吃力[53]的声音：

"……帮帮他吧，只有这个办法能使他成功，因为他的作品太一般了……"

他一阵[54]阵颤抖，仿佛又看到了老妻冷冷的目光，深刻而尖锐[55]。他不安地低下了头。

客人走后不久，妻子回来了，告诉他说："展览期间被那海外收藏家买去的20幅画最近已转卖出去，价格是当初[56]的三倍。"

他又是一惊。

妻子说："那人真有眼光！"

二 生 词

1. 眼光	（名）	yǎnguāng	sight vue; point de vue	丙
2. 开幕		kāi mù	(of a meeting, exhibition, etc.) open ouverture	丙
3. 场面	（名）	chǎngmiàn	spectacle; occasion spectacle; occasion; apparence	丙
4. 崇拜	（动）	chóngbài	worship; adore vouer une culte à qn; adorer	丁
5. 攻击	（动、名）	gōngjī	attack attaquer; attaque	丙
6. 分手		fēn shǒu	divorce; part company se séparer	
7. 却	（副）	què	but cependant	乙
8. 件	（量）	jiàn	(a measure word for works of art, etc.) (spécificatif)	甲
9. 番	（量）	fān	(a measure word for actions, deads, etc.) (spécificatif)	丙
10. 举办	（动）	jǔbàn	hold organiser; monter	丙
11. 闭	（动）	bì	close fermer	乙
12. 目光	（名）	mùguāng	eye regard	丙
13. 充满	（动）	chōngmǎn	be full of être plein de	乙
14. 失望	（动）	shīwàng	lose hope désespérer	乙

15. 牌子	（名）	páizi	board panneau	丙
16. 界	（名）	jiè	circles monde；milieu	丁
17. 亲自	（副）	qīnzì	personally en personne	乙
18. 提醒	（动）	tíxǐng	remind rappeler；signaler	丙
19. 闭幕		bì mù	（of a meeting，exhibition，etc.）close fermeture	丙
20. 骗子	（名）	piànzi	cheater；swindler escroc	乙
21. 后悔	（动）	hòuhuǐ	repent；regret se repentir；regretter	乙
22. 海外	（名）	hǎiwài	overseas outre-mer	丁
23. 收藏	（动）	shōucáng	collect collectionner	丁
24. 简直	（副）	jiǎnzhí	simply；at all tout simplement	丙
25. 梦	（名）	mèng	dream rêve	乙
26. 连……带……		lián…dài…	and；while et（liant deux actions réalisée presque en même temps）	
27. 脖子	（名）	bózi	neck cou	乙
28. 吻	（动、名）	wěn	kiss embrasser	丙
29. 坚决	（形）	jiānjué	resolute ferme；résolu	乙
30. 毫无		háo wú	not at all sans la moindre	乙
31. 娶	（动）	qǔ	marry（a woman） épouser（une femme）	丙
32. 纷纷	（形）	fēnfēn	one after another en foule；en grand nombre	乙
33. 接连	（副）	jiēlián	in succession successivement	丙
34. 发表	（动）	fābiǎo	publish；issue publier	乙

35. 评论	（动、名）	pínglùn	comment; review critiquer; critique	丙
36. 糊涂	（形）	hútu	confused embrouillé; confus	乙
37. 标准	（名、形）	biāozhǔn	standard standard	乙
38. 普通话	（名）	pǔtōnghuà	common speech (of the Chinese language) langue chinoise commune	乙
39. 盯	（动）	dīng	fix one's eyes on fixer du regard	丙
40. 神秘	（形）	shénmì	mysterious mystérieux	丙
41. 普通	（形）	pǔtōng	ordinary ordinaire; simple	乙
42. 商人	（名）	shāngren	merchant commerçant	丙
43. 吃惊		chī jīng	be startled être étonné de; être surpris que	乙
44. 祸	（名）	huò	accident malheur; ici: accident	丁
45. 眼角膜	（名）	yǎnjiǎomó	cornea cornée	
46. 移植	（动）	yízhí	transplant greffer	
47. 手术	（名）	shǒushù	operation opération	乙
48. 结果	（连、名）	jiéguǒ	result; finality (conjonction) résultat	丙
49. 晕	（动）	yūn	faint; swoon s'évanouir; avoir des vertiges	丙
50. 清醒	（动、形）	qīngxǐng	regain consciousness; clear-headed reprendre ses esprits	丙
51. 盘	（量）	pán	(a measure word for diskes, tapes, etc.) (spécificatif)	乙
52. 收录机	（名）	shōulùjī	radio-tape recorder magnétophone	
53. 吃力	（形）	chīlì	strenuous; laborious pénible	丙

54. 阵	（名、量）	zhèn	short period; (a measure word) un certain temps; un moment; (spécificatif)	乙
55. 尖锐	（形）	jiānruì	sharp perspicace	乙
56. 当初	（名）	dāngchū	at that time; originally à l'origine; autrefois	丙

三　词语搭配与扩展

(一) 实现

[主～]　计划～了|目标～了|愿望～了|理想～了
[～宾]　～理想|～四个现代化|～粮食自给|～统一|～邦交正常化
[状～]　努力～|难以～|顺利地～|基本～
[～补]　～得快|～得早|～起来很困难|～不了
[～中]　～的原因|～的方法|～的手段
(1) 我们要为实现四个现代化努力工作。
(2) 高中毕业以后，他终于实现了自己的愿望，考上了大学。

(二) 闭

[～宾]　～眼|～嘴|～会|～幕|～门(谢客)
[状～]　紧紧～着|赶紧～上|暂时～会儿|整天～门不出
(1) 结婚以后，她经常闭门不出，很少跟别人接触。
(2) 小王闭上眼睛休息了一会儿，记忆顿时显得清晰多了。

(三) 充满

[～宾]　～阳光|～泪水|～欢笑声|～信心|～力量
[状～]　对前途～(希望)|应该～(信心)|永远～(活力)
(1) 客厅里充满了阳光，显得特别明亮。
(2) 别人怎么说都无所谓，重要的是自己要充满信心。

(四) 联系

[主～]　干部～(群众)|理论～(实际)|自己～
[动～]　加强～|保持～|失掉～|继续～
[～宾]　～思想|～单位|～工作|～实际问题
[状～]　不断地～|进一步～|主动～|广泛～|可以～
[～补]　～成了|～上了|～好了|～了半天|～了几天|～一下儿
(1) 她结婚以后，一直跟姑姑有联系。
(2) 我给王秘书打了好几次电话，可总是联系不上。

(五) 花

［动～］　想～(时间)|不让～(钱)|打算～(钱买)|决定～(工夫研究)
［～宾］　～钱|～时间|～力气|～精力
［状～］　计划着～(钱)|乱～(钱)|白～(时间了)|至少～(两小时)
［～补］　～完了|～得很快|～不了|～出去了
［～中］　～的精力|～的金钱|～的工夫

(1) 为了买这件心爱的首饰,她把赚来的钱都花掉了。
(2) 李小平花了三天时间才把这个问题弄明白。

(六) 清醒

［主～］　头脑～|神志～
［动～］　保持～|(比昨天)显得～|觉得～
［状～］　不够～|特别～|要～|突然～了
［～补］　～过来|～极了|～了一会儿
［～中］　～的头脑|～的时候|～的认识

(1) 他虽然不能开口了,但头脑一直很清醒。
(2) 她一激动,脑子就不够清醒了。

(七) 避

［～宾］　～光|～雨|～开灾祸|～难|～风险
［状～］　正在～(雨)|能～(开)|在这儿～(避)|不～(你)
［～补］　～开|～不开|～得了|～一下儿

(1) 她借口有事,避开了大家。
(2) 雨越下越大,咱们找个地方避避吧。

(八) 承认

［动～］　获得～|得到～|决定～|希望～
［～动］　～偷了|～贪污|～看过
［～宾］　～事实|～错误|～现实|～矛盾
［状～］　公开～|表面上～|一致～|不得不～
［～补］　～得及时|～得很快|～了三次
［～中］　～的时间|～的条件|～的问题|～的结果

(1) 他不承认是这个孩子的父亲。
(2) 你得承认他不得不这样做,并不是故意为难你。

(九) 毫无

［～宾］　～希望|～信心|～办法|～疑问|～结果|～价值

(1) 爱谁不爱谁,这是感情问题,你我都毫无办法。
(2) 他的癌症非常严重,毫无治好的可能。

(十) 加以

［～动］　～支持|～保护|～肯定|～重视|～批评

(1) 毒品的问题一定要加以解决。

(2) 残疾人工作的问题,你们要认真加以研究。

(十一) 吃惊

[动~] 让(人)~|感到~|觉得~|没有~|担心(他)~

[状~] 暗暗~|会~|不应该~|不~

[~补] ~得很|~得说不出话来

[~中] ~的目光|~的神情

[吃……惊] 吃了一惊|大吃一惊

(1) 画家吃了一惊,怀疑地瞪着眼睛。

(2) 这个不幸的消息使他大吃一惊。

四 语法例释

(一) ……他跟生活了二十几年的老妻分了手("了$_1$")

句子中的动态助词"了"为"了$_1$"(以后再讲"了$_2$")。"了$_1$"用在动词(包括述补式动词或短语)后表示动作、行为的完成或实现。例如:

(1) 他终于在一家小书店里买到了这本书。

(2) 其实,我已经讲清了出事的原因,大家早就原谅了我。

(3) 老人在这条胡同住了几十年,对这里的一切充满了感情。

(4) 这部小说我看了一个星期还没看完呢。

应该注意,"了$_1$"可以用于过去,也可以用于将来。例如:

(5) 去年,他在报纸上发表了十几篇文章。

(6) 明天你打完了针就去买药吧。

(7) 下学期编完了这套教材就轻松了。

(二) 这次展览虽然一幅作品也没有卖出去

"……出去",趋向补语。作为引申用法,用在非趋向动词后,表示动作实现。"讲、说、闹、漏、泄露、宣布、宣扬"等后面常可以带趋向动词等。例如:

(1) 这件事任何人都不能说出去。

(2) 那间房子租出去了没有?

(3) 这种事闹出去对谁都没有好处。

(4) 安娜怪我把她恋爱的秘密泄露出去了。

(5) 其实他并没有把打工的事说出去。

(6) 这个决定还没有讨论,他为什么就宣布出去了?

(三) 但毕竟开幕了

“毕竟”,副词。强调事物的状态、性质、特点,不管怎么说,事实还是这样;即使有了新的变化,原有状况也不能忽视。有“到底”、“究竟”的意思。有时用在前一分句,强调原因。不能用于问句。例如:

(1) 在饭馆吃饭毕竟太贵,不能天天都去吃。

(2) 她毕竟受传统观念的影响太深,对各式各样的新事物还很难适应。

(3) 这水果毕竟买回来两天了,已显得不那么新鲜了。

(4) 他毕竟不是你的敌人,不会故意为难你的。

(5) 小王毕竟不是孩子了,相信他会珍惜时间的。

(四) 他亲自联系了几家小报的记者

“亲自”,副词。强调行为动作由动作者自己发出。例如:

(1) 父亲亲自开车去接女儿。

(2) 这些小事,何必你亲自动手?

(3) 这么重要的事,你应该亲自去了解一下。

(4) 我亲自提醒过他,你放心吧。

(5) 手术前的准备工作,他都要亲自检查。

(6) 领导亲自到灾区慰问受灾的群众。

(五) 他简直不敢相信这是真的

“简直”,副词。表示达到或接近于某种程度,带有强调或夸张的语气。例如:

(1) 他激动得简直说不出话来了。

(2) 她这种态度简直让人不可理解。

(3) 结婚以后,小王简直就像换了一个人。

(4) 这哪儿是帮忙,简直就是宰人。

(5) 天气这么暖和,简直就像春天。

(六) (妻子)就像小姑娘一样跳起来,连呼带叫地向丈夫扑过去

“连……带……”,这一结构可以表示两个意思:

1.“连”和“带”后分别跟两个动词或动宾结构,表示两个动作紧接着,差不多同时发生。意思相当于“又……又……”,有加强语气的作用。例如:

(1) 那些骗子连滚带爬地逃跑了。

(2) 他买了20斤水果,同学们连吃带拿,一下子就光了。

(3) 一群姑娘连说带唱、连蹦带跳地走了过来。

(4) 为了体面,她这次结婚连买东西带请客吃饭,一共花了两万多元。

2.“连”和“带”后分别跟两个名词或形容词,表示前后两项包括在一起,相当于连词“和”。例如:

(5) 连收录机带手表都被人拿走了,小王很生气。

(6) 他们家连老带小共有八口人。

(7) 今天去参观的连老师带学生差不多有二百人。

(七) 画家差点儿晕倒了,过了好一会儿才渐渐清醒过来(“过来$_2$”)

“……过来”,趋向补语。作为引申用法,可用在某些非趋向性动词后面,表示以下几种意思:

1. 表示恢复到正常状态。与它配合的动词主要有:变、反应、醒、苏醒、感化、改、改变,等等。例如:

(1) 他的记忆差不多全恢复过来了。

(2) 她那些懒毛病终于改过来了。

(3) 我算是明白过来了,感情问题是不能勉强的。

(4) 经过一天一夜的抢救,病人总算清醒过来了。

2. 表示艰难地完成。与它配合的动词主要有:熬、挣扎、对付、挨、挺,等等。例如:

(5) 我也不知道这样贫穷的日子是怎么熬过来的。

(6) 贫困和压力她都挺过来了。

(7) 我们都是在困难中磨练过来的。

3. 表示有没有能力完成,动词和“过来”之间有“得”或“不”,常见的动词有:数、背、念、管、干、算、顾、忙、照应、照顾、照料,等等。例如:

(8) 工作太多,我一个人忙不过来。

(9) 这么多的孩子,你一个人管得过来吗?

(10) 这么大的数目,一个小孩子怎么能算得过来呢?

(11) 她的负担太重,这些工作实在干不过来。

五 副课文

(一)阅读课文　胡适的白话电报

胡适是位著名的学者。“五四”运动时期,他积极推动新文化运动,提倡白话(báihuà)文。他说:“文言(wényán)是半死文学”,“可读而听不懂”。他始终关心白话文的发展和命运,带头用白话文写文章,还专门编写了一部《白话文学史》。

三十年代初,胡适在北京大学任教授。讲课时他常常对白话文大加称赞,引起一些只喜欢文言文而不喜欢白话文的学生的不满。一次,胡适正讲得得意(déyì)的时候,一位姓魏的学生突然站了起来,生气地问:“胡先生,难道说白话文就毫无缺点吗?”胡适微笑着回答说:“没有的。”那位学生更加激动了:“肯定是有的!白话文废话(fèihuà)太多,打电报用字多,花钱多。”胡适的目光顿时变亮了,轻声地解释说:“不一定吧!前几天有位朋友给我打来电报,请我去政府部门工作,我决定不去,就回电拒绝了。复电是用白话写的,看来也很省字。请同学们根据我这个意思,用文言文写一个回报,看看究竟是白话文省字,还是文言文省字?”胡教授刚说完,同学们立刻认真地写了起来。

十五分钟过去,胡适让同学举手,报告用字的数目,然后挑了一份用字最少的文言电报稿,电文是这样写的:

“才疏学浅,恐难胜任,不堪从命。”白话文的意思是:学问不深,恐怕很难担任这工作,不能服从安排。

胡适说,这份写得确实不错,仅用了十二个字。但我的白话电报却只用了五个字:

“干不了,谢谢。”

胡适又解释说:“干不了”就有才疏学浅、恐难胜任的意思;“谢谢”既对朋友的介绍表示感谢,又有拒绝的意思。所以,废话多不多,并不看它是文言文还是白话文,只要注意选用字词,白话文是可以比文言文更省字的。

胡先生的解释,使那些对白话文不感兴趣的学生也受到了很深的教育。

(二)会话课文 “吃”文化

A:我发现汉语中带“吃”字的词语特别多。不知你注意了没有?

B:没错。这也许跟中国的“吃文化”有关系。

A:是呀,中国人特别讲究吃,但讲究得也不一样:南方爱吃甜的,湖南、四川一带人爱吃辣的,山西人爱吃酸的……差别(chābié)可大了!

B:对了,我常听中国人说:“民以食为天。”这句话是什么意思?

A:意思是说:对老百姓来讲,吃饭是最重要的一件事。

B:中国人那么多,解决十多亿人的穿衣吃饭问题确实不容易。

A:难怪中国人见面常爱问:“吃了没有?”开始,我听了真不舒服。吃饭不吃饭是我个人的事,跟他有什么关系?

B：其实你也不用生气，这只不过是中国人打招呼的一种方式。

A：这倒也无所谓，听多了也就习惯了。奇怪的是，汉语中那么多带“吃”的词，有时真搞不明白。

B：有哪些？说给我听听。

A：比方，我们刚学过的“吃亏、吃惊”，还有“吃醋、吃香、吃得开、吃不开”什么的。

B：所谓“吃醋”就是忌妒(jìdu)，“吃香、吃得开”都有受欢迎的意思，“吃不开”是不受欢迎。

A：你这么讲我可记不住，你能不能一边解释一边举几个例子？

B：好的。比方，你的女朋友跟别的男人一起去看电影了，你很不高兴，你这就是在“吃醋”。

A：我没有女朋友。况且，就是有女朋友，她爱跟谁去看电影，那是她的自由，我决不“吃醋”。

B：看，你已经学会“吃醋”了。

A：好。你接着说，“吃香、吃得开”怎么用？

B：如果一位老师在学校里工作得很好，很受大家的欢迎，就可以说：这位老师在我们学校很吃香，很吃得开。

A：我懂了。这么说，你在我们班一定很吃香、很吃得开，而我就吃不开了。

B：怎么能这么说呢！

A：你汉语学得非常好，老师和同学都喜欢你，当然吃香、吃得开。我学习可远远不如你，怎么能吃得开呢！

B：别开玩笑了！

（三）听力课文　画家和他的孙女

画家有一个6岁的孙女，叫婷婷。婷婷也喜欢画画儿。

婷婷画一棵树。

他说：“婷婷，你画的树不对。”

婷婷说：“怎么不对呢？”

他说：“树枝不对。”

婷婷说：“树枝怎么不对呢？”

他说：“树枝怎么能比树干还粗呢？”

婷婷说：“树枝怎么不能比树干还粗呢？”

他说：“那就不是树了。”

婷婷说：“不是树你怎么说是树呢？”

他无话可说了。

婷婷画了一匹马。

他说:"婷婷,你画的那马不对。"

婷婷说:"怎么不对呢?"

他说:"马有翅膀吗?"

婷婷说:"马没有翅膀。"

他说:"那你为什么给马画了翅膀呢?"

婷婷说:"我想让马长出翅膀来。"

他说:"那就不是马了。"

婷婷说:"不是马你怎么说是马呢?"

他又没话说了。

婷婷还画了一只老母鸡。老母鸡下了一个蛋。那蛋比老母鸡还大。婷婷就拿那幅画去参加西班牙的一个国际儿童画展。结果,婷婷得了一等奖。

画家心里就是不明白:"这洋人,怎么跟小孩子没两样呢?"

字谜答案:1)告　2)尖　3)也

生　词

1. 枝	(名)	zhī	branch branche	丙
2. 树干	(名)	shùgàn	tree trunk tronc d'arbre	丁

专　名

婷婷	Tíngting	name of a person nom de personne

六　练　习

(一) 辨字组词:

{盼 纷}　{抬 拾}　{广 厂}　{幅 福}　{骗 遍}　{错 借}

(二) 给下列动词搭配上宾语:

1. 攻击________　2. 举办________　3. 充满________　4. 提醒________

5. 收藏________ 6. 惊动________ 7. 登________ 8. 发表________

(三) 用指定词语回答问题:

1. 你觉得安娜的汉语说得怎么样?(算是 毕竟)
2. 昨天的讨论有结果了吗?(花 毫无)
3. 你们学校有人报名参加 HSK 辅导班吗?(纷纷 连……带……)
4. 他们俩结婚的新房收拾得怎么样了?(显得 讲究)
5. 刚来的小王老师上课时为什么有点儿不好意思?(毕竟 而且)

(四) 在下列空白处填上补语"出去"或"过来":

1. 说实话,要把这个坏毛病改________确实很不容易。
2. 这件事还没决定怎么就传________了?
3. 他太累了,睡了两天两夜才醒________。
4. 我刚开始戒烟的时候很痛苦,现在总算熬________了。
5. 小王又要上班,又要照顾老人和孩子,真是忙活不________。
6. 我这幅画还没画成,请你不要宣扬________。

(五) 整理句子:

1. 总 毛病 改 老 掉 也 的 不 他

2. 你 就 完 看 请 不 不要 看 了

3. 既……也 不上 窗户 关 不开 个 打 这

4. 难说 事 办不成 很 这 办得成 还

5. 回 谁 这 怎么 说不清 也 究竟 事 是

6. 坐 不见 好半天 来 有人 了 也 她

(六) 请在下列句中恰当的位置上填上"了":

1. 昨天我去________看________我爱人上星期认识________的朋友。

2. 他发现______小偷把很多值______钱的东西都偷______走______。

3. 写________这篇文章我花________五个小时________才完成________。

4. 老师批评______我,因为我昨天没去______上课______。

5. 我知道________她已经习惯________每天听________音乐________。

(七) 用指定词语完成句子:

1. 老王非常负责任,______________________________。 (亲自)

2. 他很关心自己的职工,____________________________。 (亲自)

3. 她对学生那么关心,______________________________。 (简直)

4. 李老师非常热情,到了他的家________________________。 (简直)

5. 我和小王大学时是好朋友,毕业以后__________________。 (联系)

6. 这孩子又聪明又努力,家长和老师____________________。 (充满)

7. 只要努力,我们的目标____________________________。 (实现)

8. 后天就要回国了,__________________________。 (收拾)

9. 为了写这篇文章,__________________________。 (花)

10. 他虽然很有钱,__________________________。 (讲究)

11. 昨天她骑车进城,__________________________。 (差点儿)

12. __________________________,所以普通话说得不太标准。 (毕竟)

13. 安娜的汉语说得跟中国人似的,____________________。 (吃惊)

14. 明天口试,你现在才通知我,__________________________。 (毫无)

(八) 根据课文内容判断下列句子的对错,并指出理由:

1. 画家跟老妻分了手,跟他的一个学生结了婚,是因为老妻不漂亮。

2. 老妻对画家没有感情,所以对他举办画展总是很不热情。

3. 那位买了20幅画的人并不是海外收藏家。

4. 参观画展的人很少,这说明大家没有眼光,对画家的画没有欣赏能力。

5. 报纸登了画家的作品,并发表评论称赞他,是因为海外“收藏家”买了他的画。
6. 海外收藏家买去的画转卖出去以后,价格是当初的三倍,这说明画家的画水平很高。
7. 真正爱画家、有眼光的是他的前妻。

(九) 根据课文内容回答问题:

1. 年轻的妻子为什么爱画家? 从哪些地方可以看得出来画家的前妻是真正爱他的?
2. 对他的画展,电台和报纸开始为什么都保持沉默? 后来又为什么称赞他?
3. 海外收藏家买画时为什么不肯说出自己的姓名?
4. 三个月以后,那位海外商人为什么要去看画家?
5. 前妻为什么要把眼角膜卖给那位海外商人?
6. 真正有眼光的是画家的前妻还是那位年轻的妻子? 为什么?
7. 海外商人为什么要把买的画转卖出去? 卖出去时为什么价格高了很多?

(十) 阅读练习:

1. 根据阅读课文内容,选择最恰当的答案:

(1) 胡适提倡白话文,是因为:

A. 白话文废话少,比文言文更省字。

B. “五四”运动时期提倡白话文,他是著名学者,应该推动新文化运动的发展。

C. 文言文是半死文学,可读而听不懂,限制人们的思想。

D. 他是北京大学教授,有责任关心白话文的发展与命运。

(2) 对白话文不感兴趣的学生受到了很深的教育,是因为:

A. 胡适的白话电报比文言电报简单得多。

B. 胡适把白话文的好处解释得很清楚。

C. 胡适拒绝去政府部门工作,使学生们深受感动。

D. 胡适是著名学者,讲课讲得很好,常常大加称赞白话文。

2. 根据阅读课文内容回答问题:

(1) 胡适为什么让学生们写一份电报稿? 内容是什么?

(2) 白话文比文言文的废话多吗? 怎么才能做到废话少又省字呢?

(十一) 口语练习:

1. 分角色进行对话练习。注意语音语调。

2. 把下列句子多读几遍,并就文中带"吃、喝"的词语展开讨论,根据上下文来判断它们的意思。

(1) 他们人比我们多,快走吧,好汉不吃眼前亏,别跟他们斗。

(2) 她去过很多国家,喝过洋墨水,知道的东西真不少!

(3) 我暑假出去旅游花了很多钱,爸爸到现在没寄钱来,所以我手头吃紧得很。

(4) 我最近身体不太好,学习又那么紧张,实在有点儿吃不消了。

(5) 你大事干不了,小事不肯干,以后怎么生活,难道喝西北风吗?

(十二) 听力练习:

1. 根据录音内容回答问题:

(1) 婷婷第一张画儿画的是什么? 爷爷说她哪儿画错了?

(2) 婷婷第二张画儿画的是什么? 爷爷说她什么地方画得不对?

(3) 婷婷画的马是什么样的马? 她为什么要这样画?

(4) 婷婷的什么画得了一等奖? 是在哪儿得的一等奖?

2. 说出录音中的反问句。

3. 根据录音内容判断正误:

(　　) (1) 画家有个7岁的孙女,她的名字叫婷婷。

(　　) (2) 世界上没有树枝比树干粗的树。

(　　) (3) 爷爷认为马没有翅膀,婷婷同意爷爷的意见。

(　　) (4) 婷婷认为没有见过的东西不一定没有。

(　　) (5) 婷婷希望马能长出翅膀来。

(　　) (6) 婷婷画马的画得了一等奖。

(　　) (7) 婷婷画的老母鸡,下的蛋比鸡还大。

(　　) (8) 婷婷画的鸡参加了全国儿童画展。

(　　) (9) 婷婷的画得了一等奖,爷爷很高兴。

(　　) (10) 爷爷认为:外国人的水平跟婷婷的水平一样,都不懂画画儿。

(十三) 交际训练:

1. 以"吃醋"、"吃得开"为话题进行对话:

(1) 吃醋

A: "吃醋",只有男女之间忌妒时,才用"吃醋"吗? 别的时候也可以用吗?

B：当然可以。例如，妈妈给妹妹买了一件新衣服……

A：于是姐姐就吃醋了。那比如……

B：对。不过，“吃醋”多指男女关系……

(2) 吃得开

A：“吃得开”就是受欢迎、行得通，那么，现在英语很受欢迎，能不能说英语很吃得开呢？

B：可以。我们还常说：你那一套方法现在可吃不开了……

A：那么，你在家里吃得开吃不开呢？

B：这要看怎么说了……

2. 讨论：

(1) “这个人真有眼光”这句评语，我们一般在哪些情况下用？

(2) 你对这位画家有什么看法？

(3) 你听到过类似的故事吗？你怎样评价画家前妻的做法？

3. 语言游戏：

(1) 每人说一句话，但后面的人说的第一个字必须是前者说的最后一个字，如此衔接，如果接不上，可用同音字代替，直至全班轮流说完为止（注意：不能重复别人已说过的话）。如：

1) 美丽的姑娘成千上万
2) 万里长城万里长
3) 长城外边是故乡
4) 乡下住着我的好朋友
5) 友谊商店东西多
6) 多少钱一斤葡萄
7) 桃子非常好吃
8) 吃多了就会生病
9) 病了一定要看医生
10) 生日我请朋友吃饭
11) 饭菜做得真好
12) 好好学习汉语……

(2) 猜汉字。猜不出来，课后可请教中国朋友（答案见听力课文后）。

1) 一口咬掉牛尾巴
2) 一头大，一头小
3) 有水能养鱼，有土能种庄稼，有马能跑千里，有人不是你和我。

4. 看一看，说一说，写一写。

▲懂艺术的还是少数

第七课

一　课文　吸烟者的烦恼[1]

说起健康,人们十有八九会想到吸烟。把两者联系在一起,往往使吸烟者觉得不好意思。可是,最早谈论[2]吸烟是不是危害健康的,谁敢说不是吸烟者自己呢?毕竟[3]还是他们最关心这个问题吧。实际上,现在大多数吸烟者已经明确意识[4]到,吸烟的确危害身体健康。问题是,他们对多年养成[5]的嗜好[6]无可奈何。

如果不信,你可以问一问:世界上什么事最难?肯定会有不少吸烟者说:戒[7]烟最难!对于烟瘾[8]上来时有多么难受[9],每位戒过烟的人都感受太深了。吸烟者最讨厌[10]人们将香烟[11]与毒品[12]联系在一起,但他们也怀疑:毒瘾与烟瘾上来时的感受恐怕[13]差不多吧。难怪[14]吸烟者多多少少都有些不安。可是,戒烟需要毅力[15],多年养成的毛病难改呀!有什么办法呢?只好采取不在乎[16]的态度。所以,如果你再接着问那些认为戒烟最难的人:世上什么事最容易?他们又会十分干脆[17]地说:"戒烟最容易,我一天可以戒十几次。"

既然戒烟那么难,就干脆不要戒了。危害健康就危害健康,反正[18]是自己的身体,与别人无关。况且[19],吸烟是个人的权利[20],每个人都有选择自己的生活方式的自由,别人无权干涉[21]。然而[22],情况并不像吸烟者想像[23]的那么简单。他们渐渐发现,自己越来越不让人喜欢了,"权利"和"自由"这类字眼[24]离他们越来越远。原因是,那些不吸烟的人开始说话了。他们说:我们不吸烟的权利和自由也应当受到尊重[25]与保障[26];你们吐出的烟雾[27],也危害着我们的健康!这种声音越来越高,而且还创造[28]了两个使吸烟者十分生气[29]的字眼,就是"烟民"和"被动[30]吸烟"。

吸烟者总觉得"烟民"有点儿贬义[31],不喜欢这个字眼。可是,人们偏偏[32]不照顾他们的情绪,总是爱用它。比如,报纸公布[33]统计[34]数字时说:"中国15

岁以上人口的吸烟率[35]高达[36]34.9%，烟民总数近3亿。更让人担心的是，3亿烟民中有500多万是未成年[37]的小烟民！调查结果还表明，女烟民的数量也在上升[38]。"一口一个"烟民"，真是让吸烟者烦透了。不过，听多了也就习惯了。你说你的，烟民们还是照样[39]一支又一支。

"被动吸烟"可就比"烟民"厉害多了，这个字眼几乎把吸烟者的所谓"权利"夺走了一大半，使他们不得不尊重那些非吸烟者呼吸新鲜空气的自由。他们现在也不能随便过瘾而不必考虑时间和地点。开始的时候，他们还不太在乎。可是，后来的情况就使他们越来越烦恼了。剧场、电影院、会议厅、火车站甚至[40]车船飞机上，一个接一个地变成了不欢迎他们的地方。客气点儿的挂上个"请勿吸烟"的牌子，不客气的干脆就是"禁止吸烟"四个冷冰冰的大字。更让他们难受的是，有些饭馆[41]居然[42]也开始"禁止吸烟"了！看样子，那种"饭后一支烟，赛过活神仙[43]"的日子不会太长了。

别人为难他们，也还可以理解。糟糕的是，他们还自寻烦恼。既然要过烟瘾，就只好委屈[44]口福[45]了。读书人买烟总是比买书痛快得多，每月要烧掉好几本心爱[46]的书，烟瘾过后就会心疼[47]。卧室[48]里烟雾弥漫[49]，睡不着也没人同情[50]。早晨醒来，嘴里气味难闻，谁来关心？女烟民从知道怀孕[51]那天起就开始担心，怕生下的孩子有毛病。烟民们别咳嗽，一咳嗽准会想到那个可怕的字眼——肺癌[52]。唉！吸烟者的烦恼真是没完没了。

二　生　词

1.	烦恼	（名、形）	fánnǎo	vexation; vexatious ennui; anxieux	丁
2.	谈论	（动）	tánlùn	talk about parler de	丙
3.	毕竟	（副）	bìjìng	after all après tout	丙
4.	意识	（动、名）	yìshi	be conscious of; consciousness se rendre compte de; conscience	丙
5.	养成	（动）	yǎngchéng	cultivate; form cultiver; former	丙

6. 嗜好	（名）	shìhào	hobby; habit goût excessif	
7. 戒	（动）	jiè	give up s'abstenir à	
8. 瘾	（名）	yǐn	addiction besoin irrésistible; vice; passion	
9. 难受	（形）	nánshòu	feel unwell indisposé; se sentir mal	丙
10. 讨厌	（动、形）	tǎoyàn	dislike détester; détestable	乙
11. 香烟	（名）	xiāngyān	cigarette cigarette	丙
12. 毒品	（名）	dúpǐn	narcotic drugs drogue	丁
13. 恐怕	（副）	kǒngpà	perhaps peut-être	乙
14. 难怪	（副、动）	nánguài	no wonder rien d'étonnant à	丙
15. 毅力	（名）	yìlì	willpower volonté; énergie	丙
16. 不在乎		bú zàihu	not mind; not care être indifférent à	丙
17. 干脆	（形）	gāncuì	simply; just net; franc; carrément	乙
18. 反正	（副）	fǎnzheng	anyhow en tout cas	乙
19. 况且	（连）	kuàngqiě	moreover d'ailleurs	丙
20. 权利	（名）	quánlì	right droit	丙
21. 干涉	（动）	gānshè	meddle; intervene intervenir	丙
22. 然而	（连）	rán'ér	but; however mais; pourtant	乙
23. 想像	（动、名）	xiǎngxiàng	imagine; imagination imaginer; imagination	乙
24. 字眼	（名）	zìyǎn	wording mots; termes	
25. 尊重	（动）	zūnzhòng	respect; esteem respecter	丙

26. 保障	（动、名）	bǎozhàng	ensure assurer; assurance; protection	丙
27. 烟雾	（名）	yānwù	smoke; mist fumée	丁
28. 创造	（动、名）	chuàngzào	create; creation créer; création	乙
29. 生气		shēng qì	get angry être en colère	乙
30. 被动	（形）	bèidòng	passive passif	丙
31. 贬义	（名）	biǎnyì	derogatory sense sens péjoratif	丁
32. 偏偏	（副）	piānpiān	just; only contre toute attente	丙
33. 公布	（动）	gōngbù	promulgate; publish annoncer; publier; promulguer	丙
34. 统计	（动、名）	tǒngjì	count; add up; statistics établir une statistique	丙
35.……率		…lǜ	rate taux	丁
36. 达	（动）	dá	reach atteindre	丙
37. 未成年		wèi chéngnián	be under age mineur, ne pas avoir atteint la maturité	
38. 上升	（动）	shàngshēng	rise monter	丙
39. 照样	（副）	zhàoyàng	as before comme toujours	丙
40. 甚至	（副、连）	shènzhì	even même; jusqu'à	丙
41. 饭馆	（名）	fànguǎn	restaurant restaurant	丙
42. 居然	（副）	jūrán	to one's surprise contrairement à toute attente	丙
43. 神仙	（名）	shénxiān	supernatural being immortel; être surnaturel	丁
44. 委屈	（动、名）	wěiqu	put sb. to great inconvenience; feel wronged être victime d'une injustice;	丙

			être accusé à tort être victime d'une injustice	
45. 口福	（名）	kǒufú	gourmet's luck chance de manger quelque chose de bon	
46. 心爱	（形）	xīn'ài	loved; treasured préféré; biem aimé	丙
47. 心疼	（动、形）	xīnténg	feel sorry; be distressed s'affliger de; se désoler	丁
48. 卧室	（名）	wòshì	bedroom chambre à coucher	丁
49. 弥漫	（动）	mímàn	fill the air remplir	丁
50. 同情	（动）	tóngqíng	sympathize sympathiser	乙
51. 怀孕		huái yùn	be pregnant être enceinte	丁
52. 癌	（名）	ái	cancer cancer	丙

三　词语搭配与扩展

（一）者

吸烟～|戒烟～|怀孕～|被动～|结婚～|与……接触～|珍惜时间～|招聘～|发财～|消费～

(1) 招聘者收到了许多人寄来的简历。

(2) 消费者的利益应该受到保护。

（二）瘾

［动～］　上～|过～|过(烟)～|对……有(没)～|吸上～|喝上～

［～动/形］　～上来了|～大(小)

［定～］　烟～|酒～|毒～|药～

(1) 他的烟瘾特别大，一天要抽两盒儿。

(2) 现在很多青年人听音乐上瘾，总带着耳机。

（三）干涉

［动～］　进行～|加以～|反对～(别国内政)

［～宾］　～……生活|～别国的事情|～别人的业务|～别人的自由

[状～]　不要～|过分～|照样～|多次～|无理～
[～补]　～得厉害|～得太多|～了多少次
[～中]　～的原因|～的结果|～的后果
(1) 请你以后不要干涉我们公司的业务。
(2) 大国和强国不应干涉小国和弱国的内部事务。

(四) 尊重

[动～]　表示～|得到～|受到～
[～宾]　～别人的选择|～知识|～人才|～事实
[状～]　互相～|应该～(他们)
[～中]　～的称呼|不～的表示
(1) 父母应当尊重孩子的选择,不要勉强孩子学习那些他不喜欢的专业。
(2) 不吸烟者呼吸新鲜空气的权利,应当受到尊重。

(五) 保障

[动～]　得到～|获得～|没有～
[～宾]　～权利|～自由|～需要|～利益
[状～]　应该～|充分～|必须～|不能～
(1) 政府要想办法保障人民的生命财产的安全。
(2) 你们不登记就结婚,很难获得法律的保障。

(六) 生气

[状～]　不要～|常常～|跟(孩子)～|为(小事)～
[～补]　～极了|～得要命|～得不得了
[～中]　～的样子|～的时候|～的原因
[生……气]　生他的气|生不完的气|生了几天气|生起气来
(1) 你别担心,我不会为这件事生气的。
(2) 你是在生我的气吗?我做错了什么?

(七) 为难

[动～]　觉得～|感到～
[～宾]　～我|～别人|～某人
[状～]　特别～|不要～|故意～(顾客)|经常～(他们)
[～补]　～极了|～了好几天|～起来
[～中]　～的样子|～的口气
(1) 我正在用这本辞典,小王来借,使我很为难。
(2) 老师问这个问题,不是想为难你们,而是想让同学们知道"为难"的感觉是什么。

(八) 委屈

［动～］ 觉得～|感到～|受～|受不了～|怕～(他)

［～宾］ ～自己|～别人|～了他

［定～］ 很大的～|一点儿～

［状～］ 别～|挺～的|有点儿～

［～补］ ～极了|～得不得了|～了好几天

［～中］ ～的原因|～的样子|～的感觉

(1) 这件事你不愿意做就别做,千万别委屈自己。

(2) 妈妈批评错了,孩子委屈得大哭起来。

(九) 同情

［动～］ 需要～|表示～|值得～|讨厌～

［～宾］ ～某人|～别人

［定～］ 深深的～|一点儿～|这种～

［状～］ 深深～|很～|不～|对……～

［～补］ ～得很|～不了|～起来

［～中］ ～心|～的话|～的目光|～的态度

(1) 他的钱被人偷走了,大家都很同情他。

(2) 每个人都需要同情,也都有一颗同情心。

(十) 癌

［动～］ 抗～|致～|检查出了～|防～

［定～］ 肺～|胃～|脑～|骨～|血～|晚期～症

［～中］ ～细胞|……～的症状|……～的治疗

(1) 医生说他得了癌症,最多还能活三个月。

(2) 我听说得胃癌的人痛苦极了。

四 语法例释

(一) 难怪吸烟者多多少少都有些不安

“难怪”,副词。表示明白了原因,对某种情况就不觉得奇怪。“难怪”后面说出结果。原因的解释可以在前,也可以在后。与“怪不得”同义,用法也一样。例如:

(1) 难怪他没来上课,原来他病了。

(2) 你父母来看你了,难怪今天你这么高兴。

(3) 难怪他肚子疼,谁让他吃水果不洗干净呢。

(4) 人们都说香烟也是一种毒品,难怪吸烟者总觉得心里不安。

用作谓语的“难怪”是“难 + 怪”,意思是不应责怪,含有谅解的意思。后面(有时也可在前面)一般要解释谅解的原因。例如:

(5) 这也难怪,一个3岁的孩子怎么能知道谁是好人谁是坏人呢!

(6) 这也很难怪,他妻子得了癌症,他当然难过。

(7) 难怪!人老了都会这样的。

(8) 恋爱的时候人的智力最低,她做出这样的傻事也难怪。

(二) 既然戒烟那么难,就干脆不要戒了

“既然……就……”用于因果复句。先提出前提,然后进行推论。经常用来表示劝说、下判断等。后半句也可用“也”、“还”。例如:

(1) 既然你不愿意,我就不勉强你了。

(2) 既然孩子已经认错了,你就别再批评他了。

(3) 你既然觉得是负担,有压力,就向领导提出来吧,换个工作也好。

(4) 既然大家都不同意,我也不坚持了。

(5) 既然你不说,那就算了。

(三) 反正是自己的身体,与别人无关

“反正”,副词。有两种意思:

1. 表示情况虽然不同,但结果是一样的。常与“无论”、“不管”呼应。例如:

(1) 不管你怎么说,反正我不会答应。

(2) 你来不来都没关系,反正不用你做这些事。

(3) 无论你将来学什么专业,反正现在要先学好汉语。

2. 强调理由或原因,与“既然”的意思相近。例如:

(4) 你别着急,反正不是什么大病。

(5) 反正是我自己的事,你别管。

(6) 你别说了,反正我不会轻易改变主意的。

(7) 反正我要去书店,顺便给你买回来吧。

(四) 况且,吸烟是个人的权利

“况且”,连词。表示更进一层,或补充新的理由。后面一般有“又”、“还”与它搭配。例如:

(1) 她是个女人,况且还怀孕了,你怎么能这样打她呢?

(2) 你很聪明,况且学习又很努力,这次考试肯定会获得好成绩的。

(3) 下雨了,况且你又有病,今天就别出去了。

(4) 这本书写得不好,又很贵,样子也不好看,况且你已经有了一本,还买它干什么?

(五) 然而,情况并不像吸烟者想像的那么简单

"然而",连词。用来连接句子或段落,在中间起转折作用,与"但是"、"可是"同义,不过多用在书面语中。例如:

(1) 他戒烟已经戒了48小时,然而第三天他还是失败了。

(2) 这种想法很吸引人,然而没有一个人愿意按它去做。

(3) 那条船沉没了,然而船主却发财了。

(六) 人们偏偏不照顾他们的情绪,总是爱用它

"偏偏",副词。有以下几种用法:

1. 表示故意跟客观要求或客观情况相反。例如:

(1) 大家都同意了,他偏偏还要反对。

(2) 家里人都喝酒,我偏偏不喝,显得不太好。

(3) 你要去的地方在南方,可你偏偏往北走,怎么能到目的地呢?

2. 表示事实跟希望的或期待的恰恰相反。例如:

(4) 星期天他来找我,偏偏我不在家。

(5) 我重点复习了第五课,可今天的考试偏偏没考这课。

(6) 我就今天没带雨伞,偏偏下雨了。

3. 表示范围,跟"只"、"单单"基本相同。例如:

(7) 别人都去了,怎么偏偏你没去?

(8) 偏偏我的钱丢了,真倒霉!

(9) 为什么你偏偏跟我过不去?

(七) 剧场、电影院、会议厅、火车站甚至车船飞机上

"甚至",副词、连词。提出突出的事例,表示强调或更进一层的意思。经常与"连……也……"、"也"、"都"连用。书面语也用"甚至于"或"甚而至于"。例如:

(1) 这个道理甚至连小孩子都懂。

(2) 这个汉字很难写,留学生常常写错,甚至中国人也常写错。

(3) 现在许多地方禁止吸烟,甚至饭馆也开始了。

(4) 猫、狗、牛、马甚至兔子,她都害怕。

(5) 这座山太高,甚至鸟都飞不过去。

(6) 他的军事才能,甚至连敌人也不得不佩服。

(八) 更让他们难受的是,有些饭馆居然也开始"禁止吸烟"了

"居然",副词。表示出乎意料之外。例如:

(1) 我没想到他居然会做出这种事来。

(2) 别人不管,我并不生气,没想到居然连你也不帮助我。

(3) 居然会发生这种事,世界真是越来越复杂了。

(4) 这么简单的问题,你居然不会?

(九) 早晨醒来,嘴里气味难闻,谁来关心?

这是一个反问句。反问句是用问句的形式表达肯定的意思,一般不需要回答。它所表达的语气比一般陈述句更加强烈。例如:

(1) 这么简单的道理你怎么会不懂呢?

(2) 大家都在忙自己的事,谁会关心你?

(3) 你是什么意思,我能不明白吗?

(4) 你问我,我问谁?

(5) 难道你就这样表白自己的心意?

(十) 一咳嗽准会想到那个可怕的字眼——肺癌

"一……准……"表示只要出现某种情况,肯定会有某种结果。常用的是"一……就……",但用"准"表达的意思更肯定。例如:

(1) 他一感冒准发烧。

(2) 他们俩总是在一起,你一看见他,准会也看见她。

(3) 这件事她一知道准生气。

(4) 在这里一刮风准下雨。

(5) 他一考试准紧张。

五 副课文

(一)阅读课文 烟酒不分家

中国有句俗话(súhuà)叫"烟酒不分家",意思是说,朋友之间烟酒不分彼此(bǐcǐ)。因此,在中国常常可以看到敬烟劝酒的场面(chǎngmiàn)。几个朋友在一起,很少是自己抽自己的烟;如果在一起喝酒,更不可能谁喝谁买。即使(jíshǐ)对不太熟悉的人,自己抽烟之前,也要先请别人抽。如果对方抽了你的烟,过一会儿他也会回敬(huíjìng)你一支。这样,双方的距离就近了。如果两人再能在一起喝点儿酒,那就更亲密(qīnmì)了。为了表示亲热(qīnrè),或表示尊重,请客者一般都会一再(yízài)劝酒,敬酒,被请者一般也会尽量多喝。所以,会抽烟喝酒的人交朋友会方便一些。但是,人们现在已开始讨厌这种做法了,原因是:许多本来不抽烟喝酒的人,正是由于这种做法的影响才学会的,以后想戒都戒不掉。中国有这么多人抽烟喝酒,是否跟这种习惯有很大关系呢?

(二)会话课文　烟酒对话

烟:这位先生,看样子您大概是酒喝多了吧?

酒:我才喝了半斤白酒,差远了。

烟:半斤还算少哇?酒喝多了会危害身体健康的,你知道不知道?

酒:我才不信呢!酒的好处很多,它能消除(xiāochú)烦恼,让人精神振奋(zhènfèn)。况且,喝酒才是真正的男人。不喝酒的男人,连女朋友也难找。

烟:谁说的?告诉你,我一点儿酒也不喝,照样有女孩子喜欢我!你看,坐在那边抽烟的小姐,漂亮不漂亮?那就是我的女朋友。

酒:难怪她喜欢你,你们俩都是烟民。跟我说话这么一会儿,你都抽了两根儿了。你一天抽几根儿?

烟:几根儿?告诉你吧,我一天3盒儿,60根儿!

酒:真是个大烟鬼(yānguǐ)!你刚才说喝酒危害身体健康,你怎么不想想抽烟的危害呢?我听说抽烟的人容易得肺癌,70%以上的肺癌病人是烟民。

烟:我不在乎。我身体好极了,从来不得病。再说抽烟的好处也有很多,比如消除烦恼,振奋精神……

酒:行了行了,这是酒的好处!

烟:也是烟的!烟酒的好处差不多。干脆,你跟我学抽烟,我跟你学喝酒吧。

酒:那可不行。光喝酒我就快受不了了,再抽烟我就别活了。你不要命,我还要呢。

烟:这才是你的真话吧!我也跟你说真的,我早就想戒烟了,可试了好几次,都不行,真是无可奈何。

酒:我也戒过酒,可是戒酒太难了。酒瘾上来时多么难受,只有我自己知道。

烟:我理解。这样吧,咱们再试一次。我敢保证,只要你能戒酒,我就能戒烟。

酒:只要你能把烟戒掉,我就能把酒戒掉。可是你的女朋友怎么办,她戒不戒?你看,她还在抽呢!

烟:跟你说实话(shíhuà)吧,我根本不认识她!

(三)听力课文　不许偷看

几个月来,小酒店的生意一直不太好,店主很烦恼。生意不好的原因,不是酒店的位置不好,也不是酒的质量有问题,更不是服务态度不好。主要原因是,酒店太多,可是自己的酒店没有特别吸引人的地方。怎么办呢?真的无可奈何了吗?店主想了好几天,终于想出了一个好主意,他高兴得差点儿跳起来。第二天,街上的人发现,酒店的玻璃窗上写了四个大字——不许偷看!然而,越是不许偷看,人们就越想看。不但从玻璃窗外往里偷看,不少人还走进店里想仔细看看。结果,这些进来的人差不多都被店里弥漫的酒香迷住了。酒瘾一上来,只好拿钱买酒,有的干脆就在店里喝起来。

生　词

1. 酒店	(名)	jiǔdiàn	wineshop bistrot	丙
2. 迷	(动)	mí	enchant; be facinated by adorer; fasciner	丙

六　练　习

(一) 画线连词:

谈论	自由	干涉	别人
养成	事情	同情	业务
尊重	自己	公布	数字
委屈	习惯	保障	权利

(二) 用指定词语完成句子:

1. 他不去就算了,________________。(反正)
2. 这个词我怎么记也记不住,________________。(无可奈何)
3. 你这样说话太不客气了,________________。(难怪)
4. 老师说不要迟到,可是________________。(照样)
5. 安娜把自己的钱都花完了,________________。(不得不)

6. 大家都讨厌她，________________。 （甚至）

7. 那个歌星一上台，大家________________。 （准）

8. 你已经来了，________________，今天就别回去了。 （况且）

9. 她打扮成这个样子，________________。 （几乎）

10. 大家都关心他，________________，这是为什么？ （偏偏）

（三）整理句子：

1. 意识　错　他　到　已经　了　自己

2. 故意　总是　你　别人　不要　为难

3. 情况　同情　的　很　他　值得　我们

4. 就　喜欢　你　不要　不　既然　了　学

5. 生……气　谁　小王　呢　正在　的

6. 过　没有　你　感受　种　有　这

7. 时候　你　什么　觉得　难受　开始　的

8. 把　他　书　心爱　本　的　那　了　丢

9. 吧　空气　新鲜　呼吸　出去　咱们　一点儿

10. 这个　数字　不　统计　得　准确

（四）将下列反问句改为陈述句：

1. 这么好的礼物，他会不喜欢？

2. 这么简单的问题，我会不能回答？

3. 这么好看的电影，谁不喜欢看？

4. 她那只心爱的猫丢了,她能不伤心吗?

5. 难道你有权利干涉我的生活吗?

6. 咱们俩是好朋友,我怎么会怀疑你呢?

7. 你天天看报纸,不知道吸烟危害健康吗?

8. 冬天到了,春天还会远吗?

9. 咱们住在一个房间,你听音乐,我怎么看书?

10. 谁不想自己的生意越做越好?

(五) 根据课文内容回答问题:

1. 为什么说吸烟有害?
2. 戒烟为什么很难?
3. 为什么有人说戒烟很容易?
4. 什么人反对吸烟,为什么?
5. 中国人的吸烟状况如何?
6. 吸烟者为什么觉得越来越不方便?
7. 吸烟者为什么自己为难自己?
8. 吸烟者的烦恼主要是什么?

(六) 阅读练习:

根据阅读课文回答问题:

1. “烟酒不分家”是什么意思?
2. 在中国,两个都抽烟喝酒的朋友在一起,常会出现什么场面?
3. 烟酒怎样可以使人与人之间的距离靠近?
4. 中国人都喜欢这种“烟酒不分家”的习惯吗? 为什么?
5. 你认为中国烟民多的原因,与“烟酒不分家”的习惯有关系吗?
6. 你遇到过课文中说的情况吗?
7. 你对“烟酒不分家”是怎样看的?
8. 在烟酒方面,贵国的习惯与中国有什么异同?

(七)口语练习:

1. 分角色进行对话练习。注意语音语调。

2. 分别以吸烟者与喝酒人的身份谈论下列问题:

(1) 吸烟的好处;吸烟的害处;戒烟的难处

(2) 喝酒的好处;喝酒的害处;戒酒的难处

(八)听力练习:

1. 根据录音内容填空:

(1) 生意不好的原因,________酒店的位置不好,________酒的质量有问题,________服务态度不好。

(2) 怎么办呢?真的________了吗?

(3) 店主想了好几天,________想出了一个好主意,他高兴得________跳________。

(4) 酒店的玻璃上写了几个大字——不许偷看!________越是不许偷看,人们就________想看。

(5) ________,这些进来的人差不多都________店里弥漫的酒香迷________了。

2. 听力判断正误:

( )(1) 小酒店的生意一直都很好。

( )(2) 酒店服务员的服务态度没问题。

( )(3) 酒店里酒的质量有问题。

( )(4) 这酒店与别的酒店的特点差不多。

( )(5) 酒店主人讨厌人们偷看他的酒店。

( )(6) 酒店主人想出的办法没什么效果。

( )(7) 进店的人买酒是因为酒瘾上来了。

(九)交际训练:

1. 情景对话:

甲、乙两位同学下课以后,站在教室外面,一边抽烟,一边谈戒烟的感受,他们都不想戒烟。

请用上下列词语:

无可奈何、连……也……、难怪、危害健康、比如、干脆、瘾、反正、居然、甚至

2. 写一份申请报告。

向办公室提出调换宿舍的申请,可以从性格、生活习惯、吸不吸烟等方面说

明理由。

3. 请说一说你自己的看法：

(1) 你吸烟吗？为什么？

(2) 你认为被动吸烟者的要求对吗？

(3) 你认为吸烟者的权利和自由应当受到尊重吗？

(4) 你同情吸烟者的烦恼吗？

4. 看一看，说一说，写一写。

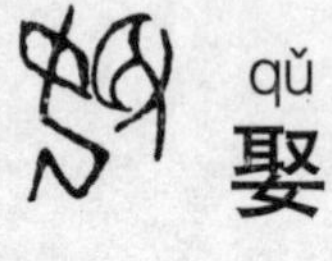

qǔ 娶

把年轻的女子抢(或接)到自己身边作妻子叫“娶”。
“女”表示“娶”的对象是女性，“取”既表示“娶”的行动，又表读音。

——选自《汉字的故事》 施正宇编著

第八课

一　课文　广告[1]与顾客[2]

有一位总统说过这样一句名言:“不当总统,就当广告人。”这从某种意义上说明了广告制作[3]是世界上最难干的职业之一,也是最吸引[4]人的职业之一。

产品要出售,就要使人了解,这就离不开广告。好的广告是一种充满智慧[5]的艺术,是一种有效的促销[6]手段。成功的广告能扩大企业[7]和产品的影响,给企业带来巨大的经济效益[8]。于是广告人便利用广播、电视、报纸、杂志等宣传工具做各种各样的广告。

实事求是[9]是广告的生命。请看下面的事例——某单位举办家具[10]展销[11]会,他们在报上登出广告:“本展销会出售[12]的家具保证[13]质量[14]合格[15],实行三包(包修、包退、包换);售出的家具如果存在质量问题,不但生产厂家负责赔偿[16],举办展销会的单位也将付[17]给顾客‘精神损失[18]赔偿费’。”

在展销会上,人们看到了举办单位进行的所谓“破坏性试验”。他们把一个咖啡色的柜子[19]从展览室内抬到院子里,当众把柜子劈[20]开,进行质量检查。按展销会规定[21],举办单位可以任意[22]取出展出的家具,当场[23]进行破坏性试验。如果质量合格,举办单位负责赔偿生产厂家的损失;如果是伪劣[24]产品,不但不赔偿,还要罚生产厂家的款,并取消展出资格[25]。在场[26]的顾客看到举办单位如此[27]讲信誉[28],便纷纷购买[29]自己喜欢的家具。这就是真实产生的效益。

但是,有的广告,不但不真实,反而[30]弄虚作假[31],欺骗[32]顾客。

有个叫常明的青年,十几岁头上就长出了白发,几年的工夫,满头黑亮亮的头发就变成了花白头发。年轻人谁不爱美呢?他决定去医院治疗[33]。可到了医院,看到医生,他的心就凉了 。什么也没说,扭头就走:原来那个青年医生跟他一样,也是“少白头”。一个月后,他在图书馆看杂志时,发现了一条使他无比[34]兴奋[35]的广告。这条广告说,某商店正在出售的“一周黑牙膏”[36]专[37]治“少白头”,这种牙膏由多种中药制成,一周见效[38],两个月白发全无。常明毫不[39]犹豫[40]地去商店买了两盒。想到很快长出来的满头黑发,做梦都笑出了声。不料[41],牙膏用了一周,头发没发生任何可喜的变化,两个月后,花白的头发就像故意跟他开玩笑似的,一根不少地长在那里。

还有更可笑[42]的事呢。有一对青年工人,恋爱了几年后,终于选了个好日子举行[43]婚礼[44]。结婚那天,新郎[45]家敲锣打鼓[46],好不热闹。结婚典礼[47]定在上午10点举行。快到10点了,新郎忽然不见了。新郎的父母非常着急,特别是新娘[48],更是急得不得了。不料,新郎的弟弟在厕所发现了新郎,忙说:“你怎么还不快去?大伙儿都急死了!”新郎说:“真气人!这裤子我是头一回穿,刚才拉开了拉锁[49],可现在怎么拉也拉不上了。”弟弟一边帮他拉一边问:“你是从哪儿买的?”新郎说:“就是在一个叫大华的商店买的。广告还说这是进口的名牌[50]产品……”弟弟帮了半天忙也没拉上,只好说:“干脆换一身衣服吧。”新郎急忙跑到屋子里换了一身衣服。新娘见新郎穿的不是那套高价的名牌服装,十分生气。正要怪[51]他,录音机里发出猫叫似的怪声,大家的注意力都被吸引过去了。忽然,没有声音了。新郎的弟弟走过去查看,带子还在转。他正奇怪,那位名歌星又唱了起来,声音时大时小,吐[52]字不清,而且唱着唱着又走了调[53]。新郎的弟弟在人们的笑声中取出磁带一看,磁带上的字印得极不清楚,而且还有错别字,磁带的颜色发暗,重量也轻,就对哥哥说:“这是假冒[54]产品,不是原声磁带,是复制[55]的。”

结婚本是件大喜事,可骗人的广告、假冒产品给新郎新娘带来的是什么呢?

当然,生活中也有幸运[56]的人。有个退休工人,好收藏名酒。这是为了纪念他的妻子,因为他喝的第一瓶好酒就是妻子送给他的。一进他家,就能闻到酒香。桌上床下,到处都是各种各样的名酒。一天,他从商店买回来一瓶红葡萄[57]酒,高高兴兴地放进柜子里。十几天后,广播里忽然播出这样的广告:“凡是在东风商场购买了红葡萄酒的顾客,请迅速来商场退酒。”原来,东风商场从外地购进了几百瓶红葡萄酒,几天后便发现这些酒都是假冒产品。这位老人退酒时对售货员说:“以后我买什么都到你们商场来买。”

制作广告的目的是为了争取顾客。但如果不顾产品或商品的质量,最终吃亏[58]的还是广告人自己。企业家只有把商品质量、信誉放在第一位,才能得到顾客的信任[59],创出名牌,获得成功。

二　生　词

1.	广告	（名）	guǎnggào	advertisement publicité	乙
2.	顾客	（名）	gùkè	customer client	乙
3.	制作	（动）	zhìzuò	produce fabriquer; faire	丙
4.	吸引	（动）	xīyǐn	attract attirer	乙
5.	智慧	（名）	zhìhuì	wisdom; intelligence intelligence	丙
6.	促销	（动）	cùxiāo	promote sale promouvoir la vente	
7.	企业	（名）	qǐyè	enterprise; business entreprise	乙
8.	效益	（名）	xiàoyì	benefit bénéfice	丁
9.	实事求是		shí shì qiú shì	be practical and realistic rechercher la vérité dans les faits	乙
10.	家具	（名）	jiājù	furniture meuble	乙
11.	展销	（动）	zhǎnxiāo	exhibit and sell exposer et vendre	丁
12.	出售	（动）	chūshòu	sell vendre	丁
13.	保证	（动）	bǎozhèng	pledge; guarantee; vouch assurer; garantir	乙
14.	质量	（名）	zhìliàng	quality qualité	乙
15.	合格	（形）	hégé	qualified; up to standard qualifié; conforme aux normes	丙
16.	赔偿	（动）	péicháng	pay for dédommager; indemniser	丙
17.	付	（动）	fù	pay payer	乙
18.	损失	（动、名）	sǔnshī	lose; loss perdre; perte	乙

19. 柜子	（名）	guìzi	cupboard; cabinet armoire	丙
20. 劈	（动）	pī	split; chop fendre; couper(à la hache)	丁
21. 规定	（动、名）	guīdìng	stipulate; stipulation réglementer; règlement	乙
22. 任意	（副）	rènyì	wantonly à sa guise; à sa fantaisie	丙
23. 当场	（名）	dāngchǎng	on the spot sur place	丁
24. 伪劣	（形）	wěiliè	false and poor quality faux et de mauvaise qualité	
25. 资格	（名）	zīgé	qualification qualification; qualité	丙
26. 在场	（动）	zàichǎng	be on the spot être présent	
27. 如此	（代）	rúcǐ	such; so ainsi	丙
28. 信誉	（名）	xìnyù	prestige; credit réputation	丁
29. 购买	（动）	gòumǎi	buy acheter	丙
30. 反而	（连）	fǎn'ér	on the contrary au contraire	丙
31. 弄虚作假		nòng xū zuò jiǎ	practise fraud tricher	丁
32. 欺骗	（动）	qīpiàn	deceive tromper	乙
33. 治疗	（动）	zhìliáo	treat; cure traiter; soigner	丙
34. 无比	（副）	wúbǐ	unparalleled sans pareil	丙
35. 兴奋	（形）	xīngfèn	excited content	乙
36. 牙膏	（名）	yágāo	toothpaste dentifrice	丙
37. 专	（副、形）	zhuān	specially; special spécialement; spécial	丙
38. 见效	（形）	jiànxiào	become effective faire de l'effet; se montrer efficace	丁

39. 毫不		háo bù	not at all pas du tout; ne point...	乙
40. 犹豫	（形）	yóuyù	hesitant irrésolu	丙
41. 不料	（连）	búliào	unexpectedly ne pas s'attendre à	丙
42. 可笑	（形）	kěxiào	laughable; ridiculous ridicule	丙
43. 举行	（动）	jǔxíng	hold tenir	乙
44. 婚礼	（名）	hūnlǐ	wedding noce; cérémonie de mariage	丁
45. 新郎	（名）	xīnláng	bridegroom le nouveau marié	丁
46. 敲锣打鼓		qiāo luó dǎ gǔ	beat drums and gongs battre gongs et tambours	
47. 典礼	（名）	diǎnlǐ	ceremony cérémonie	丙
48. 新娘	（名）	xīnniáng	bride la nouvelle mariée	丁
49. 拉锁	（名）	lāsuǒ	zipper fermeture éclair; fermeture à glissière	
50. 名牌	（名）	míngpái	famous brand produit de marque; grandes marques	丁
51. 怪	（动、形）	guài	blame; strange en vouloir à; reprocher	丙
52. 吐	（动）	tǔ	say; tell prononcer	乙
53. 走调儿		zǒu diàor	out of tune détonner	
54. 假冒	（动）	jiǎmào	palm off(a fake as genuine) falsifier	丁
55. 复制	（动）	fùzhì	duplicate; copy reproduire	丙
56. 幸运	（形）	xìngyùn	lucky avoir de la chance	丁
57. 葡萄	（名）	pútao	grape raisin	丙
58. 吃亏		chī kuī	suffer losses subir des pertes	丙

59. 信任 （动、名） xìnrèn trust 丙

avoir confiance en; confiance

专 名

常明 Cháng Míng name of a person

nom de personne

三 词语搭配与扩展

(一) 保证

［动～］ 作出～|得到～|给以～|继续～

［～动/形］ ～赚(钱)|～获得|～给(你)|～合格|～安静

［～宾］ ～质量|～时间

［定～］ 单位的～|这种～|医生的～

［状～］ 必须～|向(大家)～|再三～|不～|可以～

［～补］ ～得很好|～不了|～了半天|～了多次

［～中］ ～的条件|～的结果|～的事情|～的时间

(1) 那件时髦的衣服，价钱保证不便宜。

(2) 老王卖家具保证赚了不少钱。

(二) 合格

［主～］ 产品～|质量～|检查～|成绩～

［动～］ 争取～|保证～

［状～］ 不～|完全～|一定～|终于～

［～补］ ～不了

［～中］ ～的老师|～的学生|～的经理

(1) 大家都认为张明是一个合格的医生。

(2) 你们工厂的产品质量完全合格。

(三) 赔偿

［动～］ 得到～|获得～|打算～|要求～

［～宾］ ～损失|～人民币|～首饰

［定～］ 这种～|商店的～|顾客的～

［状～］ 应该～|不得不～|立即～|确实～

［～补］ ～得起|～不了

［～中］ ～的原因|～的结果|～的时间

(1) 你们欺骗顾客，必须赔偿顾客的损失。

(2) 他们勉强赔偿了一万元。

(四) 付

[动~] 同意~(款)|拒绝~(房租)|坚持~(学费)

[~宾] ~款|~房租|~水电费

[~补] ~得起|~清(房费)|~完|~一点儿(钱)

[状~] 应该~|按期~|由我~|如数~

(1) 我的秘书工资不高,付不起房租。

(2) 先生,请问,在哪儿付款?

(五) 规定

[动~] 做出~|取消~|同意~

[~动] ~检查(质量)|~写(三百字)|~送(给希望小学)

[~宾] ~标准|~时间|~数量|~价钱

[定~] 各种各样的~|以前的~|某些~|学校的~

[状~] 必须~(标准)|没~|严格~

[~补] ~得太死|~一下|~下来

[~中] ~的钱数|~的理由|~的期限

(1) 学生们对学校的某些规定不太满意。

(2) 图书馆规定了新的借书时间。

(六) 如此

[~动/形] ~打扮|~选择|~宣布|~信任|~兴奋|~清晰

[~状] 仍然~|不过~|何必~

(1) 你如此珍惜时间,真令人佩服。

(2) 她如此犹豫,如此为难,就不勉强她参加了。

(七) 治疗

[动~] 负责~|得到~|进行~|中断~

[~动] ~开始|~结束|~(被)耽误

[~宾] ~疾病|~胃病

[状~] 及时~|不得不~|再~|没~|必须~

[~补] ~得好|~三次|~一下|~了一阵

[~中] ~的方案|~的技术|~的效果

(1) 小王的病治疗了一年多才好。

(2) 我弟弟的牙齿经过几次治疗,比以前好多了。

(八) 举行

[动~] 建议~|同意~|希望~|拒绝~

[~宾] ~婚礼|~(毕业)典礼|~开幕式|~宴会

[状～]　刚刚～|隆重～|在哪儿～|为他们～
[～补]　～不了|～了一个小时|～了四次
[～中]　～的时间|～的地点|～的情况|～的原因
(1) 婚礼举行了一个多小时。
(2) 和平展览馆家具展销会即将举行。

(九) 复制

[动～]　拒绝～|同意～|否认～
[～宾]　～录音带|～录像带|～艺术品
[状～]　经常～|不～|可以～|为(我)～
[～补]　～完了|～一下|～不了|～过三遍
[～中]　～费|～的过程|～的情况
(1) 这些磁带都是复制的。
(2) 这次展出的几幅名画都是复制品。

(十) 吃亏

[动～]　使……～|让……～|承认～|感到～
[状～]　总～|差点儿～|没～|必定～
[吃……亏]　吃了亏|吃了大亏|吃一次亏|吃不了亏
(1) 我朋友购买香烟接连吃了两次大亏。
(2) 有的商店只顾自己赚钱,却让顾客吃了亏。

四　语 法 例 释

(一) 广告制作是世界上最难干的职业之一

"之一"是"其中的一个"的意思,常与"是"搭配使用,如"是……之一"。例如:

(1) 常明是始终跟我保持接触的初中同学之一。
(2) 李师傅是这个厂的退休工人之一。
(3) 大华商场是这个城市有名的企业之一。
(4) 阿里是我最喜欢的外国研究生之一。
(5) 小王是我们商店最爱开玩笑的人之一。
(6) 杭州是中国最美丽的城市之一。

(二) 于是广告人便利用广播、电视、报纸……

"于是",连词。用于承接复句,表示两件事在时间顺序上是前后相承的,在事理上带有一点因果关系,即后一事紧随前一事产生,后一事是由前一事引起的。“于是”常用在主语前，也可用在主语后。例如：

(1) 过了一座山，又过了一条河，于是我家就在眼前了。

(2) 我认为他给的报酬太少，他说一点也不少，于是我们俩争论起来。

(3) 他说什么也不吃，把葡萄还给我，于是我只好把葡萄放在一边。

(4) 老高得了胃癌，我们都很同情他，于是决定一起去医院看他。

(5) 孩子觉得他的样子很可怕，催母亲走。于是又只剩下他一个，终于失望地也走了。

(6) 弟弟这几天总发愁，听我一说，于是又高兴起来。

(三) 不料，牙膏用了一周……

“不料”，连词。用于转折复句，表示发生的事事先“没想到”，后边的小句表示转折时常用的“却”、“竟”、“还”、“倒”、“仍”等词语与前边的小句呼应，以加强“没想到”的意思。例如：

(1) 我本来是跟他开玩笑，不料他却生气了。

(2) 我们想跟姑姑去买牛仔裤，不料姑姑的朋友来了。

(3) 他妻子得了胃癌，动了手术，不料他还不知道。

(4) 爷爷在院子里随便种了一棵葡萄，不料竟活了。

(5) 大家请他去饭馆吃饭，不料他竟借口没时间，拒绝了。

(四) 花白的头发就像故意跟他开玩笑似的

“像……似的”或“……似的”表示比喻或说明两种情况相似。“似的”在动词前作状语时写成“似地”。例如：

(1) 她打扮得像新娘似的，漂亮极了。

(2) 张老师收藏了不少古书，家里像图书馆似的。

(3) 安娜的普通话说得简直像中国人说的似的。

(4) 运动会上，马力拼命跑，像飞似的。

(5) 你可别像我似的，办事总犹豫。

(6) 那个人像发了财了似的，一下子购买了五台彩电。

(7) 烟雾似的雨下了一天。

(8) 王秘书开玩笑似地对他说：“你做生意赚了一大笔钱吧？”

(五) 特别是新娘，更是急得不得了

“不得了”在句中作补语，强调程度深。句中的谓语为单音节、双音节形容词或表示心理活动的动词。例如：

(1) 今年夏天热得不得了。

(2) 当他知道自己购买的家具是伪劣产品时,气得不得了。

(3) 小马请她参加自己的结婚典礼,她高兴得不得了。

(4) 我昨天得了重感冒,难受得不得了。

(5) 学生们对李老师佩服得不得了。

(6) 妈妈怪她不该买首饰,她委屈得不得了。

(六) 可现在怎么拉也拉不上了

"怎么……也……不"或"怎么也不"、"怎么……也不"常用于口语,强调对某种行为或结果的否定。"怎么……"表示"用一切力量"。例如:

(1) 老师在黑板上写的字太小,我怎么看也看不清楚。

(2) 他的普通话说得太差了,我怎么听也听不懂。

(3) 老乡来看我,我让他在我家多住几天,可怎么留也留不住。

(4) 这张画太大了,怎么贴也贴不正。

(5) 妹妹做生意没赚到钱,怎么安慰她也高兴不起来。

(6) 我问他为什么最近总发愁,他怎么也不告诉我。

(7) 哥哥吸烟太多,我劝他戒烟,他怎么也不戒。

(8) 马力骑车太快,爷爷怎么提醒他,他也不在乎。

(9) 那道数学题太难了,老师怎么给我讲,我也不明白。

(七) 而且唱着唱着又走了调

"……着……着"表示在动作或状态的进行持续中,又出现了另一动作或状态。常附在两个相同的单音节动词后面,有时也可附在两个不同的单音节动词后面。例如:

(1) 老王太累了,看电视时,看着看着就睡着了。

(2) 两个人说着说着不觉到家了。

(3) 刚才发生的事挺可笑的,他想着想着忍不住笑了。

(4) 她不会喝酒,喝着喝着脸就红布似的,头也有点晕。

(5) 老太太连哭带骂,闹着闹着儿子回来了。

(6) 大家吃着喝着不觉天黑了。

(7) 儿子吵着闹着一定要买那件T恤衫。

(八) 这是为了纪念他的妻子

"为了",介词,表示目的,"是为了"强调目的。例如:

(1) 安娜来北京是为了学习中国的普通话。

(2) 我朋友经商是为了赚钱。

(3) 她穿超短裙是为了赶时髦。
(4) 父亲不让儿子吸烟是为了孩子的身体健康。
(5) 李先生这几天几乎每天晚上12点还不睡觉，是为了赶写一篇文章。

(九) 表示动作的进行状态

本课有三个句子：

(1) 某商店正在出售的"一周黑牙膏"专治"少白头"。
(2) 新娘见新郎穿的不是那套高价的名牌服装，十分生气，正要怪他，……
(3) 新郎的弟弟走过去查看，带子还在转。他正奇怪，那位名歌星又唱起来……

其中的"正"、"在"，还有常用的"正在"，表示动作在进行中或状态在持续中。"正"着重指时间，"在"着重指状态，"正在"则包含这两种意思。例如：

(1) 姑姑只有一个女儿，正上初中。
(2) 大树下，一个研究生正教几个高中生数学。
(3) 她没考上大学，很痛苦，我们正安慰她呢，李老师来了。
(4) 他这几天正忙呢，你过几天再去找他吧。
(5) 白先生坚决地说："大家都在工作，我怎么能休息？"
(6) 王师傅的女儿在拼命学英语，她打算去海外做生意。
(7) 他在跟你开玩笑呢，你别真生气。
(8) 他们正在讨论，你半小时以后再来吧。
(9) 组长正在批评小王呢，他的产品不合格。
(10) 他们正在复制录像带呢，今天恐怕没有时间了。

五　副 课 文

(一)阅读课文

1. 从美人说到广告

《红楼梦》里写了12个美人，实际上也不是哪个人都挑不出一点毛病。例如，有的美人白白的脸上长着许多小黑点。有的发音有问题，把"二哥哥"叫成

"爱哥哥"。尽管如此,人们仍然认为她们都是美人。因为世界上没有十全十美(shí quán shí měi)的事。

可有不少广告,为了吸引顾客,为了赚钱,不管在电视上,还是在报刊上,总把自己的商品吹得十全十美。什么"一洗就减肥(jiǎnféi)"啊,什么"治疗百病"啊。可能吗?一看就知道不实事求是。

最近,我在一家饭馆吃饭,看见筷子上写着这样两句话:如果我的菜不好,请对我说;如果我的菜好,请对朋友说。

这才是好的广告,因为实事求是。主人没有说自己的饭菜多么好,也没有说不好。饭菜的好坏由顾客来评论。这两句话,前者表示主人虚心接受批评;后者表示希望顾客帮助自己把生意做得更好。

2. 广告妙用

小刘愁得不得了——喝口凉水都长肉。

一天早晨,他照常打开收音机,起床穿衣服。收音机里正在广播广告节目。当他吃力地扣上皮带(pídài)的最后一个自己扎的扣眼(kòuyǎn)时,一则广告吸引了他。广告说,各大药店正在出售一种减肥妙药。小刘听了无比兴奋,于是吃完早饭便毫不犹豫地骑上自行车专门去买广播里说的那种减肥药。

他走进第一家药店,不好意思地问售货员:"师傅,请问有广播里说的那种减肥药吗?"说完脸顿时红了。售货员见他那样子忍不住笑了,说:"对不起,你到别的药店看看吧!"小刘从药店出来,自我安慰地想:"这家药店小,大药店可能会有。"不料他汗流满面地从城东跑到城西,从市内跑到郊区,所有的大大小小的药店都跑遍了,也没买到那种药。回到家天已经黑了。

第二天早晨,他一边穿衣服,一边听收音机。他忽然发现皮带好像变长了似的,系(jì)皮带时,竟毫不费力地系上了。"啊哈!"他拍了拍变小了的肚子说:"我终于明白了广告的妙用!"

(二)会话课文　讨价还价(tǎo jià huán jià)

方明:你好,阿里,到哪儿去呀?

阿里:我去买衣服。哦(ò),对了,我想问问你,在中国买东西可以讨价还价吗?

方明:当然可以。在商品交换中,讨价还价是正当的。卖主总是想多赚钱,有的甚至随便提高价格,遇到有钱的人更不会轻易放过。

阿里:这么厉害呀!看样子真得学会讨论还价,否则要吃亏的。那么在任何商店都可以讨价还价吗?

方明:国营(guóyíng)商店是不能讨价还价的,否则人家可能觉得你得了精神病。但在自由市场或在一些个体经营的商店是可以的。

阿里：那么怎么讨价还价呢？

方明：首先，你必须了解商品价格。你刚到北京，对一般商品的价格一定不太了解，所以你应该通过朋友了解，同时，多去商店、自由市场转转，否则，虽然讨价还价了，实际上还是买贵了。

阿里：对，是这样的。我的一个朋友去买牛仔(niúzǎi)裤，卖主说60元，他说太贵，卖主降到55元，他就买了，还挺得意呢，可一个中国朋友买了一条同样的牛仔裤只花了40元。

方明：另外，当你看好一件东西时，一定不要表现出特别喜欢那件东西的样子，否则卖主就会死不降价。

阿里：那怎么办呢？

方明：你就拼命挑那件东西的毛病。比如说，这件衣服做得太粗啦，扣子(kòuzi)和衣服的颜色不配啦，样子太平常啦，某个地方有点脏啦等等。

阿里：要是他还不降价怎么办呢？

方明：那你就对他说："那你自己留着吧。"转身就走，卖主见你不想买了，也许就同意降价了。

阿里：你真行！

方明：还有，如果你多买几件你要买的那种商品，你可以要求卖主降价，在这种情况下卖主最容易降价。

阿里：没想到买东西有这么多学问。谢谢你，我这就去试一试。

（三）听力课文　消费者怎样投诉

所谓投诉，就是指消费者在自己的利益受到损害时，向有关部门提出请求，以保护自己的利益。

在什么情况下可以提出投诉呢？

只要自己购买的商品在质量、价格、安全、卫生等方面有问题并向经营者提出而不能解决问题时，都可以投诉。

投诉可以通过面谈或写信等方式，向消费者协会或新闻单位和部门反映。

投诉时应写出材料，其内容主要有：投诉人的姓名、地址和电话，被投诉者的单位，所购商品的名称、规格、价格及损坏的程度，投诉人的要求等。除了这些内容，投诉人还应该有发票和保修单。

生　词

1. 投诉　（动）　tóusù　(of a customer) complain by letter or

			telephone porter plainte; déposer une plainte	
2. 经营	(动)	jīngyíng	manage; run gérer; exploiter	丙
3. 协会	(名)	xiéhuì	association association	丙
4. 规格	(名)	guīgé	specifications; standards spécification; norme	丁
5. 发票	(名)	fāpiào	bill; receipt facture	丁
6. 保修单	(名)	bǎoxiūdān	guarantee bulletin de garantie	

六 练 习

(一) 词语搭配：

1. ＿＿＿＿＿信任　　2. 信任＿＿＿＿＿
3. ＿＿＿＿＿生意　　4. ＿＿＿＿＿可笑
5. ＿＿＿＿＿资格　　6. 毫不＿＿＿＿＿
7. 无比＿＿＿＿＿　　8. 怪＿＿＿＿＿
9. 租＿＿＿＿＿　　10. 任意＿＿＿＿＿

(二) 用指定词语完成句子：

1. 马克故意大声唱歌，＿＿＿＿＿＿＿＿＿＿。(怎么……也……不)
2. 昨天我进城买东西，＿＿＿＿＿＿＿＿＿＿。(不料　不得了)
3. 姑姑家的院子里种了各种各样的花，＿＿＿＿＿＿。(像……似的)
4. ＿＿＿＿＿＿＿＿＿＿我都看过。(凡是……)
5. 阿里讲的故事特别有意思，＿＿＿＿＿＿＿＿＿＿＿＿＿＿＿＿＿＿＿＿。(……着……着　……起来)
6. 姐姐买首饰＿＿＿＿＿＿＿＿＿＿。(是为了)
7. 很多人得了重病都愿去立安医院治疗，＿＿＿＿＿＿＿＿。(是……之一)

(三) 选择适当词语填空:

听人说,向阳商店________出售一种我要买的名牌牛仔裤,________我骑上自行车,很快到了向阳商店。一进店,两个卖服装的售货员________聊天,________看________没看我一眼。我自己一看,这里真有我要买的那种。我用手指着那条裤子问________,我一听,________贵点,可我一点也不________。就________了款,把牛仔裤买走了。到了家,我________要穿,我朋友赵明来了。我得意地说:"看,怎么样? 名牌!"赵明仔细一看,摇着头说:"你上当了,这________牛仔裤!"我一听,气得________,说:"如此弄虚作假,欺骗顾客,太不________信誉了!"说完,我________骑上自行车,到向阳商店去________这条所谓名牌牛仔裤。

(四) 根据课文内容完成句子:

1. 好的广告是一种艺术,它能________________________。
2. 在展销会上,举办单位把一个柜子劈开________________。
3. 由于举办单位讲信誉,________________________。
4. "一周黑牙膏"用了两个多月,________________________。
5. 新郎买了一条高价的裤子,不料拉锁________________。
6. 举行婚礼时,那盘磁带________________________。
7. 那个退休工人好收藏名酒,________________________。
8. 老人退酒时对售货员说:________________________。

(五) 判断下列句子对错,对的画 √,错的画 ×。

( ) 1. 那个商店出售的收录机质量不合格。
( ) 2. 他借口了身体不舒服不去上课。
( ) 3. 你为什么不愿意见面他呢?
( ) 4. 我的朋友有收藏各式各样手表的爱好。
( ) 5. 去不去饭馆吃饭,我无所谓。
( ) 6. 孩子的时候我对什么都感兴趣。
( ) 7. 上课的时候,他总随便说话。
( ) 8. 对不起,请你把这道题再给我讲。
( ) 9. 妈妈给她买的首饰正合她的心意。
( ) 10. 这条街上的某些商店常出售伪劣商品。

(六) 把下列词语填到适当的位置上:

为了　　盘　　产品　　吃亏　　复制　　经济　　欺骗

(1) 这(　　)磁带是他(　　)的。

(2) 企业重视(　　)质量,是(　　)提高(　　)效益。

(3) (　　)顾客,最终(　　)的还是广告人自己。

(七) 根据课文内容回答问题:

1. 人们制作广告的目的是什么?
2. 人们通过什么办法进行广告宣传?
3. 某单位举办家具展销会的广告内容是什么?
4. 为了推销家具,他们是怎样做的?
5. 为了治好"少白头",常明是怎样做的? 结果怎样?
6. 新郎新娘举行婚礼时遇到了什么可笑的事?
7. 那位退休工人为什么去商店退酒?

(八) 阅读练习:

1. 根据阅读课文内容判断对错:

(　　)(1) 白白的脸上长着许多小黑点,所以她不是美人。

(　　)(2) 某些广告把自己的商品吹得十全十美,目的是为了赚钱。

(　　)(3) 一家饭馆在筷子上写了两句话是在吹自己的饭菜做得好。

(　　)(4) "喝口凉水都长肉"的意思是说小刘常喝凉水。

(　　)(5) 小刘太胖了,不得不在皮带上扎扣眼。

(　　)(6) 小刘的肚子变小了,是因为他吃了减肥药。

2. 根据阅读课文内容回答:

(1) 为什么说有的广告不实事求是?

(2) 小刘的肚子是怎么变小的? 这使他明白了一个什么道理?

(九) 口语练习:

1. 分角色熟读对话。注意语音语调。
2. 不看课文,分角色进行对话,尽量运用如下词语:

讨价还价　　卖主　　赚钱　　甚至　　否则　　吃亏

自由市场　　价格　　牛仔裤　　降价　　挑　　粗　　颜色

(十) 听力练习:

1. 根据录音内容回答:

(1) 什么叫投诉?

(2) 在什么情况下可以投诉?

(3) 怎样投诉?

2. 根据录音内容填空：

(1) 投诉指的是________在自己的利益受到________时，向某部门________请求，以________自己的利益。

(2) 只要发现自己________的商品在________、________、________、________等方面有问题并向________提出而不能________时，都可以投诉。

(3) 投诉可以通过________或________等方式向某部门反映。

(4) 投诉人投诉时必须有________和________，这两样东西可以证明你购买的商品是从那个商店买的。

(十一) 交际训练：

1. 根据提示选择下列词语(至少5个)写一段话：

提示：购买东西

词语：广告、吸引、付、质量、正、不料、不得了、怎么……也不、像……似的、于是

2. 自由讨论：

(1) 你常看广告吗？你喜欢什么样的广告？为什么？

(2) 你认为广告利大于弊还是弊大于利？

3. 根据提示把谈话继续下去：

(1) 买服装
- 顾客：请问这件上衣多少钱？
- 卖主：898元。
- 顾客：我试试行吗？
- 卖主：……
- 顾客：……

(2) 买水果
- 顾客：请问这种国光苹果多少钱一斤？
- 卖主：5元。
- 顾客：真够贵的！
- 卖主：……
- 顾客：……

(3) 买旧书
- 顾客：请问这本《汉英词典》多少钱？
- 卖主：10块5。
- 顾客：旧书还这么贵哪！
- 卖主：……
- 顾客：……

(4) 旅　游
- 主人：喂，朋友，骑马不？
- 游客：一小时多少钱？
- 主人：如果骑着走，一小时30块；
  如果骑着跑，一小时100块。
- 游客：……
- 主人：……

4. 语言游戏：

(1) 下面是一个招聘广告，比一比，看谁先把划线的地方填好。

光明区新华________招聘

本________招聘________5名

招聘条件：1)________

　　　　　2)________

　　　　　3)________

应聘者请将个人的________、________、________寄光明区中华路15号。

联系人：赵刚

电话：2027744

(2) 比一比，看谁先把下列词语连成正确的句子：

1) 阿里的________找不到了，________不得了。

2) 玛丽________像________似的。

5. 看一看，说一说，写一写。

对口服务
（《消费报》九五·三·八
朱自观作）

第九课

一　课文　李群求职[1]记

李群是我在香港认识的一位年轻的华侨[2]姑娘。她是我的邻居，搬入我们公寓[3]不久，就与大家熟悉起来，成了好朋友。

李群来的那天，已是晚上七八点钟。我们一些老房客正在客厅[4]里聊天，怎么也没想到这个时候会有新房客进门。她披着长发，穿着T恤衫[5]，牛仔[6]裤，手里提着两个塞得满满的旅行袋。通过交谈，我们知道她刚从广州的一所大学毕业，听说香港好找工作，便和几个同学来到了香港。

"我现在住的小房间每天的房租[7]是230元。我现有的钱只够住一个星期，明天我就要去找工作……"她认真地说，但又带着几分玩笑[8]。

李群的父母是老华侨，在英国开着一家首饰[9]店，经济条件很不错。但对李群来说，大学毕业就意味[10]着独立[11]面向社会，要自己去奋斗，而不能再依靠父母了。

李群住进公寓后，就忙着找工作。那天中午，我下班回来，看到她正在客厅打电话，满桌子都是招聘[12]广告、中英文报纸。我拿起一份她的简历[13]，光是"语言文字"一项[14]，她就填了英语、德语、法语、汉语（包括广东话）好几种。

"就凭这些，你不会没饭吃。不过，我真羡慕你，你怎么能懂这么多种语言？"

"我在英国出生，上小学后，在学校里说英语，回到家，父母只许我说汉语。家里的墙上、柜子上都贴[15]满了汉语。12岁时，父母把我送到广州姑姑[16]家，在广州上的初中[17]、高中[18]。然后进广州外语学院学了两年法语和德语。广东话也是这个时期学会的。"

"哈哈，你的父母真会安排呀！"当看到李群那发愁[19]的样子时，我忙问："工作联系得怎么样了？"

"毫无收获，到香港已经一个多星期了，如果再找不到工作，我可能回广州，也可能去英国。我的钱快用完了。这笔[20]钱还是我为一家广播公司制作节目得到的报酬[21]。他们的报酬高,五分钟一千元。”

“那么,现在能不能去那里工作呢?”

“我很喜欢那里的工作,但要成为正式的很难。我一直在努力。”

“我有两个朋友在大公司当经理,可以介绍你去见见他们。”

晚上,李群 10 点多才回来。一见到我就感谢地说:“谢谢你的朋友们,但是我不一定去他们那儿工作。因为,一个公司不做对中国的生意[22];另外[23]一个公司要秘书[24],坐班,一天 8 小时排得满满的,又打字,又跑上跑下,一点儿自己的时间都没有。不过,我还是非常感谢你。经过跟这两个公司面谈,我有了信心,他们在选择[25]我,我也在选择他们。”

我劝她先接受一份工作,解决吃饭问题。然后,再慢慢找自己喜欢的工作。

但是,李群没有接受我的建议[26],她到酒吧[27]当女招待去了。同时,还弄来几十块很时髦的手表,到街上去叫卖。她也给某些[28]杂志写稿,为某家公司翻译德文资料。但后两样工作是偶然[29]碰到的。

有一天晚上,她和女友一起去卖表。平时,她学生打扮[30],连口红都不抹[31]。那天却穿了一双火红的长统袜[32],又穿了一条超短裙[33],脸上也化了很浓[34]的妆[35]。她的样子把我吓了一跳,打扮得简直不像好女人了。她看到我注意她,笑着说:“前几天在热闹的地方卖,那里外国人多,做小买卖的也多。我们一点儿也不被人注意,一块表也没卖掉。今天换个地方,那里工人、一般老百姓多,也许能碰到好运气[36]。”说着,她就抱着一大盒[37]手表走了。

果然,第二天,她高兴地告诉我:“昨天可是赚[38]了一大笔钱,卖掉许多表,价钱[39]卖得也不低。”她边说边把卖的钱摊[40]在桌上整理。

“我请客,我要好好请你们一次!”

“李群,你这样过日子心里踏实[41]吗? 今天发一笔财[42],明天一个钱没有,后天还不知会怎么样……”我关心地问。

她瞪了我一眼,眨了眨那双漂亮的黑眼睛:“你认为我应该存钱,是吧? 我不会的,我每次赚了钱,首先想到的是怎么玩,怎么开眼界[43]。如果赚了钱只是为了存起来,我又为什么要赚它呢? 你会问,用完了怎么办? 很简单,再去干,再去赚。”

“那么,你不认为大学毕业了去当女招待、小贩有失身份[44],会被别人看不起吗? 不能找一个比较稳定、体面[45]的工作吗?”

"别人看得起看不起并不重要,重要的是自己看得起自己,或者说自己是不是真有本领。你不认为我有本领吗?而且我要趁着现在年轻多练几样本领,就像多掌握几门外语一样。世界变化这么快,怎么叫稳定呢?关键是要有能力适应[46]各种各样[47]的变化。这样,才不会被淘汰[48]。你说呢?"

不能不承认,我很佩服[49]她的能力和自信[50],羡慕她有一股闯[51]劲儿。凡是她想争取做到的,决不[52]轻易后退放弃[53]。

离开香港回京半年后,我接到李群的来信。她正在从事[54]英、法、德、中文的翻译工作,跟几家大公司都有业务[55]联系,很忙,但很自由。每周还去残疾[56]人学校教英文。关于是否[57]能进广播公司当记者的事,她没有提。

二 生 词

1. 求职		qiú zhí	look for a job demander un emploi	
2. 华侨	(名)	huáqiáo	overseas Chinese Chinois d'outre-mer	丙
3. 公寓	(名)	gōngyù	flats; apartment house résidence; appartement	
4. 客厅	(名)	kètīng	drawing room salon	丙
5. T恤衫	(名)	tìxùshān	T-shirt T-shirt	
6. 牛仔	(名)	niúzǎi	cowboy bouvier; cow-boys	
7. 房租	(名)	fángzū	rent (for a house, flat) loyer	丁
8. 玩笑	(名)	wánxiào	joke plaisanterie	丙
9. 首饰	(名)	shǒushi	jewels bijoux	
10. 意味	(动)	yìwèi	mean signifier; vouloir dire	丙
11. 独立	(形)	dúlì	independent indépendant	乙
12. 招聘	(动)	zhāopìn	give public notice of a vacancy to be filled embaucher; engager; recruter	

13. 简历	（名）	jiǎnlì	biographical notes curriculum vitae	
14. 项	（量）	xiàng	(a measure word) item (spécificatif)	乙
15. 贴	（动）	tiē	paste; stick coller	乙
16. 姑姑	（名）	gūgu	aunt(father's sister) tante paternelle	乙
17. 初中	（名）	chūzhōng	junior middle school premier cycle de l'école secondaire(collège)	丙
18. 高中	（名）	gāozhōng	senior middle school deuxième cycle de l'école secondaire(lycée)	丙
19. 发愁		fā chóu	worry; be anxious s'inquiéter; avoir le cafard	丁
20. 笔	（量）	bǐ	(a measure word for money) (spécificatif) somme (d'argent)	甲
21. 报酬	（名）	bàochou	pay; remuneration rémunérations	丙
22. 生意	（名）	shēngyi	business; trade affaire	乙
23. 另外	（形）	lìngwài	another autre	乙
24. 秘书	（名）	mìshū	secretary secrétaire	丙
25. 选择	（动）	xuǎnzé	choose choisir; sélectionner	乙
26. 建议	（名、动）	jiànyì	suggestion; suggest proposer; proposition	乙
27. 酒吧	（名）	jiǔbā	bar bar	
28. 某些	（代）	mǒuxiē	certain; some certains; quelques	丙
29. 偶然	（形）	ǒurán	chance; accidental occasionnel; accidentel	丙
30. 打扮	（动）	dǎban	dress up se maquiller; se déguiser	乙
31. 抹	（动）	mǒ	put on; apply se mettre (du rouge aux lèvres)	丙
32. 长统袜	（名）	chángtǒngwà	stockings bas; collant	

33. 超短裙	（名）	chāoduǎnqún	miniskirt minijupe	
34. 浓	（形）	nóng	rich（in color） épais	乙
35. 化妆	（动）	huàzhuāng	make up；paint se maquiller	丁
36. 运气	（名）	yùnqi	fortune；luck chance	丙
37. 盒	（名、量）	hé	box；（a measure word） boîte	乙
38. 赚	（动）	zhuàn	make a profit；gain gagner	丙
39. 价钱	（名）	jiàqian	price prix	丙
40. 摊	（动）	tān	spread out étaler；étalage	丙
41. 踏实	（形）	tāshi	having peace of mind （avoir l'esprit）tranquille	丙
42. 发财		fā cái	get rich faire fortune	丁
43. 开眼界		kāi yǎnjiè	widen one's view élargir l'horizon à qn	
44. 身份	（名）	shēnfen	dignity position；qualité；identité	丙
45. 体面	（形）	tǐmiàn	honorable face；dignité	丙
46. 适应	（动）	shìyìng	adapt；suit s'adapter à；s'accorder avec	乙
47. 各种各样		gè zhǒng gè yàng	all kinds of；all de toutes sortes	丙
48. 淘汰	（动）	táotài	eliminate éliminer	丁
49. 佩服	（动）	pèifú	admire estimer；admirer	丙
50. 自信	（动、形）	zìxìn	self-confident avoir confiance en soi；étre sûr de soi	丙

51. 闯	(动)	chuǎng	temper oneself (by batting through difficulties) s'élancer	乙
52. 决不		jué bù	never être décidé à ne pas...	丁
53. 放弃	(动)	fàngqì	give up abandonner	乙
54. 从事	(动)	cóngshì	be engaged in entreprendre; s'occuper de	乙
55. 业务	(名)	yèwù	business affaires; activités	乙
56. 残疾	(名)	cánjí	deformity difformité; infirmité	丁
57. 是否	(副)	shìfǒu	whether; if oui ou non; si	丙

专　名

1. 李群	Lǐ Qún	name of a person nom de personne
2. 香港	Xiānggǎng	Hongkong Hongkong
3. 广州	Guǎngzhōu	Guangzhou (name of a city) nom de ville
4. 英国	Yīngguó	Britain Grande Bretagne
5. 广东	Guǎngdōng	Guangdong Province province du Guangdong

三　词语搭配与扩展

(一) 贴

[动~]　开始~|继续~|愿意~

[~宾]　~广告|~标语|~邮票|~纸

[状~]　随便~|直接~|必须~|按规定~

[~补]　~反了|~歪了|~上去|~够(邮票)|~得快|~了一天

［～中］　～的方式｜～的顺序｜～的时间｜～的角度

(1) 她贴了一上午招聘广告。

(2) 墙上贴满了那女孩的照片。

（二）报酬

［动～］　付～｜增加～｜接受～｜得到～｜没有～

［～形］　～高｜～低｜～很少｜～合理

［定～］　劳动(的)～｜辅导的～｜相同的～｜上个月的～｜一点儿～

［～中］　～的数目｜～的形式｜～的性质

(1) 他帮我们贴广告不是为了赚钱，但我们应该付给他报酬。

(2) 张梅把寒假打工的报酬都捐给了希望工程。

（三）选择

［动～］　进行～｜加以～｜打算～｜同意～

［～宾］　～老师｜～专业｜～单位｜～商品

［定～］　观众的～｜学生的～｜正确的～｜职业的～

［状～］　勉强地～｜愉快地～｜不断～｜互相～｜只能～一次

［～补］　～错了｜～下去｜～得好｜～得严格｜～了三次｜～了一遍

［～中］　～的机会｜～的范围｜～的条件

(1) 录像室应该选择深颜色的窗帘。

(2) 真遗憾，我又失去了一次选择的机会。

（四）偶然

［主～］　情况(很)～｜(这次)见面(很)～｜这(太)～了

［动～］　觉得～｜感到～｜是(很)～的

［～动］　～发现｜～看到｜～想起｜～接触｜～生这么大气

［状～］　太～了｜非常～｜简直～极了

［～补］　～极了｜～得很

［～中］　～的原因｜～因素｜～的机会

(1) 李健被选上是很偶然的。

(2) 对偶然情况的发生，你要有准备。

（五）打扮

［动～］　拼命～｜反对～｜喜欢～

［～宾］　～新娘｜～姑娘们｜～(成)老人

［定～］　工人(的)～｜城里人～｜知识分子的～｜漂亮的～

［状～］　认真地～｜匆匆地～｜对着镜子～｜被……～……｜把……～起来

［～补］　～起来｜～得格外漂亮｜～不了｜～了半天｜～一下｜～一番

［～中］　～的样子｜～的原因｜～的效果

(1) 他打扮以后还不如不打扮好。

(2) 你打扮得我都不认识了。

(六) 赚

[动~] 拼命~(钱)|打算~(一笔钱)|计划~(多少)

[~宾] ~钱|~了三间房|~了一座金山

[状~] 好~|不容易~|难~|从来没~过|能~

[补~] (照这样)~下去|~回来了|~得不少|~不了|~过一次

[~中] ~的数目|~的方式|~的机会

(1) 小高做房地产生意,赚了一大笔钱。

(2) 为了赚钱,他什么都不顾了。

(七) 价钱

[动~] 讲~|规定~|提高~|限制~|没有~

[~动/形] ~涨了|~降了|~提高了|~(没)变|~高|~低|~便宜|~一样

[定~] 书的~|车票的~|同样的~|规定的~|过去的~

[~中] ~的标准|~的规定

(1) 完全一样的东西,价钱相差很大。

(2) 这儿的东西价钱都高。

(八) 适应

[动~] 开始~|觉得(不)~|感到(不)~|准备~(新形势)

[~动] ~发展|~变化|~需要

[~宾] ~形势|~环境|~(这里的)一切|~(新)情况

[状~] 逐渐~|完全~|能够~|成功地~……|顺利地~(新形势)

[~补] ~得快|~慢|~了一个星期|~一下

[~中] ~(的)能力|~的过程

(1) 小王年轻,适应能力强,派他去吧。

(2) 张强很快就适应了这里的环境。

(九) 淘汰

[主~] 三号选手(被)~了|甲队(被)~了|这种机器(已经)~了

[动~] 进行~|加以~|赞成~|害怕(被)~|打算~

[~宾] ~(旧) 机器|~对手|~旧的

[状~] 全部~|逐渐~|坚决~|被时代~|把过时的都~

[~补] ~错了|~掉|~得及时|~下去了|(已经)~一年了

[~中] ~的原因|~的时间|~的后果

(1) 他没想到自己那么快就被淘汰了。

(2) 不继续学习就要被时代淘汰了。

(十) 从事

［动～］　希望～(教学工作)|要求～……|准备～……|反对～(这种研究)

［～宾］　～(广播)事业|～研究|～……活动|～(教育)工作|～(脑力)劳动

［状～］　一直～|积极～|长期～|专门～|应该～

［～中］　～的事业|～的工作

(1) 黄教授从事教育工作已经50年了。

(2) 老王长期从事这方面的研究,积累了不少经验。

(十一) 业务

［动～］　懂～|熟悉～|钻研～|轻视～

［～动/形］　～(没)提高|～下降了|～发展了|～好|～强|～一般|～差

［定～］　管理～|出版～|医生的～|具体的～

［～中］　～水平|～能力|～知识|～基础|～部门

(1) 凭他的业务能力,担任这个工作没问题。

(2) 这两年,小张在业务上没有什么提高。

四　语 法 例 释

(一) 父母把我送到广州姑姑家(“把$_1$”)

句子的主要动词后有结果补语“在”、“到”、“给”以及表示处所、对象的宾语,必须用“把”字句。语序为:主＋把＋宾$_1$＋动(在/到/给)＋宾$_2$。例如:

(1) 老王昨天把自行车忘在校门口了。

(2) 你把这稿子抄在稿纸上吧。

(3) 张经理亲自把图纸送到我家。

(4) 他故意不把小妹的地址寄给我。

(5) 我把春节晚会录在这盘磁带上了。

(6) 她总是把困难留给自己,把方便让给别人。

(二) 她的样子把我吓了一跳(“把$_2$”)

“把”字句可以带动量和时量补语。

1. 主＋把＋宾＋动＋动量补语。例如:

(1) 小刚又迟到了,老师把他批评了一顿。

(2) 你再把录像放一遍,好吗?

(3) 嫂子耐心地把前后经过又讲了一番。

(4) 春节前,我们把客厅好好收拾了一遍。

(5) 你把大家的意见再集中一下。

2. 主 + 把 + 宾 + 动 + 时量补语。例如:

(6) 我们只好把口试的时间推迟了一天。

(7) 父亲把弟弟关了一小时。

(8) 公司把报名的时间提前了一天。

(9) 你们怎么把孩子憋了一上午?

(三) 我们一点儿也不被人注意("被$_1$")

"被",介词。引出施事来表示被动。语序为:主(受事) + 被 + 名(施事) + 动,"被"后的表示施事的名词性词语可以是不定指的,并且可以省略。"被"字句多表示受事的不如意的遭遇。否定副词和能愿动词只能出现在"被"的前边。例如:

(1) 其实,咱们的秘密并没被人发现。

(2) 这个建议是否能被大家接受,我不敢肯定。

(3) 小王从农村来,所以总担心会被人看不起。

(4) 由于身体不好,黄林小时候常被人欺负。

(5) 他们队上午就被淘汰了。

(6) 我不知道于华他们为什么会被拒绝。

(四) 她瞪了我一眼

"一眼",动量词。这类借用动量词,如"一口"、"一脚"、"一巴掌"、"一声"、"一把"等作动量补语时,一般都位于宾语后,表示动作行为的数量。例如:

(1) 玉梅上车时看了我一眼,我什么都明白了。

(2) 那猫急了,咬了他一口就跑了。

(3) 树生无可奈何地踢了门一脚,低头走了。

(4) 丈夫气坏了,狠狠打了儿子两巴掌。

(5) 你昨天走的时候,为什么不告诉我一声?

(6) 你拉他一把,他不就上来了吗?

(五) ……只是为了存起来("起来$_2$")

"……起来",趋向补语的引申义。表示动作使事物由分散到集中。例如:

(1) 经验都是一点儿一点儿积累起来的。

(2) 这些书捆起来以后就可以寄了。

(3) 她的头发这样扎起来特别好看。

(4) 快去把大家集中起来,一会儿校长要讲话。

(5) 这些方面的问题可以综合起来考虑。

(6) 今年的春节晚会可以联合起来搞。

(六) 我们要趁着现在年轻……

"趁",介词。由"趁"组成介词结构修饰动词,一般可加"着",表示利用某种条件或机会。例如:

(1) 我趁(着)放假的机会,把家里的书整理了一遍。

(2) 趁(着)年轻,多学点东西,一辈子有用。

(3) 敌人趁(着)夜色偷偷地进了小渔村。

(4) 趁(着)父亲不在家,孩子们打开了电视机。

(5) 母亲趁(着)降价买了很多没用的东西。

"趁"与"趁着"的区别是"趁着"的宾语不能是单音节词,"趁"可以。例如:

(6) 汤药要趁热喝。

(7) 如果你打算报考大学,就要趁早准备。

(七) 决不轻易后退放弃

"决",副词。一定要与"不"、"没有"等否定词连用。表示坚决的否定。例如:

(1) 关于那件事,我决不告诉任何人。

(2) 如果你没有证件,他们是决不会放你进去的。

(3) 我知道,老张是决不会放弃这次机会的。

(4) 大勇只要发挥正常,就决不会被淘汰。

(5) 放心吧,我们决没有怀疑你的意思。

(6) 小苏决没有说假话,我可以作证。

(八) 关于是否能进广播公司当记者的事

"是否",副词。"是不是"的意思。多用于书面。

1. 用于问句。"是否"一般放在主语和谓语之间。句尾可以用语气词"呢"。例如:

(1) 阿里是否需要动手术?

(2) 这么重要的决定,他们是否通过学校了?

(3) 明天的面试,小王是否做好了准备呢?

2. 在叙述句里,"是否"用在宾语小句或主语小句中。例如:

(4) 我们不知道厂方是否研究报酬问题了。

(5) 工厂正在调查这批打工妹是否适应了新环境。

(6) 小李是否做出了选择,我们还不清楚。

(7) 这套教材是否受欢迎,还需要通过实践的检验。

五 副课文

(一)阅读课文 招聘考试

上次招聘栽(zāi)了个大跟头(gēntou),这次,张经理又想了个新办法。

可巧了,这次又来了三个小伙子,又是三个人三个样儿。经理在办公室准备好后,吩咐秘书把三个小伙子一个一个地叫进来。

第一个小伙子穿一身中山装,圆脸,厚嘴唇(zuǐchún),胖乎乎的。他尊敬地站在经理面前,非常老实的样子。经理交给他十元钱说:"出公司门口往西三百米处有一个冷饮店,你去那里买三瓶酸奶来。"

小伙子听话地去了。十分钟后,小伙子回来,把钱交还给经理:"实在对不起,我在三百米处看了半天,也没找到冷饮店,只好回来了,实在对不起,没买到酸奶。"

"你先到外屋休息去吧。"经理说,又吩咐叫第二个。

第二个小伙子不高不矮,不胖不瘦,一身西装,非常精神,但看不出他是什么性格。经理也交给他十元钱:"出公司门口往西三百米处有一个冷饮店,你去那里买三瓶酸奶回来。"

小伙子和第一个小伙子一样,十分钟就回来了,把钱交给经理:"公司门口往西三百米处没有冷饮店,所以没买到酸奶。不过,我发现门口往东二百米处倒有个冷饮店,请问能不能到那里去买?"

"你先到外屋休息去吧。"经理说,又吩咐叫第三个。

第三个小伙子短小精干(jīnggàn),一身牛仔装,两只眼睛亮亮的,一看就是个聪明人。经理也给了他十元钱,交给他同样的任务。

小伙子说了声"拜拜",转身就走了。十分钟后回来,把三瓶酸奶及找回的零钱放到经理的办公桌上说:"张经理,你可真逗。公司门口往西三百米处,根本没有冷饮店。害得我往东又跑了二百米才买到酸奶,冷饮店在东边。您的记性(jìxing)可真是……"

"你先到外屋休息去吧。"

小伙子走后,经理双手一拍,高兴地说:"好!定了。"

"第三个?"秘书问。

"太聪明了,什么事都自己拿主意作主张,这样的人最容易坏事。不可信任。"

"第二个?"

"虽然往西去了,但后来又往东去了,不专心,也不可用。"

"第一个?"

"听话、专心,不自作主张,最可信任。"

"张经理亲自选的人是不会错的。"秘书崇拜地说。

(二)会话课文　　机会意味着什么

叶强:赵立,我的好几个朋友都因为对现在的工作不满意,想跳槽(tiào cáo)呢。他们都在寻找机会,等待机会。

赵立:寻找什么样的机会呢?赚钱多,社会地位高,他们是否就满意了呢?

叶强:那也不一定。报酬、社会地位并不是一个人要从工作中得到的最高奖赏(jiǎngshǎng)。

赵立:那要什么样的最高奖赏?

叶强:他所从事的工作,使他感到自己是一个有价值的人。越工作越有自信。工作对他来说,已经不再是一件必须做的苦事,而是一件很愿意做的高兴的事。

赵立:你谈的太理想了。现在很多人工作,就是为了挣钱养家。有位社会心理学家在北京站搞调查。他问一个从外地来打工的小伙子:"你来北京干什么?""赚钱啊。""赚钱干什么?""娶媳妇啊。""娶媳妇干什么?""生孩子啊。""生孩子干什么?""赚钱啊。""赚钱干什么?""给我孩子娶媳妇啊。""给孩子娶媳妇干什么?""生孩子啊。""有意思吗?""没有意思。""那你为什么这么做呢?""别人都是这么做的呀!"

叶强:你看,这个小伙子虽然赚了大钱,但他并不知道活着的意义和自己的价值。

赵立:在现实生活中,要找到一个报酬又高,又适合自己的工作,可不是一件容易的事。同时还要能在工作中找到自己的价值,这可就更难了。

叶强:但可以去寻找,去选择。据心理学家分析:一个人选择职业的最佳年龄段是20至30岁。在这段时间里,人们可以通过从事不同的工作,不断地积累经验,从而逐渐发现自己的职业兴趣和能力,最后决定这辈(bèi)子自己究竟干什么。所以,从某种意义上来说,机会就意味着社会在选择你,你要适应社会。

赵立:是啊,能像你说的那样去积累去选择,当然是很有意义的。那就要趁着年轻多学几样本领。如果你不做好准备,再好的机会也会被你错过,你说呢?祝你的朋友们都走好运吧!

（三）听力课文　　再见，礼品店

我正在读研究生，课余去一家礼品店打工。我的工作除了帮客人选择礼品，当翻译小姐，还要想各种办法让更多的顾客到我们店来买东西。因为这一条街上有好几家礼品店。

对我来说，工作忙点儿累点儿倒没什么，我最不喜欢的，就是要想办法帮助老板拉客人。

我们店里有各种各样的礼品，有的小礼品进价只有四五元，但卖给顾客时，价钱要高出六七倍，有的还要多。

一次，有位老华侨在我们店附近的“立美商店”看上了一幅九千元的中国画。我一边陪他欣赏那幅画，一边告诉他，有的商店里这样的画，价钱要便宜一半。他让我告诉他是哪家商店。

当老华侨走进我们商店时，我用电话告诉老板，说正进门的老华侨刚才在“立美商店”看上了一幅九千元的中国画……。老华侨在我们店花了四千二百元买走了一幅进价不到一百元的中国画。等我回到商店，老板高兴地拿出二百元说：“这是给你的报酬。”

回到学校宿舍，我躺在床上，控制不住自己的眼泪。一连好几天，老板打电话让我去上班。我终于明白了，我不适合做生意。再见，礼品店。

生　词

1. 礼品	（名）	lǐpǐn	gift; present cadeau	丁
2. 课余	（名）	kèyú	after class en dehors des cours; après la classe	
3. 进价	（名）	jìnjià	buying prices prix d'achat	
4. 欣赏	（动）	xīnshǎng	admire admirer	丙

专　名

立美商店　Lìměi Shāngdiàn　limei Shop / magasin Limei

六 练 习

(一) 画线连词：

某些	收入	增加	账
一份	简历	赞成	钱
一股	闯劲儿	放弃	意味着
一项	力量	付	报酬
一笔	规定	从事	业务工作

(二) 给下列词语搭配上定语或状语：

1. ________价钱　　2. ________打扮
3. ________佩服　　4. ________选择
5. ________业务　　6. ________秘书
7. ________适应　　8. ________简历
9. ________身份　　10. ________自信
11. ________赚　　12. ________踏实

(三) 给下列词语搭配上动词或名词：

1. ________广告　　2. ________房租
3. ________建议　　4. ________高中
5. ________报酬　　6. ________玩笑
7. 抹________　　8. 各种各样的________
9. 放弃________　　10. 制作________
11. 偶然________　　12. 决不________

(四) 选择适当短语完成下列句子：

A. 联合起来　集中起来　存起来　组织起来　捆起来　积累起来

1. 他们从全国各地来，互相都不认识，________________。
2. 每个人的经验都是________________。
3. 这屋子里的东西太乱了，________________。
4. 单靠我们自己的力量是完不成这个任务的，________________。
5. 如果明天搬家的话，________________。
6. 我想这样安排打工挣的钱，________________。

B. 趁她不注意　趁热　趁天没黑　趁老王没走　趁放假　趁早

1. 这是刚煮好的饺子，________________________________。
2. 小王正在化妆，________________________________。
3. 你的头发太长了，________________________________。
4. 母亲住院需要一笔钱，________________________________。
5. 如果你要去旅行，________________________________。
6. 这个文件必须要经理签字，________________________________。

(五) 用下列各组词语造“把”字句：

例：复习　课文　下

你们把课文复习一下。

1. 复印　简历　一下

2. 贴　邮票　上去

3. 存　工资　起来

4. 收拾　文件　起来

5. 布置　会场　一下

6. 淘汰　甲队　下去

7. 检查　机器　一番

8. 提高　价钱　一倍

9. 考虑　意见　一下

10. 摊　书　一桌子

(六) 整理句子：

1. 某些　决不　在……上　问题　发表　轻易　意见
老李

2. 选择　这　杨兰　了　放弃　是否　呢　次

3. 是否　　李义　　不　　我　　知道　　了　　发财

4. 全　　张师傅　　玩笑　　决不　　这种　　开

5. 完全　　对……来说　　这次　　赵强　　偶然　　是　　事故　　的

6. 意味着　　人类　　科学　　的　　进步　　发展　　的

7. 不知　　拿　　招聘　　走　　广告　　上　　的　　被　　桌子　　谁　　了

8. 被　　从来　　注意　　人　　过　　他　　没

9. 有　　大家　　欺骗　　一种　　被　　感觉　　的

10. 被　　是……的　　打败　　不　　偶然　　周宁

(七) 根据课文内容回答下列问题:

1. 李群和"我"是什么关系?
2. 李群为什么会来到香港? 她的家庭情况怎么样?
3. 李群找工作具备哪些有利条件? 她为什么会具备这些条件?
4. 李群为什么没去"我"给她介绍的大公司? 后来,她找到了什么样的工作?
5. 在找工作、赚钱、花钱等方面,李群和"我"有哪些不同的想法和认识?
6. "我"对李群的看法怎么样?
7. 李群工作、生活得怎么样?

(八) 阅读练习:

1. 根据阅读课文内容,从 A、B、C、D 中选择一个正确答案。

(1) 上次招聘栽了个大跟头。

这句话里"栽跟头"的意思是:

A. 摔了一交。

B. 种东西。

C. 招聘工作失败。

D. 碰了头。

(2) 张经理,您可真逗。
这句话里“您可真逗”的意思是:
A. 您说的话真有意思。
B. 您记错了。
C. 您在开玩笑。
D. 您别逗我了。
(3) 太聪明了,什么事都自己拿主意作主张。
张经理说第三个小伙子“太聪明了”,是:
A. 否定。
B. 肯定。
C. 称赞。
D. 吃惊。
2. 根据阅读课文内容回答下列问题:
(1) 从外表看,三个小伙子有什么不同?
(2) 三个小伙子里,有的买到了酸奶,有的没买到,为什么?
(3) 张经理选中了哪个小伙子? 为什么?
(4) 如果你是经理,你选谁? 为什么?

(九) 口语练习:

1. 分角色进行对话练习。注意语音语调。
2. 介绍一下叶强和赵立对选择职业、工作报酬有什么看法。
3. 熟读下列句子:
(1) 他所从事的工作,使他感到自己是一个有价值的人。
(2) 现在很多人工作,就是为了挣钱养家。
(3) 这个小伙子虽然赚了大钱,但他并不知道活着的意义和自己的价值。
(4) 从某种意义上来说,机会就意味着社会在选择你,你要适应社会。
(5) 如果你不做好准备,再好的机会也会被你错过。
(6) 那就要趁着年轻,多学几样本领。

(十) 听力练习:

1. 根据录音判断对错,并说明理由。
(　　) (1) “我”是一家礼品商店的职员,主要工作是帮助客人选礼品和当翻译。
(　　) (2) 工作忙和累“我”都不怕,最怕帮助老板拉客人。
(　　) (3) 我打工的店有各种各样的礼品,价钱也不一样,有的四五元,有的要高出六七倍。

( ) (4) 有位老华侨，差点儿在"立美商店"买了一幅九千元的中国画。
( ) (5) "我"为了不让老华侨吃亏，告诉他，同样的画，附近商店要便宜一半。
( ) (6) 老板卖出这幅中国画，赚了大约四千多元。
( ) (7) "我"拿到二百元的报酬后就不去上班了。
( ) (8) "我"认为老板赚的太多，自己得到的报酬太少，就跟礼品店再见了。

2. 根据录音复述课文大意。

(十一) 交际训练:

1. 请告诉你的朋友:(说或写一段话)

(1) 我在上大学，也在打工……

(2) 大学毕业以后我不想马上工作……

(3) 我想换一个工作……

(4) 我需要再找一份工作……

(5) 报酬对我来说是最重要的……

(6) 我学的专业是……我希望能找到和专业有关的工作……

(7) 对我来说，上级怎么样是最重要的……

(8) 我希望我的秘书……

下面的词语帮助你表达:

烦恼、发愁、某些、报酬、独立、放弃、选择、淘汰、适应、从事、意味着、体面、身份、偶然、被……分配/淘汰、趁、反正、况且、不仅……也……、是为了……、然而

2. 自由讨论:

(1) 在选择职业上，你有什么希望和要求?

(2) 你对工作报酬、个人价值、社会贡献等方面有什么看法? 这几个方面会不会有矛盾? 你怎样对待?

(3) 介绍一下你们国家求职方面的情况。

3. 语言游戏:

(1) 每人在10~15分钟内写一份自己的简历(不要写姓名)交给主持人(同学们轮流主持)。主持人读简历，大家猜一猜是谁。简历的项目:性别、出生年月、国籍、身高、爱好、特长、习惯、职业、专业、文化水平，等等。

(2) 你听说过下边这个成语吗? 讲一讲它的意思，试着用一用。

三百六十行，行行出状元(sānbǎi liùshí háng, hángháng chū zhuàngyuan)

4. 看一看,说一说,写一写。

"一定要让他成为牛顿!"

孙晓纲

第十课

一　课文　写在助残日[1]之前

(一) 醉人的五月风

五月的一天,朋友邀请我一同出去吃饭。

饭店里人很多,服务小姐忙里忙外,一分钟也闲不住。我和朋友坐在靠[2]墙角[3]的圆桌前喝着啤酒。喝了一会儿,我的头有点儿晕,不想再喝了。于是,招呼服务员过来,小声对她说:"小姐,麻烦你上一份饭。"

服务员很快端来饭,脸上带着甜甜的微笑,服务态度非常好,说:"慢慢用,如果还需要什么,请再叫我。"她微笑着,就像对老朋友熟朋友一样。

待到朋友喝完酒要上饭时,他说:"你帮我要吧。你身上有一种说不出的气质[4],让人不由得[5]对你产生敬意[6]。你瞧,服务员小姐对你的态度格外地好。"

我笑着低头看了看自己坐着的轮椅[7],说:"大概是因为它的缘故[8]吧。现在人们都很尊重残疾人,这象征[9]着现代文明[10]。"

我的确是残疾人,一般情况下,我尽量[11]不到公共场合[12]去,并不是自卑[13],而是好静怕乱。而且,坐着轮椅出出进进的也很不方便,尽[14]给人添[15]麻烦。所以,许多年来我很少在外面吃饭。这一次,完全是因为朋友热情邀请,又正好这家饭店的门是无障碍[16]的,一高兴就来了。

别人怎么看待[17]我的残疾形象,暂且[18]不去评论,自身[19]残疾的现实却是改变不了的。本来[20]和朋友要的是雅座[21],就因为这轮椅进不去,只好放弃享受[22]雅座了。

临出来时,服务员小姐特地[23]叫住我们,退了雅座的钱。我们接过钱往外走时,正在吃饭的顾客纷纷站起来搬桌子挪[24]椅子,给我们让路,并热情地说:"请慢走。"这种情景让我既感动又不安。我一面向人们道着歉[25]:"对不起,打扰[26]了,真对不起……”一面离开了饭店。

走在大街上,春风吹来阵阵花香,我的心不由得涌[27]起一股暖流[28]。随着[29]社会物质文明和精神[30]文明的不断[31]提高,残疾人越来越受到人们的尊重和关心了。国家不仅规定每年五月的第三个星期天为助残日,而且在平常的日子,人们也在关心和帮助残疾人。

五月的北京,春的北京,好不[32]醉人啊!

(二)残疾人的选择

大家都说,徐民是用三只轮子[33]滚出了一个新世界。

徐民5岁时,得了小儿麻痹症[34],腿脚一直不方便。作为残疾人,他比一般人更早更多地尝[35]到了找工作的酸甜苦辣[36]。过去,他在长江手表零件[37]厂工作。这是一家街道办的小厂,专为上海某手表大厂生产加工零件。随着市场[38]经济的发展,长江手表零件厂和大厂合并[39]了。

从此,徐民成了失业大军中的一员。如果仅从经济上考虑,30岁的他和有正常[40]收入的父母住在一起,生活上是没有问题的。但徐民要的是独立,是自己养活[41]自己,是要为这个社会做些什么。他决心依靠自己的力量,去寻找新生活。他认真地翻阅[42]着报刊上的招聘广告,认真地写着自己的经历[43],向一个个既不相识又无关系的陌生[44]人介绍自己,推荐自己。但他没有成功,发出的信,仿佛石头扔进了大海。

“我这样的人究竟还有没有用?”他自问。他是位普通工人,不喜欢使用“价值”、“自我”之类[45]现今大学生们喜欢用的字眼。

“为什么我偏要等别人来用我,我自己就不能用我自己?”他决定自办一家电器[46]、钟表修理部。徐民腿脚不方便,但脑子不错。在厂里工作了几年,再加上自己平时爱钻研[47],修理水平算得上一流[48]的。倒[49]是资金[50]成了问题,要用钱的地方太多了。但钱在哪里? 徐民想到了自己的三轮残疾车。于是,第二天,他也挤进了车流的海洋。

说来真有趣,我认识徐民就是从搭他的残疾车开始的。“接送客人不也挺有意思、挺能赚钱的吗?”我半开玩笑半认真地说。

“这对我来说仅是一种过渡[51]。我的目标是正正当当开修理部,正正当当过日子。”

随着他的深红色的幸福牌残疾车,我来到了他的家。他的不大的房间已变成了工作室,桌上堆[52]满了各种工具,床底下放着几台电视机,看来,徐民的设想[53]就要变成现实了。

“是的,下个月修理部就要正式开张[54]了。不过目前还有好多准备工作要抓紧……”

“抓紧抓紧,一连[55]干十多个小时,你照照镜子,都瘦成什么样子了,不要命[56]了?”

听着这位母亲充满爱意的责怪[57],我想:也许这就是生活的逻辑[58]——收获,首先得付出[59]!残疾人付出得更多。

(选自《北京日报》,作者:寒江雪。有删改。)

二　生　词

1. 助残日	(名)	Zhùcánrì	day of helping disabled persons journée de l'assistance aux handicapés	
2. 靠	(动)	kào	near; lean against; rely on être près de	乙
3. 墙角	(名)	qiángjiǎo	corner coin du mur	
4. 气质	(名)	qìzhì	temperament; qualities qualité; caractère	
5. 不由得	(副)	bùyóude	can't help; cannot but ne pouvoir s'empêcher de faire. qch.	丙
6. 敬意	(名)	jìngyì	respect; tribute respect; estime	
7. 轮椅	(名)	lúnyǐ	wheelchair fauteuil roulant	
8. 缘故	(名)	yuángù	cause; reason cause	丙
9. 象征	(动、名)	xiàngzhēng	symbolize; symbol symboliser; symbole	丙
10. 文明	(名、形)	wénmíng	civilization civilisation; civilisé	乙
11. 尽量	(副)	jǐnliàng	as far as possible autant que possible	乙

12. 场合	（名）	chǎnghé	occasion；place situation；occasion	丙
13. 自卑	（形）	zìbēi	be self-abased complexe d'infériorité	
14. 尽	（副）	jìn	all toujours；tout le temps	乙
15. 添	（动）	tiān	add déranger	乙
16. 障碍	（名、动）	zhàng'ài	obstacle；obstruct obstacle；entraver	丙
17. 看待	（动）	kàndài	look upon；treat traiter	丁
18. 暂且	（副）	zànqiě	for the time being pour l'instant	丁
19. 自身	（名）	zìshēn	oneself soi-même	丙
20. 本来	（副、形）	běnlái	originally；original à l'origine；originel	乙
21. 雅座	（名）	yǎzuò	private room(in a restaurant) salon particulier	
22. 享受	（动、名）	xiǎngshòu	enjoy；enjoyment jouir de；jouissance	乙
23. 特地	（副）	tèdì	specially spécialement	丁
24. 挪	（动）	nuó	move déplacer	丁
25. 道歉		dào qiàn	apologize s'excuser	乙
26. 打扰	（动）	dǎrǎo	disturb déranger	
27. 涌	（动）	yǒng	rise；well affluer à	丙
28. 暖流	（名）	nuǎnliú	warm current courant chaud	
29. 随着	（介）	suízhe	along with avec	丁
30. 精神	（名）	jīngshén	spirit esprit	丙
31. 不断	（副）	búduàn	constantly sans cesse	乙

32. 好不	（副）	hǎobù	(used with exclamatory force) very; quite extrêmement	
33. 轮子	（名）	lúnzi	wheel roue	丙
34. 小儿麻痹症		xiǎo'ér mábìzhèng	poliomyelitis poliomyélite	
35. 尝	（动）	cháng	taste goûter	乙
36. 辣	（形）	là	peppery; hot piquant	丙
37. 零件	（名）	língjiàn	spares accessoires	丙
38. 市场	（名）	shìchǎng	market marché	乙
39. 合并	（动）	hébìng	merge fusionner	丁
40. 正常	（形）	zhèngcháng	normal normal	乙
41. 养活	（动）	yǎnghuo	support; feed nourrir	丁
42. 翻阅	（动）	fānyuè	look over feuilleter	
43. 经历	（名、动）	jīnglì	experience; undergo passé	乙
44. 陌生	（形）	mòshēng	strange; unfamiliar inconnu	丙
45. ……之类		…zhīlèi	and so on; and suchlike etc.	丙
46. 电器	（名）	diànqì	electrical equipment appareils électroménagers	丙
47. 钻研	（动）	zuānyán	study intensively étudier; approfondir	乙
48. 一流	（形）	yīliú	first-class de 1er ordre	
49. 倒	（副）	dào	unexpectedly mais par contre; au contraire	乙
50. 资金	（名）	zījīn	fund; capital capitaux	丙
51. 过渡	（动）	guòdù	transit passer de...à	丙

52. 堆	(动)	duī	pile up entasser, empiler	乙
53. 设想	(名、动)	shèxiǎng	tentative plan; imagine imagination; imaginer	丙
54. 开张	(动)	kāizhāng	open(a business) ouvrir; entrer en activité	
55. 一连	(副)	yìlián	in a row de suite; sans interruption	丙
56. 命	(名)	mìng	life vie	丙
57. 责怪	(动)	zéguài	blame reprocher	丁
58. 逻辑	(名)	luójí	logic logique	丙
59. 付出	(动)	fùchū	pay payer; donner	丁

专　名

徐民　Xú Mín　name of a person
nom de personne

三　词语搭配与扩展

(一) 象征

[主~]　红旗~(革命)|曙光~(胜利)|黄河~(中华民族)

[~宾]　~智慧|~和平|~权力|~人民

[定~]　革命的~|光明的~|坚强的~

[~中]　~的手法|~的艺术|~的语言|~的特点

(1) 人们把松树作为崇高品质的象征。

(2) 五星红旗的升起,象征着中国人民从此站起来了。

(二) 文明

[定~]　物质~|精神~|西方~|东方~|古代~

[状~]　不~|要~|很~|应当~

[~补]　~极了|~得很|~起来|~一点儿

[~中]　~的人|~的行为|~的语言|~的表现

(1) 小华是个文明的孩子,从不打人骂人。

(2) 随地吐痰是一种不文明的行为。

(三) 场合

［动～］ 讲究～|看～|分～|碰到……～|见过……～

［定～］ 任何～|不同～|正式的～|公共～|各种～

(1) 她在任何场合都大声说话,真不文明。

(2) 不要在公共场合吸烟。

(四) 享受

［动～］ 是(一种)～|得到～|贪图～|追求～

［～宾］ ～助学金|～奖学金|～公费医疗|～幸福生活|～家庭温暖

［定～］ 精神～|物质～|一种～|美的～

［状～］ 尽情～|仍然～|一直～|可以～|好好～

［～补］ ～到……|～起来|～不了|～几年|～一下

(1) "六一"儿童节那天,孩子们唱啊跳啊,尽情地享受着节日的快乐。

(2) 我觉得听音乐是一种精神享受。

(五) 道歉

［动～］ 表示～|去～|准备～|接受～

［状～］ 再三～|不～|主动～|向……～

［～中］ ～的方式|～的时间|～的原因

［道……歉］ 道个歉|道了歉|道了半天歉|道什么歉

(1) 你既然错了,就应该向人家道歉。

(2) 这么点小事,她不会生气的,何必道歉?

(六) 放弃

［动～］ 准备～|决定～|反对～|后悔～

［～宾］ ～……的机会|～……的打算|～………的主张|～……的权利

［状～］ 坚决～|必须～|暂且～|不得不～|别～

［～中］ ～的目的|～的结果|～的理由

(1) 这是个好机会,你可千万别放弃。

(2) 你为什么轻易放弃自己应得的利益?

(七) 陌生

［动～］ 显得～|变得～|感到～|觉得～

［状～］ 十分～|格外～|不～|很～

［～中］ ～的人|～的名字|～的面孔|～的眼光

(1) 那个村子对我来说并不陌生,我曾在那儿生活过好几年。

(2) 我虽是初次来北京,但是对北京并不感到陌生。

(八) 推荐

［动～］ 靠～|经过～|进行～|停止～

［～宾］ ～你|～代表|～……文章|～……书

［定～］ 老师的～|朋友的～|单位的～

［状～］ 已经～|早～|及时～|被……～|向……～

［～补］　～错了｜～上去｜～上来｜～得及时｜～过一次｜～一下
［～中］　～的目的｜～的方法｜～的对象｜～的时候
(1) 放假前，张老师向同学们推荐了几本书。
(2) 我们一致推荐李师傅当代表。

（九）钻研

［动～］　赞成～｜需要～｜进行～｜爱～
［～宾］　～理论｜～学问｜～业务｜～技术
［状～］　认真～｜照样～｜不～｜努力～
［～补］　～得深｜～下去｜～了一阵｜～一番
［～中］　～的计划｜～的成果｜～的过程
(1) 他懂得，要做好工作，必须钻研业务。
(2) 由于小王肯钻研技术，所以在工作中取得了很大成绩。

四　语法例释

（一）我的头有点晕，不想再喝了（“了$_2$”）

这里的“了”为“了$_2$”，是表示肯定语气的语气助词。一般位于句末。其主要作用是：

1. 表示某事发生了变化或即将发生变化。例如：

(1) 现在，残疾人越来越受到人们的尊重和关心了。
(2) 下雨了，快把自行车推进屋来吧。
(3) 我种的几棵向日葵已经开花了。
(4) 小李病了，咱们下午去医院看看他吧。
(5) 很抱歉，我临时有点事，不能跟你们去饭馆吃饭了。
(6) 爸爸戒烟后，身体比以前好多了。
(7) 几年没见，老杨的头发全白了。
(8) 下个月修理部就开张了。
(9) 想到很快就要和妻子、儿女们团聚了，他高兴得一夜没睡好。
(10) 天快亮了，快起床吧。

2. 表示行为、动作已经完成。例如：

(11) 正好这家饭馆的门是无障碍的，我一高兴就来了。
(12) 这件事是我不对，我已经向他道歉了。
(13) 昨天我把首饰买好了，过几天就送给她。
(14) 这个月的房租我已经交了，你放心地在这儿住吧。

(二) 让人不由得对你产生敬意

"不由得",副词。表示对某种情况不由自主地产生某种反应。有"不禁"、"不觉"的意思。例如:

(1) 看到这孩子,我不由得想起他已故的父亲。

(2) 他说话很不客气,我不由得生起气来。

(3) 想起辛酸的往事,他不由得掉下眼泪来。

(4) 唱着唱着,她俩不由得扭了起来。

(5) 她脚下一滑,差点儿摔倒,不由得喊了一声。

(6) 教室里进来两个西方学生,大家不由得用好奇的目光注视着他们。

"不由得"还有"不容"、"不允许"的意思。这里的"不由得"是动词。例如:

(7) 小王的态度很诚恳,不由得你不答应他。

(8) 他的理由说得那么充分,不由得你不同意他请假。

(三) 大概是因为它的缘故吧

"因为……的缘故"表示事物发生的原因,中间插入某些词语或小句作"缘故"的定语,也可以说"由于……的缘故"。常用于书面语。例如:

(1) 因为贫穷的缘故,父亲连小学都没上过。

(2) 这盆花的叶子都黄了,大概是因为缺水的缘故吧。

(3) 因为我是个女人的缘故,他不愿意跟我一起去打工。

(4) 因为菜太辣的缘故,我弟弟吃了一点就不吃了。

(5) 早晨起来,我觉得头有点晕,可能是因为夜里没睡好觉的缘故。

(6) 因为紧张的缘故,他出了一身冷汗。

(四) 我尽量不到公共场合去

"尽量",副词。表示力求达到最大限度,与"尽可能"意思相近。例如:

(1) 她数学考试不及格,很伤心,你要尽量安慰她。

(2) 老赵叫我们尽量多提建议,提得越多越好。

(3) 老太太病很重,要尽量找好大夫治。

(4) 衣服你要尽量少带,南方比这儿热。

(5) 作业要尽量自己做,实在不会再问别人。

(6) 你刚学会开车,要尽量开得慢些,免得出事故。

(五) 并不是自卑,而是好静怕乱

"不是……而是……",用于选择复句,表示两种事物比较之后否定前者而肯定后者。例如:

(1) 他考虑的不是自己,而是国家和人民的利益。
(2) 昨天你看见的不是她,而是她姐姐。
(3) 我们的民主不是属于少数人的,而是属于绝大多数人的。
(4) 他们几个不是坐船来的,而是坐飞机来的。
(5) 事物发展的根本原因,不是在事物的外部,而是在事物的内部。
(6) 不是人们的意识决定人们的社会存在,而是人们的社会存在决定人们的意识。

(六) 临出来时,服务员小姐特地叫住我们

"临"作介词时,表示某行为很快就要发生,其宾语是动词或动词性结构,常有"时、的时候"之类的词语附在动词或动词性结构之后。例如:

(1) 小刘临走给你留下一封信。
(2) 临上火车,小李的车票丢了,心里十分焦急。
(3) 临出门,姐姐再次告诉我许华住哪条胡同。
(4) 这本词典是我临来时买的。
(5) 临散会时,经理通知我明天早7点出发。
(6) 病人临睡之前吃了安眠药。

(七) 服务员小姐特地叫住我们

"特地",副词。表示行为是专为某种目的而进行的,意思同"特意"。在句中作状语。常用于口语。例如:

(1) 张厂长昨天特地来看你,可惜你没在。
(2) 这酒是老乡特地给你送来的,别忘了去旅馆谢谢人家。
(3) 王庆发带着小儿子特地从青岛来到村里。
(4) 他是特地来招呼这两位老板的。
(5) 自从报上登了他们的事以后,也常有人特地上山来看他们。
(6) 为了钻研技术,他特地进城去请教张师傅。

(八) 不喜欢使用"价值"、"自我"之类现今大学生们喜欢用的字眼

"……之类"表示不尽列举,只提出同类人或事物中的代表。例如:

(1) 他只买英语方面的书,小说、诗歌之类,从来不买。
(2) 姑娘爱种果树,什么桃树、梨树之类,院里院外种了好几棵。
(3) 说实在的,我对养小猫、小狗之类的动物没什么兴趣。
(4) 李师傅喜欢打太极拳、舞剑之类的体育活动,每天坚持,身体越来越好。

(5) 老赵虽然上了年纪,可很爱穿牛仔裤、T恤衫之类的时髦衣服。

(6) 那个食品厂里大都是盲人、聋哑人之类的残疾人。

(九) 倒是资金成了问题

“倒(是)”作副词时常表示转折语气,意思相当于“却”、“反而”。例如:

(1) 这间房子虽然不大,装饰得倒挺讲究的。

(2) 那么小的菜园子,种的菜倒不少。

(3) 昨天下雪,天气不冷,今天雪停了倒冷起来了。

(4) 本想走近路,快点到,没想到路这样难走,倒费了时间。

(5) 大家都在忙,你倒休息起来了

有时,转折的意思较轻,不能用“却”、“反而”代替。例如:

(6) 你提起做生意,倒使我想起去年发生的一件事。

(7) 你有什么要说的,我倒要听一听。

注意:“倒是”若放在名词性成分前则为“倒+是”,“是”不可省略。例如:

(8) 他的修理水平算是一流的,倒是资金成了问题。

(9) 老王说那个地方人来人往,建议我在那儿开饭馆,这倒是个好主意。

(十) 抓紧抓紧,一连干十多个小时

“一连”,副词。表示动作连续进行,不间断。在动词前作状语。常用数量词作补语。例如:

(1) 这几天天气不好,一连下了四天雨。

(2) 话剧《雷雨》一连演了几十场,场场客满。

(3) 李先生的孙子感冒发烧,一连打了好几天针才退烧。

(4) 阿四一连吸了几口烟,小小的火光亮了起来。

(5) 我跟大江是好朋友,不料我一连给他去了两封信,他都没回信。

(6) 那部香港武打片真棒,我一连看了两遍。

五 副课文

(一)阅读课文 冬天里的一束(shù)鲜花

春节期间,家家高高兴兴。可在城南一户普通人家里,一位青年妇女抱着孩子低头不语。两位老人也很伤心。

忽然，一位漂亮的小姐拿着一束鲜花进了家门。小姐说："你们好！我是青年报的工作人员。赵京给我们写信，委托(wěituō)我们在他妻子生日那天——也就是今天，送给妻子一束鲜花，同时再买一盒蛋糕，祝父母健康，全家平安。"

两位老人说："赵京是个孝顺(xiàoshùn)的孩子，愿他好好改造，早一天回家来。"赵京的妻子格外激动，接过鲜花，贴在脸上，眼泪不由得流下来。

原来，春节前，青年报收到赵京的一封信。信上说："我是一个犯人(fànrén)，我给家庭带来了痛苦和不幸。与我刚刚结婚一年的妻子，面对着两位多病的老人和一家人的生活，不但没有离开我，而且不断写信给我，还常来看我。我总觉得很对不起她，欠她的太多。最近，从报上看到你们开展代客送礼(sòng lǐ)的业务。请你们在年初三我妻子生日那天，给我妻子和父母送去我的心意(xīnyì)……"青年报的工作人员被赵京的真情感动了，决定免费(miǎnfèi)服务，选派了最优秀的送礼小姐去完成这个特殊任务。

几天后，青年报又收到了赵京的来信。信中写道："看了我家人的来信，我无比兴奋，我的手都在颤抖，一股暖流温暖了我的心。我们这些危害过社会的人没有被社会抛弃(pāoqì)，人们没有忘记我们。作为犯人，我们需要物质上的支持，更需要精神上的安慰和来自社会的关怀。你们使我们看到了希望和光明。谢谢你们！"

不料，这件事被其他犯人知道后，竟引起了不小的震动(zhèndòng)。几天内，监狱里出现了很多好人好事。可以相信，用不了多久，这些人就会向关怀他们的亲人和社会献上一束无比美丽的鲜花。

(二)会话课文　送一份文化礼

伊　万：李老师，您好！

李老师：你好！听说你又要去中国，是吗？

伊　万：是啊！我去年暑假在中国旅游(lǚyóu)了一个月，觉得自己的汉语水平还不行。这次去是专门学习汉语。

李老师：噢。

伊　万：在中国旅游的时候，我认识了两位中国朋友，您说我送给他们点什么礼物好呢？

李老师：在人与人的交往(jiāowǎng)中，互相送礼是一种表达感情的形式。在选择礼物时，应考虑对方的性别(xìngbié)、教养(jiàoyǎng)和爱好。如果考虑不周到，有时会给对方带来不愉快。因为不同的国家、民族送礼的习惯是不同的。

伊　万：所以我正为这事发愁呢。您能给我介绍一下中国的送礼习惯吗？

李老师：好吧。例如不要给老年人送钟，因为“送钟”和“送终”(zhōng)的发音相同，而“终”和“死”有关系。不要给正跟自己谈恋爱的人送梨。朋友之间不送伞。因为“梨”和“离”，“伞”和“散”(sàn)的发音相同或相近……

伊　万：送礼有这么多讲究哪！

李老师：还有，过去中国人之间送礼讲究实用，所以常把糕点、水果、烟酒、衣服、手表之类的东西作为礼物送人。

伊　万：那么现在有什么变化呢？

李老师：现在，随着人民生活水平的提高，人们在送礼时开始重视文化了，除了送首饰、化妆品、工艺品之类的礼物外，送鲜花的越来越多，很多城市有了专卖鲜花的花店。听说有的花店在“情人节”(Qíngrén Jié)那天，仅玫瑰(méigui)花就卖出了几千枝。

伊　万：变化可真大。

李老师：现在一种被称为“空中礼物”的点歌(diǎn gē)很受青年们的欢迎。在朋友生日那天，通过广播电台或电视台给朋友献上一首好听的歌，表示祝贺。

伊　万：这份礼物真好，给朋友送去快乐，送去文化。这说明社会越进步，社会文明程度越高，人们之间的交往也更富有(fùyǒu)情调(qíngdiào)。

李老师：是这样。中国有句古语：“千里送鹅毛，礼轻情意重。”礼物不贵重没关系，只要你记着朋友，朋友就会很高兴。

伊　万：听您这么一说，我已经想好了。我要送我的那位画家(huàjiā)朋友一幅法国画儿，送那位旅馆小姐一瓶法国香水。

李老师：我看可以。这是很好的礼物嘛！

伊　万：谢谢您的介绍。

(三)听力课文　　这个忙不能帮

小光是个热情的小伙子，住在北京的一条胡同里。邻居有个老人，没有孩子，全靠他照顾。朋友们谁有什么困难，他都尽量帮助。

但是他最好的朋友找他帮忙，倒被他拒绝了。事情是这样的：一天早晨，他的好朋友来找他，焦急地问：“有钱吗？借几千块。”小光见他眼睛红红的，不由得问：“你怎么啦？是不是身体不舒服？”朋友说：“别提啦，两天两夜输了三千块！”小光听了，生气地说：“这钱，我不能借给你！”朋友急了，说：“我保证还你。”小光说：“凭咱俩的关系，白给你都可以；可你去赌博，我不能借。我不能看着你走上犯罪的路。”

小光很伤心，为这事一连几天没睡好觉。朋友的母亲知道这事后，对小光说:"幸亏你没借钱给他,要不然,我们家可就完了。你不帮他这个忙,实际是救了他啊!"

生　词

1. 赌博	(动)	dǔbó	gamble jouer de l'argent	丁
2. 犯罪		fàn zuì	commit a crime commettre un crime	丙
3. 幸亏	(副)	xìngkuī	luckily par chance heureusement	丙
4. 要不然	(副)	yàobùrán	otherwise; or sinon	丙

六　练　习

(一) 给下列词语搭配上适当的词语:

1. 格外________　　2. 象征________
3. ________文明　　4. ________场合
5. 享受________　　6. ________道歉
7. 放弃________　　8. 推荐________
9. 钻研________　　10. ________陌生

(二) 选词填空:

享受　特地　暂且　放弃　场合　倒　临　尽量　象征　一连

1. 这场雨特别大,______下了三天。
2. 这是老人______给你送来的,喝了酒别忘了去谢谢人家。
3. 张老板虽然很有钱,在生活上______不怎么讲究。
4. ______出发,嫂子对我说:"记着给小牛买名牌鞋。"
5. 你家房子少,______少买家具。
6. 你说说,这篇散文中的松树______什么?
7. 在我们那儿,公共______禁止吸烟。
8. 提意见是你的权利,你为什么______?
9. 厂长无可奈何地说:"这个问题______放一放,以后再讨论。"
10. 那时,我家很穷,我上大学一直______助学金。

（三）用指定词语回答问题：

1. 小马看了哥哥的来信后怎么样了？（不由得）

____。

2. 你喜欢买什么样的书？（……之类）

____。

3. 今天去上课的人多吗？（因为……的缘故）

____。

4. 你跟老林怎么还不说话？（道歉）

____。

5. 为什么你们都一致选王平当班长？（钻研）

____。

6. 听说陈红今天结婚，你怎么没去参加她的婚礼？（本来）

____。

7. 你弟弟没考上大学，他的心情怎么样？（一连）

____。

8. 你怎么知道这几本词典对学汉语很有用？（推荐）

____。

9. 刚才丽丽跟你说什么了？（招呼）

____。

10. 你妈妈昨天给你买了一件衣服，你怎么不穿呢？（不是……而是……）

____。

（四）在下面这段话的空白处填上"了"、"着"、"过"：

有个叫张三的好心人，两年前曾给（ ）一个残疾人10块钱。一天，张三又出去做生意。走着走（ ），遇见那个残疾人手里提（ ）一个袋子，正向自己走来。张三很快掏出5块钱给（ ）他。不料，那人却很不高兴地说："上次你给（ ）我10块，为什么这次只给我5块？"张三连忙解释："那时我是一个人生活，现在我结（ ）婚，有（ ）一个孩子，人口一多，钱就不够花（ ），所以这次只好少给你几块（ ）。"那人一听，更生气（ ），说："你现在只顾自己（ ），你怎么能拿我的钱养活你的家呢？我再也不想看见你（ ）！"

（五）根据课文内容判断正误，并说明理由：

（ ）1."我"和朋友去饭店吃饭，服务员对"我"的态度非常好。

（ ）2. 朋友让"我"帮助要一份饭，因为"我"的朋友也是个残疾人。

（ ）3. 因为服务员的态度非常好，所以"我"常常去饭店吃饭。

（ ）4. 不仅服务员对"我"的态度好，顾客们对"我"也十分热情。

（ ）5. 在社会上残疾人越来越受到尊重。

（ ）6. 徐民小时候得了小儿麻痹症，是个残疾青年。

（ ）7. 因为徐民身体不好的缘故，他所在的手表零件厂不要他了。

(　　) 8. 徐民常翻阅招聘广告是为了重新找到工作。
(　　) 9. 徐民父母很有钱,他决定用父母的钱自己办一家电器、钟表修理部。
(　　) 10. 母亲对徐民为了赚钱不要命非常称赞。

(六) 根据课文内容回答问题:

1."我"喝完啤酒对服务员说要一份饭时,服务员的态度怎样? 为什么?
2."我"经常去饭馆吃饭吗? 为什么?
3."我"离开饭店时顾客们对"我"的态度怎样?
4. 徐民在工作上遇到了什么麻烦?
5. 徐民失业后为什么要找新的工作?
6. 徐民找新工作顺利吗?
7. 徐民为什么想自办一个电器、钟表修理部?
8. 为了办成电器、钟表修理部,他是怎样做的?

(七) 阅读练习:

1. 熟读《冬天里的一束鲜花》并判断句子对错:
(　　) (1) 赵京委托青年报的工作人员给自己的妻子祝贺生日。
(　　) (2) 赵京是个优秀青年。
(　　) (3) 赵京娶了个很好的妻子。
(　　) (4) 青年报的工作人员被赵京的真情感动了,只收了他很少的钱。
(　　) (5) 赵京又给青年报写了一封信,表示今后要好好改造自己。

2. 根据课文内容回答:
(1) 春节期间赵京的父母和妻子为什么伤心?
(2) 春节前赵京为什么委托青年报的工作人员给家里送礼物?
(3) 赵京为什么把送礼的事情委托给青年报的工作人员?
(4) 收到赵京的礼物,赵京的妻子心情怎么样?
(5) 几天后,赵京为什么又给青年报写信?
(6) 青年报的工作人员为赵京送礼这件事对其他犯人有什么影响?

(八) 口语练习:

1. 熟读会话课文。注意语音语调。
2. 分别扮演伊万和李老师,不看课文进行对话(内容可以有所改变)。

(九) 听力练习:

1. 听录音回答下列问题:
(1) 一天早晨,小光的朋友找小光有什么事?
(2) 朋友要向他借多少钱? 为什么借钱?
(3) 小光为什么不肯借给他?
(4) 朋友的母亲对这件事是怎么看的?

2. 复述这篇短文。

3. 根据录音内容完成句子:

(1) 小光住在________________________________。

(2) 邻居有个老人,____________________________。

(3) 朋友向他借钱,被__________________________。

(4) 朋友向他借钱,因为________________________。

(5) 小光不借给他钱,是________________________。

(6) 小光很伤心,一连__________________________。

(7) 朋友的母亲对小光说,幸亏____________________,要不然________________________________。

(十) 交际训练:

1. 讨论:

(1) 在你们国家人们是怎样关心、帮助残疾人的?

(2) 介绍一下你们国家残疾人的工作情况。例如:

A. 残疾人怎样找工作?

B. 残疾人一般做什么工作?

C. 残疾人做工作能享受和正常人一样的待遇吗?

(3) 你们国家在送礼方面有什么讲究?

2. 根据提示讲一个或写一个关于残疾人生活的小故事。

提示:可以介绍其学习、工作、婚姻、家庭等任何一方面的经历。下列词语可以帮助你表达:

因为……的缘故、靠、不是……而是……、一连、尽量、临、轮椅、自卑、放弃、特地、推荐、不由得、格外、责怪、付出、钻研

3. 完成以下对话(要求"B"用上"千里送鹅毛,礼轻情义重"这句谚语):

A:(按电铃)____________________。

B:(开门)是你呀!你哪天从国外回来的?

A:上星期日。今天是星期六,你不上班,来看看你。

B:____。

A:____。

4. 语言游戏:

主持人问问题,甲、乙二人抢答,答对了得一分,最后谁得分最多谁赢。输的念两遍绕口令:十四是十四,四十是四十。

问题:

(1) 什么场合不能吸烟?

(2) 什么行为不文明?

(3) 轮椅是什么人用的交通工具？
(4) 什么车有两个轮子？
(5) 情人节送给恋人什么花？
(6) 什么东西是酸的？
(7) 什么东西是甜的？
(8) 什么东西是苦的？
(9) 什么东西是辣的？
(10) 找工作翻阅报上的什么内容？
(11) 手表的零件坏了去哪儿修理？
(12) 什么地方寄邮包？
(13) 人们在什么地方存钱、取钱？
(14) “拾金不昧”是什么意思？

5. 看一看，说一说，写一写。

lǎo
老　古文字形是一个驼背拄杖的长发老人的形象，表示“年岁大”。

——选自《汉字的故事》，施正宇编著

第十一课

一 课文 热爱绿色

在北京的一个蔬菜市场,一位学者模样的老人,提着菜篮子[1],从一个挨[2]一个的菜摊前走过。这里的菜新鲜嫩[3]绿,黄瓜还带着刺儿[4],顶着花儿。可是,老人对这些似乎都不感兴趣,谁也不知道他想买什么菜。忽然,他停了下来,问:"这菜是你的?"

卖菜的是个郊区农民,看上去挺老实,说:"自己种的。您来点儿?"

老人拿起一棵菜,反复看了看,又问:"你的菜虫子咬过?"

农民看着菜叶上的窟窿[5],不好意思地笑了笑,说:"便宜点儿,行吧?"

"行,要五斤。"老人说得很干脆。

农民一边称菜,一边说:"有虫子其实没事儿,用水冲冲就掉了。"

老人笑了,幽默[6]地说:"冲不掉也没关系,最多增加点儿蛋白质[7]。要是带有农药[8]或是受到过污染[9],可就糟[10]了。还要感谢虫子。它替我检验[11]了。"

这位老人的担心似乎是个信号[12]:蔬菜的卫生已经进入了人们的消费[13]意识;人们的目光,将会越来越多地投向[14]"绿色蔬菜"。

"绿色",本来是指植物的颜色。因为一般叶子的颜色差不多都是绿色的。现在,人们常用"绿色"形容或比喻[15]没有被污染的植物和自然[16]环境。所谓"绿色蔬菜",指的就是没被污染的蔬菜,或者叫"健康蔬菜"。它对化肥[17]、农药的使用及土地、水源[18]、环境都有严格的要求,各项卫生标准也有详细的规定。它的检验方法之一是把准备上市[19]的菜弄成汁儿[20],让一批特别敏感[21]的苍蝇[22]食用[23],然后观察[24]苍蝇的死亡[25]率。这样,就可以知道被检验的蔬菜是不是"绿色"的。目前,北京能生产"绿色蔬菜"的只有两个地方,面积[26]近三千亩,所产蔬菜大部分出口。不过,这种局面[27]不久将会改变,因为生产"绿色蔬菜"是今后的发展方向。

也许会有人讥笑[28]那位买菜的老人,觉得他活得太仔细[29]。其实,老人的担心并不是没有道理的。

当前，蔬菜市场的繁荣令[30]人高兴，即使[31]是在北方，一年四季[32]也可以买到各种新鲜蔬菜。然而，喜中也有忧。蔬菜市场缺乏必要的管理，农民与商贩[33]直接交易[34]，蔬菜的卫生标准难以[35]控制。别说农药，即使是化肥，如果人们长期食用，对健康也有影响。有些农民为了提高产量、增加收入，超标准使用化肥和农药。也有些农民使用方法不当[36]，客观[37]上造成[38]了蔬菜含农药量[39]过多的后果[40]。去年初，某个城市有人食物中毒[41]，据[42]了解，是吃了含农药过多的菠菜[43]造成的。

相比[44]之下，化肥和农药污染蔬菜的问题还是容易解决的。麻烦的是自然环境影响蔬菜卫生的问题。一家家工厂将黑乎乎的污[45]水排放[46]进河流[47]，农民用这些水灌溉[48]蔬菜，哪会有"绿色"？一个个烟囱[49]冒着浓烟，污染了空气，将天空[50]变成了一片灰黄，蔬菜生长[51]在这种环境里，哪能有"绿色"？有人说，只要不使用化肥和农药，就可以生产出"绿色蔬菜"。这种看法显然[52]是太乐观了。如果我们不注意保护[53]自然环境，那么大家呼吸着被污染的空气，饮用[54]着被污染的水，食用着被污染的粮食[55]和水果，即使吃的是真正的"绿色蔬菜"，又有什么意义呢？

值得欣慰[56]的是，就像那位老人开始注意蔬菜是"绿色"的一样，人们越来越关心自己是否生存[57]在"绿色"的环境中了。工厂建起了污水处理池[58]，烟囱里冒出的浓烟也渐渐变淡变白了。在我们的周围，树木[59]花草在不知不觉[60]中多了起来。清晨[61]或是雨后，那满眼的"绿色"是多么迷人[62]呀！

绿色，这是生命的象征，是人间最美丽的颜色，是人类[63]最宝贵的财富[64]。我们应更多地拥有[65]这份财富。

让我们珍惜绿色，保护绿色，热爱绿色吧！

二 生 词

1. 篮子	（名）	lánzi	basket panier	丙
2. 挨	（动）	āi	be next to subir	乙

3. 嫩	（形）	nèn	tender; light jeune et tendre	丙
4. 刺儿	（名）	cìr	thorn épine	丁
5. 窟窿	（名）	kūlong	hole trou	丙
6. 幽默	（形）	yōumò	humorous humoriste	丁
7. 蛋白质	（名）	dànbáizhì	protein protéine	丙
8. 农药	（名）	nóngyào	pesticide insecticide; pesticide; herbicide	丙
9. 污染	（动、名）	wūrǎn	pollute; pollution polluer; pollution	乙
10. 糟	（形）	zāo	ruined Quelle poisse!; malheureux	丙
11. 检验	（动）	jiǎnyàn	inspect; test contrôler; vérifier	丙
12. 信号	（名）	xìnhào	signal signal	丙
13. 消费	（动）	xiāofèi	consume consommer	乙
14. 投向	（动）	tóuxiàng	cast at porter (ses regards) sur	乙
15. 比喻	（动、名）	bǐyù	similize; metaphor comparer; comparaison	丁
16. 自然	（名）	zìrán	nature nature	乙
17. 化肥	（名）	huàféi	chemical fertilizer engrais chimique	丁
18. 源	（名）	yuán	source source	丁
19. 上市		shàng shì	go on the market être mis en vente	
20. 汁儿	（名）	zhīr	juice jus	丁
21. 敏感	（形）	mǐngǎn	sensitive sensible	丁
22. 苍蝇	（名）	cāngying	fly mouche	丙

23. 食用	（动）	shíyòng	eat manger; consommer	丁
24. 观察	（动）	guānchá	observe; watch observer	乙
25. 死亡	（名）	sǐwáng	death mort	丙
26. 面积	（名）	miànjī	area superficie	乙
27. 局面	（名）	júmiàn	aspect; situation situation	丙
28. 讥笑	（动）	jīxiào	sneer at se moquer de	丁
29. 仔细	（形）	zǐxì	careful soigneux	乙
30. 令	（动）	lìng	make; cause faire	丙
31. 即使	（连）	jíshǐ	even if même si; bien que	丙
32. 四季	（名）	sìjì	the four seasons quatre saisons	丁
33. 商贩	（名）	shāngfàn	pedlar petit commerçant	
34. 交易	（动、名）	jiāoyì	deal faire du commerce; commerce	丙
35. 难以	（副）	nányǐ	difficul to difficile à	丙
36. 不当	（形）	búdàng	unsuitable; improper pas comme il faut	丁
37. 客观	（名、形）	kèguān	objective objectivité; objectif-ve	丙
38. 造成	（动）	zàochéng	cause causer; entraîner	
39. 量	（名、尾）	liàng	quantity quantité	丙
40. 后果	（名）	hòuguǒ	consequence conséquence	丙
41. 中毒		zhòng dú	poisoning être intoxiqué	
42. 据	（介）	jù	according to d'après; selon	丙

43. 菠菜	（名）	bōcài	spinach épinard	丙
44. 相比	（动）	xiāngbǐ	compare comparer	丁
45. 污	（形）	wū	foul (eaux)usées	丙
46. 排放	（动）	páifàng	drain off évacuer	
47. 河流	（名）	héliú	river rivière	丙
48. 灌溉	（动）	guàngài	irrigate irriguer	丙
49. 烟囱	（名）	yāncōng	chimney cheminée	丙
50. 天空	（名）	tiānkōng	the sky ciel	丙
51. 生长	（动）	shēngzhǎng	grow pousser	乙
52. 显然	（形）	xiǎnrán	obvious; evident évident-e	乙
53. 保护	（动）	bǎohù	protect protéger	乙
54. 饮用	（动）	yǐnyòng	drink boire	
55. 粮食	（名）	liángshi	grain céréales	乙
56. 欣慰	（形）	xīnwèi	gratifying réconfortant	
57. 生存	（动）	shēngcún	exist; live exister; vivre	丙
58. 池	（名）	chí	pool; pond bassin; étang	丙
59. 树木	（名）	shùmù	trees arbre	丙
60. 不知不觉		bù zhī bù jué	unconsciously sans s'en apercevoir	丁
61. 清晨	（名）	qīngchén	early morning aube	丙
62. 迷人	（形）	mírén	enchanting charmant	

63. 人类	（名）	rénlèi	mankind; humanity humanité	乙
64. 财富	（名）	cáifù	wealth fortune; richesses	丙
65. 拥有	（动）	yōngyǒu	have; possess posséder	丁

三　词语搭配与扩展

(一) 检验

［动～］　开始～|进行～|接受～|经得(不)起～

［～宾］　～质量|～尸体|～物品|～意志|～理论

［状～］　全面～|彻底～|认真～|严格～

［～补］　～得仔细|～得严格|～了一个小时|～一下|～三次

［～中］　～的目的|～的方法|～的结果|～的范围

(1) 这些产品必须经过严格检验才能上市。

(2) 戒烟最能检验一个人的意志是否坚强了。

(二) 消费

［动～］　增加～|控制～|鼓励～|重视～

［定～］　高～|低～|超前～|合理～

［～中］　～水平|～结构|～意识|～的场所

(1) 与发达国家的消费水平相比,中国的商品消费量还是比较低的。

(2) 消费者的合法权益应当受到法律保护。

(三) 标准

［动～］　确定～|合乎～|符合～|达到～|提高～|降低～

［～动/形］　～制定了|～确定下来|～很高|～不明确

［定～］　道德～|生活～|工资～|评分～|高～|低～

［～中］　～(的)条件|～(的)规格|～语音|～体重

(1) 他开始学汉语时很重视发音,所以发音很标准。

(2) 同样的问题,对待两个人,不能采取不同的标准。

(四) 观察

［动～］　进行～|继续～|加以～|注意～

［～宾］　～社会|～环境|～病情|～气象

［状～］　仔细～|耐心～|必须～

［～补］　～完了|～得仔细|～一天|～一下|～一番

[～中]　～的方法|～角度|～(的)过程

(1) 孩子的病情还不稳定,需要住院观察观察。

(2) 老舍对老北京的人和事观察得很细致。

(五) 难以

[～动]　～接受|～相信|～说明|～控制|～拒绝|～负担|～放弃|～养活|～发现|～解决|～想像

(1) 你提出的这个条件要求太高,我们难以接受。

(2) 这是他第二次发出邀请了,我难以拒绝,只好去了。

(六) 客观

[主～]　观点～|态度～|(他的)分析～|结论～|(你的)介绍～

[动～]　强调～|找～|承认～

[状～]　应当～|确实～|逐渐～(起来)

[～中]　～事物|～世界|～环境|～条件|～原因|～标准

(1) 在本国学习外语,受客观环境的限制,听说能力难以提高。

(2) 领导解决矛盾必须客观,否则不容易公正。

(七) 量

[定～]　消耗～|进(出)口～|降雨～|消费～|排水～|词汇～|药～|食用～|酒～|饭～

(1) 你应该严格按照大夫规定的药量服药。

(2) 提高阅读速度的根本办法之一,就是扩大词汇量。

(八) 后果

[动～]　产生～|知道～|掩盖～|造成～|消除～|考虑～|注意～

[～形]　～严重|～可怕|～相同

[定～]　粗心的～|浪费的～|任何～|这种～

[～中]　～的影响|～的教训|～的严重性

(1) 你做事要考虑到后果。

(2) 检查制度不严,会造成严重的后果。

(九) 保护

[动～]　加以～|受到～|需要～|进行～|实行～

[～宾]　～儿童|～动物|～财产|～名胜古迹|～环境|～健康

[状～]　精心～|适当～|应该～|尽力～

[～补]　～得很好|～三年|～一下|～起来

[～中]　～的条件|～(的)对象|～(的)范围

(1) 许多事实表明,现在消费者的权利还没有真正得到保护。

(2) 环境保护,人人有责。

四　语法例释

（一）谁也不知道他想买什么菜

“谁”在这里是任指，表示任何人。

1. 用在“也”或“都”前面，表示在所说的范围内没有例外。例如：

（1）这件事谁也不知道。

（2）如果谁都不重视动物保护，动物的数量将会越来越少。

2. 主语和宾语都用“谁”，指不同的人，表示彼此一样。例如：

（3）他们俩有了矛盾，谁也不理谁，谁也不帮助谁。

（4）别看他们俩一见面就吵，但谁都离不开谁。

3. 两个“谁”字前后照应，指相同的人。例如：

（5）大家看谁合适，就选谁。

（6）谁造成的问题，谁去解决。

其他疑问代词也有类似的用法。例如：

（7）我刚来中国，哪儿也不认识。

（8）学校怎么决定，我们就怎么做。

（9）你什么时候来，我们就什么时候接待你。

（10）比赛到了哪个城市，球迷们也跟着到了哪个城市。

（二）……看上去挺老实的

“看上去”，表示对情况的推测、估计。在句中多作插入语。与其相似的说法还有“看样子”、“看起来”等。例如：

（1）看上去，这黄瓜挺嫩的，菠菜也很新鲜。

（2）看上去，他是一个很敏感的人。

（3）妹妹看上去比姐姐还成熟。

（4）老张看上去傻呵呵的，其实说话可幽默了。

（5）这房子看上去不大，其实面积不小。

（三）蔬菜市场的繁荣令人高兴

“令”，动词。有“使得”的意思。“令人”是比较固定的用法，如：～人厌恶，～人害怕，～人烦恼，～人不愉快。“令”多用于书面，用于口语的一般是“使”、“让”、“叫”。例如：

（1）他们在谈判中提出的条件令对方很为难。

（2）他的话令我想起了我那位死去的朋友。

(3) 那是一个令人难忘的夜晚。

(4) 他的变化令人吃惊。

(5) 他们取得了令人满意的成绩。

(6) 晚间新闻播出了一条令人兴奋的消息。

(7) 父母冤枉了孩子,叫孩子很伤心。

(四) 即使是在北方,一年四季也可以买到各种新鲜蔬菜

"即使……也……",表示假设的让步复句。"即使"表示的条件,可以是尚未实现的事情,也可以是与既成事实相反的事情。"即使"在口语中常用"就是"或省略,书面语中也用"即便"。例如:

(1) 即使你不告诉我,别人也会跟我说的。

(2) 他身体好极了,即使是在冬天,他也敢在外面游泳。

(3) 你就是不上场,我们也能赢。

(4) (就是)下雨我也去。

(5) 他这种病,(就是)吃再多的药也治不好了。

(6) 即便我市的蔬菜产量增加三倍,也满足不了市民的需要。

(五) 别说农药,即使是化肥,如果人们长期食用,对健康也有影响

"别说(不要说)",连词。与"即使(就是)……也……"构成的多重格式,用于表示比较和递进关系的多重复句中。"别说"引出一句陪衬的话,借以突出和强调要表达的主要意思。一般用在一句话的开头,后一分句也可用"连……都……"。例如:

(1) 别说这么点小问题,即使再大的困难,我们也能克服。

(2) 这几位专家,别说在国内,即使在国际上也很有名。

(3) 他说的是广东话,别说外国人,即使是中国人,很多人也听不懂。

(4) 动物园的熊猫,别说小孩喜欢,就是大人也爱看。

(5) 别说是干活了,连起床都困难。

(6) 这个道理连小孩都懂,别说大人了。

(六) 据了解是吃了含农药过多的菠菜造成的

"据",介词。意思是"按照"、"依据"。后面一般跟动词或主谓结构的短语,常用在一句话的开头作插入语。"据说"和"据报道"是比较固定的搭配,后者是报刊新闻用语。例如:

(1) 据我了解,他昨天没来上课,不是病了,而是出去玩了。

(2) 据说,那个电影明星最近又离婚了。

(3) 据报道,今天上午8点50,天津发生了5.5级地震。

(4) 据学校统计,今年的考生成绩,超过了历史最高水平。

(5) 据各方面的反映,赵明今年的进步很大。

(6) 据一些有经验的农民估计,今年的小麦将继续增产。

(七) 只要不使用化肥和农药,就可以生产出"绿色蔬菜"

"只要……就(都)……"用于条件复句。表示在充足的条件下,可以获得的结果。例如:

(1) 你只要坚持锻炼,身体就会逐渐好起来。

(2) 只要你还是这里的工作人员,就得听我的指挥。

(3) 你只要多听听别人的意见,就不会总犯错误。

(4) 只要你同意嫁给我,什么条件我都答应你。

(5) 只要是跟他接触过的人,都感到他和蔼可亲。

(八) 这种看法,显然是太乐观了

"显然",副词。表示说话人觉得某种情况或道理非常清楚、明显,含有强调语气。例如:

(1) 关于这个问题,他的意见显然是合理的。

(2) 你这种说法显然是错误的。

(3) 在一个被严重污染的环境中,显然是不能生产出绿色蔬菜的。

"显然"也常用在复句的后一分句中,表示根据前面的事实所作的判断。例如:

(4) 你看,他的自行车在这儿,显然他已经来了。

(5) 王老师不停地点头微笑,显然对安娜的回答非常满意。

(6) 听老张说话的口气,他显然知道了你的秘密。

五 副课文

(一)阅读课文 保护黄河

黄河是中华民族的摇篮(yáolán),没有黄河,就没有我们这些黑头发黄皮肤的中国人。然而,我们是怎样对待这条母亲河的呢?说句实话,我们对不起黄河。据学者们研究,两千多年前,黄河并不姓"黄",而是叫"河水"或者"大河",河水也是相当清澈(qīngchè)的。随着她的儿女的渐渐增多,她周围的森林面积却一天比一天减少,造成了越来越严重的水土(shuǐtǔ)流失(liúshī),终于使她由绿变黄了。由于河底(dǐ)的泥沙(níshā)越来越多,河面逐渐上升。有些地方,比如河南省开封市,河面比岸两边房顶还高,成了流在人们头顶上的"悬(xuán)河"。大概是母亲生我们的气了吧,河水一次又一次地跑出来教训我们,造成了难以想像的损失。

那么,目前的情况又怎么样呢?旧的问题没有解决,新的问题又产生了。黄河不仅是工农业生产和人民生活的重要水源,也是附近农业污水和生活污水的主要通道(tōngdào)。据专家们统计,黄河流域(liúyù)污水排放量高达21.2亿吨,工业垃圾及生活垃圾近4100万吨,农药和化肥的年使用量分别为3.75万吨和690万吨。以宁夏为例,黄河流过宁夏13个市县,全长397公里。宁夏每年3亿吨工业和生活污水大约有80%排放进黄河。目前,宁夏重大污染源有18个,每天排放污水15万吨,都是不经过处理就流入黄河。据检验,黄河水中的有毒有害物质的含量近年有显著增加。由于污染严重,河水不进行处理就不符合饮用标准。然而现在,宁夏南部山区许多农民就是直接饮用黄河水的。即使是那些不直接饮用黄河水的人,也不是不受到危害的。因为被污染的黄河水影响到了地下水,一些地区的地下水,污染程度已相当严重。饮用这样的地下水,怎么能保证身体健康呢?

黄河污染问题,关系到千千万万人民的生产生活,关系到中华民族的生存与发展。如果我们不高度重视,不赶快控制污染,情况会更加严重。那样的话,黄河母亲会更加生气,并用更严厉(yánlì)的方式教训我们。如果我们想保护自己,保护中华民族,就必须先想办法保护母亲,保护黄河。

(二)会话课文　　我对青霉素(qīngméisù)过敏(guòmǐn)

医生:你哪儿不舒服?
病人:我拉肚子、发高烧。刚才我试过表,39度6。
医生:从什么时候开始的?
病人:昨天晚上开始肚子疼,上了十几次厕所,后半夜开始发烧。
医生:昨天你吃什么了?
病人:昨天下午吃了几个桃(táo)子、一个西瓜,晚饭吃的鱼、肉和米饭。
医生:那些东西都是新鲜的吗?
病人:不太新鲜。桃子有点儿烂,西瓜也有点儿太熟了,鱼和肉是午饭剩的。
医生:哎呀,都不新鲜呀!这些东西就是你拉肚子的病源。看来,你是食物中毒了。
病人:那现在怎么办?
医生:打青霉素吧。

病人：大夫，能不能不打针？我最怕打针。再说，我对青霉素过敏。
医生：青霉素过敏？那就换别的针吧。再吃点消炎（xiāoyán）药和退烧药吧。
病人：我对磺胺（huáng'ān）一类的消炎药也过敏。
医生：好，好，这很重要。病人对什么药物过敏，一定要告诉大夫，不然，后果是严重的。
病人：这一点我太清楚了。我吃够了这方面的苦头。有一次，我去中国朋友家吃饺子，刚吃两个就浑身不舒服，嘴唇（zuǐchún）也肿（zhǒng）起来了。
医生：那可能是吃了什么对你来说过敏的东西。
病人：我赶紧问他们，饺子里有什么？主人说有肉、虾、鸡蛋。
医生：看起来，你除了药物过敏还食物过敏。
病人：我立刻大喊，我对虾（xiā）过敏，快送我去医院。
医生：幸好你知道自己的过敏源，不然，还真危险呢。
病人：所以，我平时总是很小心，不敢随便吃东西。昨天稍微不注意，就又吃出问题来了。
医生：小心是对的，但也不要神经过敏。
病人：唉！朋友们已经笑我神经过敏了。大夫，你给我开了这么多药啊，怎么吃呢？
医生：按我给你规定的药量吃，这上面写得很清楚。
病人：谢谢大夫。

（三）听力课文　小心钥匙

人们都知道钱上面带有许多细菌，是传染疾病的重要途径，却不太重视另一种相当危险的传染疾病的途径——钥匙。

钥匙与人们日常生活的关系非常密切。人人都需要钥匙，而且时时刻刻都带在身上，一天不知道要摸它多少次。可是，大多数人都没有想到过应当常常洗洗钥匙，这就使钥匙成了各种细菌生存的好地方。据专家们检验，60%以上的钥匙上都带有多种细菌。显然，钥匙是个很危险的传染源。平时，人们不管是才倒过垃圾，还是才拿过脏东西；不管是刚上过厕所，还是刚从蔬菜市场上回来，开门时都少不了要用钥匙。如果手抓过钥匙，不洗一洗就直接去拿食物，那么传染上疾病的可能性是很大的。

因此，为了自己和家里人的健康，人们要注意经常用开水仔细洗洗钥匙，或者放在阳光下晒一晒；如果能用消毒水给钥匙消消毒，效果当然更好。请记住，一定要注意钥匙卫生。

生　词

1. 钥匙	（动）	yàoshi	key clé; clef	丙
2. 传染	（动）	chuánrǎn	infect contaminer; infecter	丙
3. 疾病	（名）	jíbìng	disease maladie	丙
4. 途径	（名）	tújìng	way; channel voie; procédé	丙
5. 消毒		xiāo dú	sterilize; disinfect stériliser; désinfecter	丙

六　练　习

（一）写出下列各词的近义词：

1. 讥笑________　　2. 仔细________
3. 灌溉________　　4. 保护________
5. 检验________　　6. 观察________
7. 令________　　8. 交易________
9. 财富________

（二）写出下列各词的反义词：

1. 嫩________　　2. 糟________
3. 敏感________　　4. 死亡________
5. 仔细________　　6. 客观________
7. 保护________　　8. 重视________

（三）词语搭配：

1. ________消费　　2. ________观察　　3. ________保护
消费________　　观察________　　保护________
4. ________污染　　5. ________客观　　6. ________检验
污染________　　客观________　　检验________

7. __________标准　　8. __________后果　　9. __________生存

标准__________　　后果__________　　生存__________

(四) 用指定词语将下列句子改成复句:

1. 你去我也去。(只要……就……)

2. 李老师到了以后,我们马上出发。(只要……就……)

3. 困难太大了,老张来都解决不了问题。(即使……也……)

4. 我太想去那儿了,不管明天下不下雨,我都一定会去的。(即使……也……)

5. 他的钱快花光了,吃饭都不够,更不够买过冬的衣服了。(别说……,连……也……)

6. 这么高级的录像机,张工程师也修理不了,我更修不了了。(别说……,即使……也……)

(五) 用指定词语完成句子:

1. 这些产品______________________________,不能上市。(检验)
2. 你的理论是否正确,______________________________。(检验)
3. 由于你的错误,给国家和学校______________________________。(造成)
4. ______________________________,我们不能负责。(造成)
5. ______________________________,常常使大家笑个不停。(幽默)
6. 他工作时虽然很严肃,______________________________。(幽默)
7. 蔬菜是否是"绿色"______________________________。(标准)
8. ______________________________,我们没办法检验。(标准)
9. 长城是中国最有名的古迹之一,______________________________。(保护)
10. ______________________________是我国法律明确规定的。(保护)
11. 这个问题太复杂了,______________________________。(难以)
12. 你写的作业太乱了,______________________________。(难以)
13. ______________________________,文章里还有没有错误?(仔细)
14. 他把考卷上的题都做完了,______________________________。(仔细)

15. 你这件衣服又肥又大，______________________________。（显然）
16. 早晨起来我觉得有点发烧，还头疼，______________________。（显然）
17. 这本书太有意思了，______________________________。（令）
18. 他说的话______________________________________。（令）

（六）模仿造句，注意指定词语的用法：

1. 小王刚来到这儿，谁也不认识她。（谁）

2. 我第一次来北京，哪儿也没去过呢。（哪儿）

3. 明天一整天我都在家，你什么时候来都行。（什么时候）

4. 这个汉字太复杂了，我怎么记也记不住。（怎么）

5. 他没钱了，什么也买不了。（什么）

6. 这些书都没意思，我哪本也不喜欢。（哪）

7. 人与人之间应当友爱，谁也不要欺负谁。（谁……谁）

8. 他喜欢谁，就跟谁跳舞。（谁……谁）

（七）用指定词语或句式改写句子，原句意思不变：

1. 他的意见很不合理，让大家很难接受。（难以）

2. 她希望我帮忙，说了好几次，我不好拒绝。（难以）

3. 如果你去长城，我肯定也去。（只要……就……）

4. 要是你不来，我到你家去找你。（只要……就……）

5. 根据我了解到的情况，他已经回国了。（据）

6. 听说下个月我们要去中国农村参观。（据）

7. 他病得很厉害，不能上课了。（显然）

8. 她滑冰滑得那么好,很明显不是今年才学会的。(显然)

9. 中秋节前后,需要的月饼数量最大。(消费量)

10. 中国人口众多,需要大量的粮食。(消费量)

11. 从卫星上看地球,可以更准确地预报天气变化。(观察)

12. 中医看病的时候,首先要仔细地看病人的脸色。(观察)

13. 乌云越来越多,要下雨了。(看上去)

14. 她好几天都不跟男朋友说话了,好像两人有了矛盾。(看上去)

(八) 根据课文内容回答问题:

1. 那个买菜的老人为什么单买叶子上有窟窿的蔬菜?
2. 卖菜的农民看到菜叶上的窟窿为什么不好意思?
3. 什么是"绿色蔬菜",为什么叫"绿色"蔬菜?
4. 怎样检验蔬菜是不是"绿色"的?
5. 当前的蔬菜市场有哪些喜和忧?
6. 为什么现在有不少蔬菜不是"绿色"的?
7. 怎样才能生产出大量的"绿色"蔬菜?
8. 我们对"绿色"应有什么样的态度?

(九) 阅读练习:

1. 根据阅读课文解释下列各句话的意思:

(1) 黄河是中华民族的摇篮。没有黄河,就没有我们这些黑头发黄皮肤的中国人。

(2) 两千多年前,黄河并不姓"黄"。

(3) (黄河)成了流在人们头顶上的"悬河"。

(4) 河水一次又一次地跑出来教训我们,造成了难以想像的损失。

(5) 即使是那些不直接饮用黄河水的人,也不是不受危害的。

(6) 黄河污染问题,关系到千千万万人民的生产生活,关系到中华民族的生存与发展。

(7) 如果我们想保护自己,保护中华民族,就必须先想办法保护母亲,保护黄河。

2. 根据阅读课文内容回答：
(1) 为什么说我们对不起黄河？
(2) 目前黄河的污染情况怎么样？
(3) 为什么必须保护黄河？
(4) 说一说你们国家某条河流的污染情况。

(十) 口语练习：

1. 分角色进行对话练习。注意语音语调。
2. 熟读下列句子：
(1) 能不能不打针？我最怕打针。再说，我对青霉素过敏。
(2) 再吃点消炎药和退烧药吧。
(3) 看起来，你除了药物过敏还食物过敏。
(4) 幸好你知道自己的过敏源，不然，还真危险呢。
(5) 按我给你规定的药量吃，这上面写得很清楚。
3. 对话练习：
注意运用会话课文中的词语和句式：
对……过敏、消炎、中毒、病源、过敏源、再说、幸好……不然……
练习方式：(1) 老师扮医生，学生依次扮病人看病。
(2) 邻桌同学分别扮医生和病人。
练习话题：(1) 感冒；(2)吃了不新鲜的水果和蔬菜；(3) 检查身体；(4) 打听某种药的吃法。

(十一) 听力练习：

1. 听录音判断正误，并说明理由。
(　　) (1) 钱和钥匙都是传染疾病的重要途径。
(　　) (2) 大多数人常常洗钥匙，使细菌不能在钥匙上生存。
(　　) (3) 90%以上的钥匙上带有多种细菌。
(　　) (4) 如果手拿过钥匙，不洗一洗，就去拿食物，就很容易生病。
(　　) (5) 把钥匙放在阳光下晒，也可以起到消毒的作用。
(　　) (6) 把钥匙放在消毒水里洗，效果不如放在阳光下晒。
2. 根据录音填空：
(1) 钥匙与人们日常生活的关系非常__________。人人都需要钥匙，而且__________都带在身上，一天__________要摸它多少次。
(2) 平时，人们__________是__________倒过垃圾，__________才拿过脏东西；__________是刚上过厕所，__________刚从蔬菜市场上回来，开门时都__________要用钥匙。

（十二）**交际训练：**

1. 请告诉老师和同学(说或写一段话)：

(1) 现在，中国人越来越重视蔬菜是否是“绿色”的问题……

(2) 我没看到过黄河，但是听说……

(3) 在日常生活中，要注意卫生……

下列词语可以帮助你表达：

农药、化肥、检验、信号、上市、食用、四季、交易、造成、中毒、后果、生长、保护、生存、水土流失、泥沙、清澈、传染、消毒

2. 讨论：

(1) 比较中国与你们国家的环境污染情况。

(2) 你在中国买菜时遇到过什么样的问题？

(3) 怎样才能从根本上解决环境污染问题？

(4) 你们国家的大江大河是否存在与黄河同样的问题？

3. 语言游戏：

(1) 全班同学依次说蔬菜或水果名。

要求：不能重复；发音准确；停顿不得超过三秒钟。

由老师裁判输赢，不符合上述要求者为输。如何处罚输者，请同学们提出建议。

(2) 你听说过下面这句俗语吗？讲一讲它的意思。

病从口入，祸从口出(bìng cóng kǒu rù，huò cóng kǒu chū)

4. 看一看，说一说，写一写。

言行不一

胡明亮

第十二课

一　课文　买彩票[1]

在我们那村里，从很早就兴[2]赌[3]啊，买彩票啊什么的。谁不盼着碰运气发大财呢。你听听，航空奖券[4]，头奖五十万，多么吸引人啊！由[5]二姐发起[6]，大家凑[7]钱合作买彩票，她首先拿出两元钱。我自己先算了一卦[8]，好得不能再好了，于是拿了四元。和二姐计算了半天，怎么也不够，还差着九十四元才能买一张彩票。我和她分别去宣传：五十万，五十万，即使五十个人分，每人还能落[9]一万，两元钱换一万呀！全村都像疯[10]了似的，连狗都听熟了“五十万”，凡是说“五十万”的，哪怕[11]是生人，也立刻摇起尾巴，而不上前一口把腿咬住了。整整[12]闹了一个星期，一百元总算凑齐了，股份[13]最多的便[14]是我。三姥姥[15]才拿了五角，和四姨[16]、五姨共同凑了一股；她们还立了一本账。

上哪里去买彩票呢？还得算卦。二姐不信我算的卦，花了五角钱请王瞎子又算了算……，说是喜事[17]出在东北方向。全城有四家彩票代办[18]处，利成商店在城的东北，商量结果，就到利成去买。可是，利成是四家买卖中最小的一家，只卖香烟、肥皂[19]之类的东西，万一[20]把一百元骗[21]了去，或者卖的是假彩票，那可怎么办？又送给王瞎子五角钱，重新算了一卦。说是西北方向也行，他说，不但行，而且他仔细算过，比东北还好呢！西北是恒祥商场，大买卖，二姐嫁[22]人时的缎子[23]红被面[24]还是在那儿买的呢。

谁去买呢？又是个问题。照例[25]我应当跑一趟[26]，因为我的股份最多。可是我是属[27]牛的，今年是鸡年，总得[28]找个属鸡的，还得是男的，女的不吉祥[29]。只有李家小三是鸡年生的，平时那些属鸡的好像都变了，一个也找不着了。小三自己去，让人太不放心啊，于是决定另[30]派两个结实的男人跟着保护。挑了个好日子，三位进城买彩票了。

票买来了，谁保管[31]呢？我们村合作办事儿有个特点，谁也不信任谁。经过三天三夜的讨论，还是交给了三姥姥。年纪大虽然不见得[32]品德[33]一定好，可毕竟手脚不灵活，不至于[34]偷偷[35]逃跑了。

直到公布彩票号码的那天，大家谁也没睡好觉。拿我自己来说[36]，我想：头等奖还能不是我们得吗？得了奖，我就能分两万。这两万怎么花呢？对，买房子！于是，房子的地点、式样[37]，怎么布置，足[38]足想了大半夜。可仔细一想，不，不买房子，还是做买卖好。于是商店开在哪儿，多大规模，什么种类[39]，怎么赚钱，赚了钱以后怎样发展，又想了半夜。天上的星星，河边的水泡[40]，都变成一张张钞票[41]。清晨的鸟叫，夜半的虫声，也都喊着："五十万！五十万！"偶尔[42]睡着了，手按[43]在胸上，梦见一堆[44]堆钞票压在身上，连气也喘[45]不出来。为了能随时[46]算卦，我特意[47]买了一副[48]牌，算了一遍又一遍。算了坏卦，就推倒重来，于是算的都是好卦。这样一来[49]，财是发定了。

开奖[50]了。报上登出前五等奖，没有我们背熟了的那个号码。房子、铺子……都随着汗水流走了。那就等六、七等奖吧。前五等奖没得上，难道[51]还不中[52]个小小的六等奖？于是又算了一卦，还是好得不能再好了。六等奖是五百块，弄件大衣穿穿也不坏。于是，一边等着开六七等奖，一边反复念着前五等奖的号码，替那些得奖的人想着，算着，该怎么花那笔钱，未免又是羡慕又是嫉妒[53]。所以，想着想着便想到得奖的人也许会乐极生悲[54]，被钱给烧死，自己没得奖不也很好吗；自然自己得了奖也不见得会烧死。无论怎么说，心里总有点儿不舒服。

六、七等奖也登出来了，还是没咱们的事，这才想起对尾数[55]。连尾数都跟我们开玩笑：我们的是个"三"，可中奖的偏偏是个"二"。没办法，真是哭笑不得[56]！

二姐和我是发起人呀！三姥姥向我们俩要她的五角钱，没法不赔她。赔了她，别人的两元也不愿意白扔。二姐这两天突然生起病来，她就有这个本事，心里一想就会生病。剩下我自己，只好一个人来对付大家的两元钱。钱都赔完了，二姐的病也好了。我呢，昨天夜里睡得又香又甜，心里可踏实了。

（选自《老舍幽默文集》。有改动。）

二 生 词

1. 彩票 （名） cǎipiào lottery ticket
billet de loterie

2. 兴	（动）	xīng	become popular avoir cours; être en vogue	乙
3. 赌	（动）	dǔ	gamble jouer (de l'argent)	
4. 奖券	（名）	jiǎngquàn	lottery ticket billet de loterie	
5. 由	（介）	yóu	by par	乙
6. 发起	（动）	fāqǐ	initiate prendre l'initiative de faire qch.; proposer	
7. 凑	（动）	còu	pool; gather together se cotiser	丙
8. 算卦		suàn guà	fortune-telling faire dire la bonne aventure; prévoir l'avenir au moyen des diagrammes	
9. 落	（动）	lào	get recevoir; obtenir	乙
10. 疯	（形）	fēng	insane fou, folle	丙
11. 哪怕	（连）	nǎpà	even if quitte à; même si	乙
12. 整整	（形）	zhěngzhěng	whole; full entier	丁
13. 股份	（名）	gǔfèn	stock part; action	丁
14. 便	（副）	biàn	exactly; precisely alors; justement	乙
15. 姥姥	（名）	lǎolao	grandmother; mother's mother grand-mère (maternelle)	丙
16. 姨	（名）	yí	aunt; mother's sister tante (du côté maternel)	丙
17. 喜事	（名）	xǐshì	happy event heureux événement	丁
18. 代办	（名、动）	dàibàn	agency; do sth. for sb. agence; agir comme réprésentant	丙
19. 肥皂	（名）	féizào	soap savon	丙
20. 万一	（副）	wànyī	if by any chance si jamais	丙
21. 骗	（动）	piàn	deceive; fool tromper; duper	乙

22. 嫁	（动）	jià	(of a woman) marry se marier (se dit d'une fille)	丙
23. 缎子	（名）	duànzi	satin satin	丁
24. 被面	（名）	bèimiàn	the facing of a quilt dessus de couverture ouatée	
25. 照例	（副）	zhàolì	as usual comme d'habitude	丙
26. 趟	（量）	tàng	(a measure word for a rourd trip) (spécificatif) fois	乙
27. 属	（动）	shǔ	be born in the year of (one of the tweleve animals) être né dans l'année de...	丁
28. 总得	（助动）	zǒngděi	have to; be bound to il faut; il faut indispensablement	丙
29. 吉祥	（形）	jíxiáng	lucky; propitious faste; propice	丁
30. 另	（副）	lìng	another autre; en outre	乙
31. 保管	（动、名）	bǎoguǎn	take care of; storekeeper garder; garde	丙
32. 不见得		bú jiàndé	not necessarily pas nécessairement	丙
33. 品德	（名）	pǐndé	moral character vertu; moralité	丙
34. 不至于	（副）	búzhìyú	be unlikely peu probable; invraissemblable	丁
35. 偷偷	（副）	tōutōu	stealthily en cachette; furtivement	乙
36. 拿……来说		ná…láishuō	take... for example prendre... comme exemple	丙
37. 式样	（名）	shìyàng	design style; type; modèle	丁
38. 足(足)	（副）	zú(zú)	as much as; fully bel et bien; largement	丙
39. 种类	（名）	zhǒnglèi	kind sorte; genre	丙
40. 泡	（名）	pào	bubble bulle; globule	丙
41. 钞票	（名）	chāopiào	paper money billet de banque	丙

42. 偶尔	（副）	ǒu'ěr	occasionally rarement; très peu souvent	丙
43. 按	（动、介）	àn	press; put; according to presser; poser sur; d'après; selon	乙
44. 堆	（量）	duī	(a measure word) heap (spécificatif) tas	丙
45. 喘	（动）	chuǎn	breathe heavily haleter; respirer péniblement	丙
46. 随时	（副）	suíshí	at any time à tout moment	乙
47. 特意	（副）	tèyì	specially spécialement	丁
48. 副	（量）	fù	(a measure word) (spécificatif) jeu	乙
49. 这样一来		zhèyàng yìlái	like this si fait; comme ça	丙
50. 开奖		kāi jiǎng	draw lottery in public and announce winner tirage d'une loterie	
51. 难道	（副）	nándào	(used in a rhetorical question to make it more emphatic) serait-il possible que...	乙
52. 中	（动）	zhòng	win(a prize in a lottery) gagner; mettre le doigt dessus	丙
53. 嫉妒	（动）	jídù	envy envier; être jaloux de	丁
54. 乐极生悲		lè jí shēng bēi	extreme joy begets sorrow Tel qui rit vendredi, dimanche pleurera.	
55. 尾数	（名）	wěishù	final number dernier chiffre	
56. 哭笑不得		kū xiào bù dé	not know whether to laugh or cry ne savoir s'il faut rire ou pleurer	

专　名

1. 王瞎子	Wáng Xiāzi	a blind person named Wang nom de personne
2. 利成商店	Lìchéng Shāngdiàn	Licheng Shop nom de magasin
3. 恒祥商场	Héngxiáng Shāngchǎng	Hengxiang Market nom de magasin

三 词语搭配与扩展

(一) 兴

[～宾] ～长发|～瘦裤子|～化妆|～打太极拳|～旅行结婚
[状～] 渐渐～起来|还没～呢|自古以来就～……|曾经～过
[～补] 前两年就～过|早就～开了|又～回来了|还没～起来|～得比较早|～过一阵
[～中] ～的时期|～的范围|～的种类|～的式样

(1) 现在又兴穿旗袍了。
(2) 太极拳兴过一段时间,现在又兴练气功了。

(二) 赌

[动～] 开始～(钱)|打算～|继续～(起来)|禁止～
[状～] 经常～|偶尔～(一次)|从来不～|别跟他们～|偷偷地～
[～补] ～输了|～赢了|～急了|～穷了|又～起来|照这样～下去|～得卖房子卖地|～得活不下去了|～了一晚上|～过一回
[～中] ～的地点|～的时间|～的钱数|～的危害

(1) 老王赌得什么都不顾了。
(2) 阿桂把老婆孩子都赌没了。

(三) 凑

[动～] 开始～(人数)|继续～|商量～(钱)
[～宾] ～钱|～人数|～药费|～零件
[状～] 一点一点地～|偷偷地～|真难～|好容易～齐了|一时～不全
[～补] ～够了吗|～齐|～足|～上(来)|～起来|～了一个月|～一下吧
[～中] ～的过程|～的数目|～的种类

(1) 我们球队是临时凑起来的。
(2) 这套杂志凑了半个月才凑齐。

(四) 骗

[动～] 打算～(他)|承认～(人了)|继续～|受(了)～
[～宾] ～钱|～东西|～孩子|～吃～喝
[状～] 千方百计地～|经常～|被坏人～(了)|多次～(单位)|到处～
[～补] (把东西)～光了|(把人)～走了|～起(钱)来|～得很巧妙|～不了人|～了很长时间|～过几回
[～中] ～的结果|～的时间|～的方式

(1) 我是被他们骗出来的。
(2) 他们利用虚假广告到处骗人。

(五) 仔细

[动～] 听～|看～|观察～|显得(很)～|修改～

[～动] ～统计|～研究|～考虑|～检查

[状～] 一贯～|特别地～|同样～|应该～|稍稍～一点儿|不～

[～补] ～得要命|～得不得了|～起来|～过一回|～不了

[～中] ～的程度|不～的情况|不～的原因

(1) 小王办事不够仔细,常常误事。

(2) 这批货物我们都仔细检查过了。

(六) 信任

[主～] 经理～(他)|单位～|领导上～

[动～] 受到～|得到～|骗得(领导)～|失去～

[～宾] ～朋友|～群众|～政府|～下级

[状～] 逐渐地～了他|一下子就～他了|一贯～(他)|(对他)绝对～|不完全～|别轻易～(那些人)

[～补] ～错了人|(对他)～得不得了|～上老张了|～起年轻人来|(对他)～了很长时间

[～中] ～的原因|～的目光|～的结果

(1) 我恨自己那么轻易地就信任了他。

(2) 小健又重新获得了大家的信任。

(七) 种类

[动～] 增加(商品的)～|知道(这个)～|形成(另一个)～|了解(这个)～|区分(不同的)～

[～动/形] ～增加|～减少|～不齐全|～多样|～少

[定～] 颜色的～|动物的～|粮食的～|酒的～|新的～

[～中] (商品)～的性质|～的特点|～的质量|～用途|～的数量

(1) 中草药的种类很多,你想收集哪一种?

(2) 和去年相比,商品的种类大大地增加了。

(八) 喘

[～宾] ～～气|～了一口气|～着粗气

[状～] 慢慢地～|一个劲儿地～|好容易才～过这口气来|大口大口地～气|从小就～|整夜整夜地～

[～补] ～得不得了|～得厉害|～得睡不了觉|～得吓人|～不上来气|～起来了|～不过来气|～了半天|～了一阵

[～中] ～的原因|～的次数|～的样子

(1) 没想到他喘成这个样子。

(2) 天气闷得喘不过气来。

(九) 嫉妒

[动～]　受到(他们的)～|产生～|害怕(别人)～|开始～(他们)
[～宾]　～同事|～(别人的)才干|～(他的)运气|～他富有
[状～]　莫名其妙地～|暗暗～|明显地～|从来不～|总是～|被……～
[～补]　～起人家来|～得厉害|～得不得了|～得要命|～不着(他)|～了(他)一辈子
[～中]　～的心理|～的原因|～的目光|～的程度

(1) 我无法理解她的嫉妒心理。
(2) 没想到,他又嫉妒开小李了。

四　语 法 例 释

(一) 由二姐发起……

"由",介词。介绍出事情的负责者、行为动作的执行者。与动作的执行者组成介词结构作状语。例如:

(1) 老王出差了,这段时间的工作由张工程师负责。
(2) 10月底游香山,由办公室组织。
(3) 这次的经济损失,由哪个单位赔偿?
(4) 被取消考试资格的学生名单,由办公室负责公布。
(5) 工作服的式样、颜色,由大家讨论决定。
(6) 这么大一笔钱由谁负责保管?

(二) 哪怕是生人,也立刻摇起尾巴

"哪怕……也(都)……",表示让步关系,前一分句用"哪怕"假设出一个条件,后一分句用"也"、"还"、"都"强调即使在这样的条件下,也不会改变原来的打算或结论。多用于口语。例如:

(1) 哪怕由大家凑钱,也要送小东去上学。
(2) 哪怕再忙,你也应该找时间去医院做检查。
(3) 哪怕还有一线希望,我们也不应该放弃。
(4) 哪怕是反对的意见,我们也应该耐心地听完。

有时,"哪怕"可以放在复合句的后一个分句里,句尾可带语气助词"呢"。例如:

(5) 让我们进去看看吧,哪怕一分钟呢。
(6) 福生就喜欢听好听的,哪怕知道人家在骗他呢。

(三) 万一把一百元钱骗了去

“万一”，连词。有假设语气，表示发生的可能性极小，一般用于不希望发生的事。例如：

(1) 还是打电话问问他吧，万一他没收到信呢。

(2) 带上雨衣吧，万一下雨呢。

(3) 万一没买到票马上来电话，我们再想办法。

(4) 万一让他们知道了呢，该嫉妒咱们了。

(5) 你身上带着这么多钞票，万一碰上坏人怎么办？

(四) 照例我应该跑一趟

“照例”，副词。表示行为、动作按照习惯或常规进行。例如：

(1) 不管刮风下雨，他每天照例要给张大爷倒垃圾。

(2) 学完三课书后，照例要进行单元测验。

(3) 到了星期天，他照例要睡懒觉。

(4) 每逢星期五，他照例要去医院做检查。

(5) 打扫院子，收拾厨房，照例是我的活儿。

(6) 每年我们照例推荐两名优秀生出国进修。

(五) 总得找个属鸡的

“总得”，助动词。有“必须”的意思，表示事理上和情理上的必要。例如：

(1) 这么重要的决定，你总得跟大家商量一下吧。

(2) 价钱贵一点儿可以，质量总得有保证。

(3) 你这样瞎修理不行，总得找个懂技术的来。

(4) 不管多忙，你明天总得来一趟。

(5) 一篇文章，总得修改上几遍才能交稿。

(6) 你请人帮忙，总得信任人家才行。

(六) 于是另派两个结实的男人……

“另”，副词。表示在所说的范围之外。只能用在单音节动词前，作状语。例如：

(1) 这种颜色的布做窗帘不适合，你另选一种吧。

(2) 我们十个人一桌，你和他们另凑一桌吧。

(3) 这茶凉了，我给您另冲一杯。

(4) 先收这二十套教科书的钱，那十本词典另算。

(5) 不用通知他们了，他们下午另有安排。

“另”与“另外”的意思和用法基本一样。不相同的地方是:“另”只能用在单音动词前;“另”作状语时,与被它修饰的动词结合得很紧,中间不能插入其他成分。“另外”不受以上的限制。例如:

(6) 公司另外给我们分配了两个技术员。

(7) 公司给我们另分了两个技术员。

(七) 拿我自己来说

“拿……来说”,就是“拿……来说明”的意思。表示从某方面提出问题,以一个具体的例子来说明一个事物或情况。“拿……来说”之间可插入名词、名词性短语或动词性短语。例如:

(1) 父亲住院后,全家都很紧张,拿母亲来说,已经三天没睡觉了。

(2) 大家学太极拳的积极性很高,拿我们班来说,已经有二十个人报名了。

(3) 这次考试比较容易,拿水平最低的C班来说,有一半同学得了80分。

(4) 过去,父亲是一家之主,拿看电视来说,父亲要看哪个台,我们就看哪个台。

(5) 张先生要求很高,拿选择例句来说,既要生动又要容易懂。

(6) 这个公司的待遇不错,拿申请住房来说,工作一年的职工就可以提出申请了。

(八) 为了能随时算卦

“随时”,副词。在句中作状语。主要表示:不管什么时候或有需要、有可能的时候(就做)。有时,两个“随时”前后呼应。例如:

(1) 你有什么困难,可以随时来找我。

(2) 安上热水器以后,随时都可以洗澡,很方便。

(3) 你是领导,随时都应该严格要求自己。

(4) 带着伞吧,这儿的天气,随时都可能下雨。

(5) 随时看到什么好材料就随时记下来。

(6) 放心吧,咱们随时发现问题随时研究解决。

(九) 难道还不中个小小的六等奖

“难道”,副词。用在疑问句中,加强反问的语气,句尾带有“吗”或“不成”。例如:

(1) 难道兴什么就要买什么吗?

(2) 难道靠碰运气就能发财(吗)?

(3) 这么小就学抽烟、赌钱,难道不该管吗?

(4) 难道让我们看一下都不成?

(5) 难道我们就被困难吓倒了不成?

(6) 你做错了事,难道还让我们表扬你不成?

五 副课文

(一)阅读课文　八万元奖金(jiǎngjīn)应该属于谁

某公司举办社会福利有奖募捐(mùjuān)活动。奖券每张五元。中奖办法采取当场摸奖,以奖券内印有的图案(tú'àn)确定是否中奖和得奖的钱数。

当天上午开奖不久,某企业职工张谋带着三岁的儿子与同办公室的小刘约好一同去摸奖。张谋和小刘各自摸了十张,都没有中奖。张谋觉得没什么希望便不摸了。这时小刘又拿出五十元让张谋的儿子替他摸。刚摸两张,就摸到了一辆自行车。因张谋要带儿子去公园,便先走了。小刘一个人继续摸,但一张也没中。

当天下午,小刘来到张谋家说:"你家儿子手气(shǒuqì)好,再让我带他去摸奖吧!"张谋说:"可以,但中了奖得分给我一半。"小刘答道:"好,一言为定。"这样,小刘带着张谋的儿子又去摸奖。每次都由小孩摸,而且是在每位销售(xiāoshòu)员处只摸一张。当摸到第七张时,撕开一看,居然中了特等奖八万元。中奖后。小刘对张谋说:"给你一万元,七万元归我。"张谋不同意,提出应按原来讲好的分一半。小刘不肯。于是双方发生争吵(zhēngchǎo),引起纠纷(jiūfēn)。

对这八万元应该属于谁的问题,大家虽有多种分配方案,但总结起来是两种观点:

第一种观点认为,这八万元应归小刘一人所有。理由是:(一)从所有权(suǒyǒuquán)来看,购买奖券的钱是小刘的,张谋没有出钱。虽然这八万元奖金是张谋的儿子帮助摸的,但不能因此否定小刘对这八万元奖金的所有权。(二)从摸奖的行为(xíngwéi)看,表面上是张谋的孩子摸的,实际上是小刘在摸。小刘告诉三岁的孩子摸还是不摸,在哪儿摸,摸几张。张谋儿子的行为完全由小刘控制,小孩子只是机械地摸。(三)摸奖前,张谋确实提出过中奖后自己应分得一半奖金的要求,小刘也表示同意,但那只是口头(kǒutóu)随便说说,没有具体的书面(shūmiàn)协议(xiéyì),因此没有约束力(yuēshùlì)。

第二种观点认为,小刘和张谋应各得四万元奖金。理由是:(一)张谋与小刘口头上的要求与承诺(chéngnuò)就是一种协议,是有效的。(二)既然口头协议有效,那么张谋和小刘之间就形成合伙(héhuǒ)关系,共同进行了摸奖的活动,只不过张谋是通过他儿子的行为进行的。因此,所得奖金应为两人共有。

请大家围绕这两种不同的观点发表意见。

(二)会话课文　买彩票与心理卫生

方天明:小林,看你的样子很累,不舒服了?

林　萍:哪儿啊,我刚从医院回来,去看嫂子。

方天明:你嫂子怎么了?上星期天不是还给咱们包饺子吗?

林　萍:是啊,可是你还记得吗,那天她就特兴奋。说起买彩票、炒股票(chǎo gǔpiào)来话就不停。

方天明:对,她说她们商场的赵师傅,一连买了3000元彩票都不中。后来他拿着那3000元没中的彩票去问卖彩票的白小姐:"你们这些彩票是不是做了手脚(zuò shǒujiǎo)?"

林　萍:那位白小姐说:"买彩票靠的就是碰运气,有的人买几百次都不中,有的人买一次就中,就像60岁的老头娶18岁的姑娘一样,有什么可新鲜的!祝你下次好运气!"

方天明:对。你嫂子说,赵师傅当时眼睛就一亮:60岁的老头娶18岁的姑娘,不就是60加18吗?"下次好运气",不就是叫我买下一次吗?赵师傅按照6018这个号码一买,果然中了奖,奖金两万元。

林　萍:唉!赵师傅得了两万元可害了我嫂子。

方天明:你怎么能这么说呢?

林　萍:买彩票本来就是碰运气,中奖不中奖是没有什么规律的,可很多人就要从中找规律。一看赵师傅中了奖,我嫂子从此就迷(mí)上了这些数字。一天去商场买袜子,那上面正好有四个数字2626,我嫂子心里一动,认定这四个数字是吉祥的,能中奖。她毫不犹豫地买了这个号码的彩票。按她的想法,应把这四个数字按不同的排列(páiliè)次序(cìxù),买下一串。可我嫂子已经买了500元彩票,最近经济也比较紧张,她就没有把这四个数字的排列次序全买下来。不料,这一期的头奖是6226。四个数字没错,但就这一个号码没买。这一来,对我嫂子的打击太大了。嫂子一下就病倒了,嘴里不停地念着:"我丢掉了两万元,我丢掉了两万元,只少买一张……"

方天明:你嫂子太可怜了,咱们常去医院看看她,多跟她聊聊天。其实,这决不是你嫂子一个人的问题。这是在市场经济建设中,越来越迫切需要解决的心理卫生问题。那些搞市场经济比我们早的国家已经证明:经济越发达,精神问题、心理问题会越多。所以,许多发达国家都把心理卫生问题当做一件十分重要的大事来抓。

林　萍:和发达国家相比,我们对心理卫生的认识也比较保守(bǎoshǒu)。即使有了病,也不敢去看精神病大夫,怕别人说"你有精神病",会影响到找工作找对象之类的事。

方天明:在一些发达国家,如果谁感到"不对劲儿"(bú duìjìnr),朋友们会提醒他:"你该去看看心理医生了。"

林　萍:是啊,我们确实应该用一种既开放又负责的态度来看待心理卫生问题了。

方天明:你嫂子平时待咱们那么好,咱俩应该是她最亲近(qīnjìn)的心理医生。

林　萍:你说得太对了。过两天咱俩一起去看嫂子。

(三)听力课文　周末之夜

下班时天空阴得要下雪。然而,不管天气如何变化,都挡不住那些急着要回家的同事们。眼看这一个楼的人都要走空了,不觉感到一阵阵的寂寞。我不知该如何度过这个冷冷的周末之夜。

拨了好几个电话,朋友们都不在,不知为什么,越是需要他们的时候,越是一个也找不到。当我拨最后一个电话时,外边下起了雨夹雪,还是没人接。我的心好像也要下雨,我不肯放下电话,仍然盼望着一个熟悉的声音从电话的那一边传过来。

"喂,你好!"突然有人接电话了,我倒吃了一惊,静了静才张开口。

"你好!请您找桂兰听电话。"

"啊,这里没有这个人。请问您是不是拨错号码了?"

"是吗?"我一时感到很难过,"对不起。"

我正要放下电话,却听见电话里说:"刚才呀,我正在水房洗衣服,忽然听见一阵急急的电话铃声。于是我放下洗着的衣服,满手肥皂地跑到电话室。一看门锁上了,我又赶快跑回宿舍,掏遍了所有的衣服口袋,好容易才找到了钥匙。打开房门还没把钥匙拔出来就来接电话,然后就听到了你的声音。"

他一口气说了这么多,我被感动了。可以想像得出刚才他手忙脚乱的样子,结果还接了一个拨错的电话。

"对不起,真对不起,给您添麻烦了。"

"没什么,倒是你一个电话让我活动了活动,否则,我会一直站在水房里洗衣服。腰都酸了也不知活动一下。"

"您说话真有意思,或者说您很乐观。"

"是吗?"他笑了,"生活中总有很多美好的插曲,不乐观对不起它们。"

放下电话后,我还在想着他最后的那句话。是啊,生活中的确有许多值得乐观的插曲。我刚才那寂寞的心情不知逃到哪里去了。

外边的雪还在飘,很美丽。我知道自己该怎么度过这个周末之夜了。

生　词

1. 周末	(名)	zhōumò	weekend week-end	丙
2. 眼看	(副)	yǎnkàn	soon; in a moment immédiatement	丙
3. 寂寞	(形)	jìmò	lonely solitaire	丙
4. 拨	(动)	bō	dial bouger(avec un meuvement de main, etc.)	丙
5. 锁	(动、名)	suǒ	lock up; lock fermer à clé; serrure	丙
6. 一口气	(副)	yìkǒuqì	without a break d'une haleine	丙
7. 插曲	(名)	chāqǔ	episode épisode	

六　练　习

(一)给下列名词前后各搭配一个适当的成分:

1. ＿＿＿＿种类
种类＿＿＿＿

2. ＿＿＿＿钞票
钞票＿＿＿＿

3. ＿＿＿＿品德
品德＿＿＿＿

4. ＿＿＿＿肥皂
肥皂＿＿＿＿

5. ＿＿＿＿被面
被面＿＿＿＿

6. ＿＿＿＿姥姥
姥姥＿＿＿＿

7. ＿＿＿＿式样
式样＿＿＿＿

8. ＿＿＿＿泡
泡＿＿＿＿

9. ＿＿＿＿奖券
奖券＿＿＿＿

10. ＿＿＿＿缎子
缎子＿＿＿＿

（二）给下列动词各搭配一个宾语和一个补语：

1. 凑__________
凑__________

2. 骗__________
骗__________

3. 嫁__________
嫁__________

4. 喘__________
喘__________

5. 兴__________
兴__________

6. 赌__________
赌__________

7. 保管__________
保管__________

8. 嫉妒__________
嫉妒__________

9. 信任__________
信任__________

10. 公布__________
公布__________

（三）用指定词语完成句子：

1. 这个城市很注意环境保护，____。（拿……来说）

2. 虎子哥干什么都有一股钻研劲儿，____。（拿……来说）

3. 明华是个热心的小伙子，____。（照例）

4. 我二姨怀孕了，____。（照例）

5. 我哥哥的英语水平不太高，____。（不见得）

6. 阿里的老师最近很忙，____。（不见得）

7. 我新年期间要回国，____。（保管）

8. 你没找到住处以前，____。（保管）

9. 佩云是个有知识的人，____？（难道）

10. 姥爷咳得连气都喘不上来了，____？（难道）

11. 明天的会议很重要，____
____。（总得）

12. 不要让她一个人憋在家里，__________________________________
____。（总得）

（四）用指定词语回答问题：

1. 你们做好出发前的准备了吗？（随时）

2. 三号病房的病人现在的体温正常了吗？（随时）

3. 这个星期三如果没有时间怎么办？（另/另外）

4. 明天我们班还种树吗？（另/另外）

5. 办手续的事，你为什么不派小赵去呢？（万一）

6. 这台机器刚检查过，你怎么又检查一遍？（万一）

7. 报社记者想参加咱们的开学典礼，这事谁管？（由）

8. 那批新购买的零件质量怎么样？（由）

9. 明天电台要广播这篇稿子，你赶得出来吗？（哪怕）

10. 这次考试安娜怎么考得这么好？（仔细；哪怕）

11. 听说德华他们对买奖券特别感兴趣，是吗？（运气；无所谓）

12. 今晚的联欢活动有摸奖游戏，你参加吗？（运气；无所谓）

（五）根据课文内容，判断下列句子对错，并说明理由：

（　　）1. 买航空彩票，是由二姐发起的，所以她拿的钱最多。
（　　）2. 买一张彩票需要一百元。
（　　）3. 我和二姐一起去宣传，五十个人分五十万，每人都能落一万元。
（　　）4. 只要中了奖，两元钱就换来了一万元。

(　　) 5. 不管生人还是熟人，只要能说出“五十万”的，连狗都不咬你了。
(　　) 6. 三姥姥和四姨、五姨因为买的彩票多，还立了一本账。
(　　) 7. 因为我算的卦不好，二姐又请王瞎子算了一卦。
(　　) 8. 不去利成商店买彩票是因为怕他们卖假彩票，骗走了大家的钱。
(　　) 9. 王瞎子算的卦，说是西北方向的恒祥商场比东北方向的利成商店还好，大买卖嘛。
(　　)10. 今年是鸡年，所以属牛的、女的照例不能去买彩票。
(　　)11. 三个属鸡的男人，挑了个好日子，进城买彩票了。
(　　)12. 经过三天三夜的讨论，大家认为还是三姥姥年纪大最可信任，就把彩票交给她保管。
(　　)13. 自从买了彩票以后，大家就都睡不好觉了。
(　　)14. 为了算卦，我特意买了一副牌，算的都是好卦。
(　　)15. 我梦见自己中奖得了两万元，于是就计划着两万元怎么花。
(　　)16. 我一边等着开六、七等奖，一边替那些得奖的人算着怎么花钱，但又担心他们会被钱烧死，所以心里总有点不舒服。
(　　)17. 三姥姥向我和二姐要回她的五角钱，我俩只好赔了她。
(　　)18. 别人也都要钱，二姐因为忙着赔大家钱生了病，赔完了钱病才好了。
(　　)19. 我虽然没中奖，而且赔了不少钱，但睡得很香甜。

（六）根据课文内容回答下列问题：

1. 大家怎样合作买彩票？一百元是怎样凑齐的？
2. 算卦和买彩票有什么关系？
3. 派谁去买彩票，都要考虑哪些条件？
4. 彩票为什么由三姥姥保管？
5. 公布中奖的彩票号码以前，大家睡得怎么样？为什么？
6. 开奖以后，大家都想了些什么？
7. 合作买的彩票得奖没有？谁给大家赔了钱？为什么？

（七）阅读练习：

1. 根据阅读课文内容，在A、B、C、D中选择一个最恰当的答案：

(1) 你家儿子手气好

这里“手气”的意思是：

A. 手上有气
B. 手的力气
C. 中奖的运气
D. 拿东西的技术

(2) 好，一言为定

"一言为定"的意思是:

A. 肯定的话

B. 一句话

C. 一句说定了的话

D. 说定了,不再改变

(3) 七万元归我

这里"归"的意思是:

A. 属于

B. 还

C. 回

D. 由

(4) 由小刘控制

这里"由"的意思是:

A. 被

B. 经过

C. 根据

D. 从

2. 根据阅读课文内容回答:

(1) 这次有奖募捐活动,采取什么办法中奖?

(2) 谁摸到了一辆自行车?讲一讲当时的情况。

(3) 小刘为什么要再带张谋的儿子去摸奖?结果怎么样?

(4) 小刘和张谋为什么会发生争吵,引起纠纷?

(5) 对于"八万元应该属于谁"的问题,有两种观点,请讲一讲这两种不同的观点。

(八) 口语练习:

1. 分角色进行会话练习。注意语音语调。

2. 根据会话课文内容回答:

(1) 说一说赵师傅中奖的经过。

(2) 赵师傅中奖后对林萍的嫂子有什么影响?林萍的嫂子为什么会病倒了?

(3) 从林萍的嫂子病倒之事看经济发达与心理卫生有什么关系?

(4) 为什么说,和发达国家相比,我们对待心理卫生的认识还比较保守?

(九) 听力练习:

1. 根据录音内容填空:

(1) 然而,________天气如何变化,都挡________那些急着________回家的同事们。

(2) ________这一个楼的人都要走________了,不觉感到________的寂寞。

(3) 不知为什么,________需要他们的时候,________一个也找不到。

(4) ________我拨最后一个电话________,外边下________雨夹雪。

(5) 于是我放下________衣服,满手________地跑回电话室。一看门________上了,我又赶快跑回宿舍,________遍了所有的衣服口袋,好容易才找到了________。

(6) 他________说了这么多,我被________了。

(7) 可以想像得出刚才他________的样子,结果还接了一个________的电话。

(8) ________都酸了也不知道活动________。

(9) 您说话________,或者说您很________。

2. 根据录音内容回答:

(1) "我"在周末之夜为什么会感到寂寞?

(2) 课文中所说的"美好的插曲"指的是什么?
"我"为什么又不感到寂寞了?

(十) 交际训练:

1. 把对话继续下去:

甲:课文里的"做了手脚",是不是指卖彩票的做了假,偷偷地进行了安排?你能举个例子说说吗?

乙:____

甲:"不对劲儿"是不是有"不合适"、"不正常"的意思?你在日常生活中出现过"不对劲儿"的情况吗?

乙:____

甲:林萍的嫂子迷上了数字,这种"迷"是不是容易发展成"不对劲儿"呢?

乙:____

2. 讲一个和买彩票、赌博、心理卫生有关的小故事。

下面的词语可以帮助你表达:

兴、赌、运气、吉祥、凑、各式各样、心理、偶尔、骗、中奖、万一、保管、拿……来说、照例、不见得、哪怕……也

3. 自由讨论:

(1) 你们对买彩票、赌博之类的活动感兴趣吗?大家谈谈自己的看法。

(2) 买彩票、抽奖之类的活动与心理卫生、法制建设有什么关系?

(3) 介绍一下你们国家这方面的情况。

4. 语言游戏:

(1) 传话。

教师把学生分成人数相等的4~5个小组,坐成竖排。每个小组出一个

代表到教室外，教师向他们口述一句话。然后每组代表通过耳语逐个传下去，最后的同学把听到的话写在纸上，交给教师。教师把各组的句子写在黑板上，由大家评判哪组传得又快又正确。

教师口述的句子可结合学生实际或课文内容。如：(1) 安娜的父亲是有名的心理医生，他会帮助你。(2) 买彩票就是碰运气，千万别太抱希望，等等。

(2) 据说在澳门(Àomén)有的赌场的入口处，有一块告示牌，牌上写着：

赌博无必胜（dǔbó wú bì shèng）

轻注好怡情（qīng zhù hǎo yí qíng）

闲钱来玩耍（xiánqián lái wánshuǎ）

保持娱乐性（bǎochí yúlèxìng）

你能看懂它的意思吗？

5. 看一看，说一说，写一写。

第十三课

一 课文 我的第二故乡

如果说过去我是被那些中国的神奇[1]传说[2]所[3]吸引的话，那么现在，我真的被这个国家迷住了。

我的家在美国，父亲已经去世[4]，母亲从事瓷器[5]制品[6]的研究。中国是瓷器的故乡，小时候我就从母亲那里听到过一些有关中国的故事。虽然我到过许多国家，但一踏[7]上中国这块土地，还是觉得格外亲切。用中国话来形容，仿佛游子[8]归来了。

我现在住在东方宾馆的一间客房里。墙上常年挂着一面很大的五星红旗，我以这种方式来表达对中国的热爱，这很引人注目[9]。人们看到这面旗，也就注意到我。在这个宾馆里，我跟上海市长[10]一样有名，因此，我感到很得意[11]。

近三年时间，我交了很多中国朋友，有工人、农民、商人、警察、医生、职员[12]等等，他们对我都很友好。除此之外，我还有一百多名中国同事[13]。

为了使我们公司的产品尽快[14]投产[15]，作为公司总经理，我常常忙得“天昏地暗”[16]，有时一天工作长达十二小时，连续[17]几天住在公司里。现在我们已经正式投产了。

为了了解中国，了解上海，我已经骑坏了一辆自行车。上海的主要街道，我已了如指掌[18]。我敢说，我是“老外”[19]中最熟悉[20]上海道路的人。我骑着自行车，在上海走街串巷[21]。认识我的警察向我挥手致意[22]，还有很多朋友喊着我的名字，我也用上海话跟他们打招呼。

还应该公开一个秘密：我爱上了一位上海姑娘——杨华。她很美，也很爱我，我们就要结婚了。

自从认识了她，我的生活发生了重大变化。现在每天下班之后，我都要赶到未来的岳父[23]家里，与杨华一家人共进晚餐[24]。中国家庭的传统[25]习俗[26]和亲情真令我陶醉[27]，每天的晚餐是我最惬意[28]的时刻。中国人的爱心不易外露[29]，一旦[30]你闯进中国家庭，那种亲人[31]之间[32]真切[33]、纯朴[34]的感情会使你感到无限[35]温暖[36]。

杨华的妈妈非常慈祥[37]，她把我当做了自己亲生[38]的儿子，总是悄悄[39]地做许多我爱吃的菜。看我喜欢吃，吃得多，她就高兴。这大概就是人们常说的"丈母娘[40]疼女婿[41]"吧。

一天工作下来，人很累，可我一回到杨华家，顿时觉得一身轻松。有时我躺在房间里睡着了，杨华的妈妈就会暗示[42]家里人，不要发出任何声响[43]，好让我香香地睡个够。

东方宾馆是个星级[44]豪华[45]饭店，房间条件好，冬暖夏凉，但是我还是愿意到杨华家度过[46]我的业余[47]时光。尽管那里冬天没有暖气，夏天没有空调[48]，可那里有我爱的人，也有关心我的人，那是我的家。

我现在正在学着做一个合格的中国女婿，向未来的岳父母尽"孝道"[49]。星期天，我和杨华买回老人爱吃的食品，然后一起下厨房。我做的中国菜糟糕透[50]了，不过我干不了细活干粗活，常常抢着去倒垃圾。邻居们看见我这个未来的洋[51]女婿倒垃圾，都向我投来了友好的目光。

我的美国妈妈知道我爱上了一位中国姑娘，还特地亲自动手制作了几件精细的动物瓷器寄给杨华。这是一位美国妈妈的爱心，杨华对那些工艺品十分喜欢。

我来中国前就梦想着娶一个中国姑娘，没想到我的梦想就要成为现实了。有的中国姑娘，找个"老外"，可能就要移居[52]国外，而我跟杨华商量好了，我们的小家庭将安[53]在中国。我们在上海已经买下了一百平方米的房子，未来的日子将会很甜蜜[54]的。

中国年轻小夫妻[55]之间流行[56]"妻管严"[57]，我看我也得了这种"病"。没有办法，我爱杨华爱得太深了，就像她爱我一样，这样的"妻管严"我感觉[58]还挺好呢！

在中国我不仅找到了心爱的人，得到了甜蜜的爱情，而且在事业[59]上也很顺利。虽然我是公司总经理，但我并不希望职工们觉得是在为我干活，而希望他们感到我们是在一起干，一起奋斗。我们公司的一百多名职工的素质[60]都很好，都有大学本科[61]以上的学历[62]。很多事情你一讲，他们就知道怎么做了，而且做得很好。我们相处[63]得十分融洽[64]，我常去中国同事家做客，我把他们看做自己的兄弟姐妹。

去年圣诞节,我自己掏腰包[65],请公司全体职工到饭店吃了一顿饭,作为平日[66]他们热情待我的一点点回报。今年"五一"劳动节,我又组织全体职工到杭州玩了两天。大家玩得非常过瘾,彼此[67]也更加了解了。

我对同事们说,平时我们相处,可以很随便[68],但对工作,尤其[69]是在操作[70]程序[71]及工作纪律[72]方面决不允许[73]随随便便。我们公司的设备很先进[74],技术要求相当高。一开始,有的中国同事不大习惯,往往会忽略[75]某些操作程序,这时我会变得很严厉[76]。还有,职员中年轻人多,有人偶尔会耍[77]点小聪明[78],比如:趁没人注意提前[79]洗澡,准备回家什么的。当我到车间检查工作,发现少了谁时,我大致[80]能猜出他们会在什么地方。如果是男职工,我就会跑到洗澡间去找。发现他们时,我就说:"下回再发现你们上班的时候洗澡,就把你们从里面拖[81]出来,让大家看看……"我觉得以这种方式进行批评,好像比严肃[82]地教训[83]人效果更好。

我确实很喜欢这批[84]中国职员。他们聪明能干,有了他们,我们的公司才能顺利发展。

中国是我的第二故乡,这里有我的家,我的亲人,我的事业,我爱中国。

(选自《瞭望》,作者:曹永安。有删改。)

二　生　词

1. 神奇	(形)	shénqí	mystical merveilleux	丁
2. 传说	(名)	chuánshuō	legend légende	丙
3. 所	(助)	suǒ	(occurs before a verb to indicate the passive voice) particule marquant que le déterminant est l'agent passif du verbe	乙
4. 去世	(动)	qùshì	die décéder; mourir	丁
5. 瓷器	(名)	cíqì	chinaware porcelaine	

6. 制品	（名）	zhìpǐn	products produit	丁
7. 踏	（动）	tà	step on poser le pied sur；marcher sur	丙
8. 游子	（名）	yóuzǐ	man residing in a place far away from home voyageur éloigné de son pays natal	
9. 引人注目		yǐn rén zhù mù	conspicuous attirer les regards；remarquable	丁
10. 市长	（名）	shìzhǎng	mayor maire	丁
11. 得意	（形）	déyì	complacent être fier de；être fier comme un coq	丙
12. 职员	（名）	zhíyuán	office worker employé	丙
13. 同事	（名）	tóngshì	colleague collègue	丁
14. 尽快	（副）	jǐnkuài	as quickly as possible le plus vite possible	丁
15. 投产	（动）	tóuchǎn	put into production être mis en exploitation	丁
16. 天昏地暗		tiān hūn dì àn	a murky sky over a dark earth un ciel sombre sur une terre obscure； temps tronblés ici：ne savoir où donner de la tête	
17. 连续	（动）	liánxù	continue continu；sans interruption	乙
18. 了如指掌		liǎo rú zhǐ zhǎng	know sth. like the palm of one's hand savoir qch. sur le bout du doigt	
19. 老外	（名）	lǎowài	foreigner étranger	
20. 熟悉	（动）	shúxī	be familiar with bien connaître qn(qch.)	乙
21. 走街串巷		zǒu jiē chuàn xiàng	go from street to street se promener dans les rues et ruelles	
22. 挥手致意		huī shǒu zhìyì	wave greetings to saluer qn de la main	
23. 岳父	（名）	yuèfù	father-in-law(husband's father) beau-père(père de son épouse)	
24. 晚餐	（名）	wǎncān	supper；dinner dîner	
25. 传统	（名）	chuántǒng	tradition tradition	乙

26. 习俗	（名）	xísú	custom coutume	丁
27. 陶醉	（动）	táozuì	be intoxicated（with success, etc.） s'enivrer	
28. 惬意	（形）	qièyì	be satisfied satisfait; content; heureux	
29. 外露	（形）	wàilù	show; reveal extraverti-e	
30. 一旦	（副、名）	yídàn	once; in a very short time une fois	丁
31. 亲人	（名）	qīnrén	one's family members les siens; membres de la famille	丙
32. 之间		zhījiān	among entre	甲
33. 真切	（形）	zhēnqiè	vivid; clear clair et vrai; frappant	
34. 纯朴	（形）	chúnpǔ	honest; simple honnête; simple; sincère	
35. 无限	（形）	wúxiàn	boundless; limitless infini; illimité	乙
36. 温暖	（形）	wēnnuǎn	warm chaud; doux	乙
37. 慈祥	（形）	cíxiáng	kindly bon; bienveillant; affable	丁
38. 亲生	（形）	qīnshēng	one's own（children, parents） son propre; à soi	丁
39. 悄悄	（副）	qiāoqiāo	quietly silencieusement; sans bruit	乙
40. 丈母娘	（名）	zhàngmuniáng	mother-in-law（wife's mother） belle-mère（mère de son épouse）	
41. 女婿	（名）	nǚxu	son-in-law beau-fils（mari de sa fille）	
42. 暗示	（动）	ànshì	hint suggestionner; suggérer	丁
43. 声响	（名）	shēngxiǎng	sound; noise bruit	
44. 星级	（形）	xīngjí	（of a hotel）star status （hôtel）en étoiles	

45. 豪华	（形）	háohuá	luxury de luxe；somptueux	丁
46. 度过	（动）	dùguò	spend passer	乙
47. 业余	（形）	yèyú	sparetime aux heures de loisir；en dehors du travail	乙
48. 空调	（名）	kōngtiáo	air conditioner air conditionné	
49. 孝道	（名）	xiàodào	filial duty piété filiale；respect envers les parents	
50. 透	（形）	tòu	extremely tout à fait；entièrement；à fond	乙
51. 洋	（形）	yáng	foreign étranger	丙
52. 移居	（动）	yíjū	move one's residence émigrer；changer de résidence	
53. 安	（动）	ān	settle down installer；s'installer	丙
54. 甜蜜	（形）	tiánmì	sweet；happy doux；heureux	
55. 夫妻	（名）	fūqī	husband and wife couple；époux et épouse	丙
56. 流行	（动、形）	liúxíng	prevalent être en vogue；répandu	丙
57. 妻管严		qī guǎn yán	henpecked；petticoat government craindre sa femme（parce que 妻管严 est homophone avec 气管炎（trachéite））	
58. 感觉	（动、名）	gǎnjué	feel；feeling sentir；sentiment	乙
59. 事业	（名）	shìyè	cause cause	乙
60. 素质	（名）	sùzhì	quality qualité	丁
61. 本科	（名）	běnkē	undergraduate course （étudiants de）cycle normal	
62. 学历	（名）	xuélì	record of formal schooling instruction	丁

63. 相处	（动）	xiāngchǔ	get along (with one another) s'entendre	
64. 融洽	（形）	róngqià	harmonious en bons termes	丁
65. 掏腰包		tāo yāobāo	foot a bill payer de sa poche; casquer	
66. 平日	（名）	píngrì	in ordinary times en temps hordinaire; d'hordinaire les jours ouvrables	丁
67. 彼此	（代）	bǐcǐ	each other l'un l'autre; mutuellement	丙
68. 随便	（形）	suíbiàn	casual sans façon	乙
69. 尤其	（副）	yóuqí	especially surtout; spécialement	甲
70. 操作	（动）	cāozuò	operate opérer; manœuvrer; manipuler	丙
71. 程序	（名）	chéngxù	order; procedure procédure; ordre	丙
72. 纪律	（名）	jìlǜ	discipline discipline	乙
73. 允许	（动）	yǔnxǔ	allow; permit permettre	乙
74. 先进	（形）	xiānjìn	advanced avancé; de pointe	丙
75. 忽略	（动）	hūlüè	neglect négliger	丁
76. 严厉	（形）	yánlì	severe sévère; rigoureux	丙
77. 耍	（动）	shuǎ	play (tricks) jouer; faire le malin	丙
78. 聪明	（形）	cōngming	intelligent; clever intelligen-e	乙
79. 提前	（动）	tíqián	in advance avancer; anticiper	乙
80. 大致	（副）	dàzhì	approximately dans l'ensemble; grosso modo	丙

81. 拖　（动）　tuō　drag　乙
traîner; tirer

82. 严肃　（形）　yánsù　serious; earnest　乙
sérieux

83. 教训　（动、名）　jiàoxun　lecture sb.(for wrongdoing, etc.); lesson　乙
donner une leçon à qn; leçon

84. 批　（量）　pī　(a measure word) group　乙
groupe; équipe; lot

专　名

1. 东方宾馆　Dōngfāng Bīnguǎn　Dongfang Hotel
Hôtel Dongfang

2. 杨华　Yáng Huá　name of a person
nom de personne

三　词语搭配与扩展

(一) 传统

[动~]　发扬(优良)~|继承……~|保持……~|具有(民族)~
[定~]　光荣~|革命~|好~|新~|老~|公司的~
[状~]　很~|特别~|非常~
[~中]　~文化|~习俗|~节日|~习惯|~风格
(1) 春节是中国最大的传统节日。
(2) 每个少数民族都有自己的传统生活方式和风俗习惯。

(二) 尽

[动~]　准备~(义务)|开始~……|希望~……|决定~……
[~宾]　~职|~责|~了心|~了力|~孝心|~义务|没~(父亲的)责任
[状~]　应该~……|完全没~……|始终没~……|没完没了地~……|长期~……
[~补]　~到(责任了)|~完……|~不了……|~了一辈子(义务)
[~中]　(应)~的义务|(应)~的责任
(1) 他对工作尽职尽责,是一个勤勤恳恳的人。
(2) 张强觉得为希望工程捐款,是自己应尽的义务。

(三) 安

［～宾］ ～家|～电话|～电灯|～空调

［状～］ 应该～(空调)|已经～(电话)了|早～(防盗门)了|终于～(好)了|不得不～(两道锁)

［～补］ ～好|～上|～不了

［～中］ ～的条件|～的时间|～的地点

(1) 他十年前就在北京安了家。

(2) 今年夏天我们教室安空调了,可凉快了。

(四) 流行

［主～］ (这种)歌曲(很)～|观点(很)～|样子(很)～

［动～］ 开始～|继续～

［～宾］ ～(中式)服装|～(外国)歌曲|～(港台)音乐|～这种病

［状～］ 很～|正～|不会～|过去～|不再～

［～补］ ～起来|～开了|～过去了|～不了|～了一年

［～中］ ～音乐|～的打扮|～的发型|～的做法|～的说法

(1) 那种衣服虽然好看,但是不实用,可能流行不起来。

(2) 那个小伙子一边走,一边哼着流行歌曲,显出一副得意的样子。

(五) 相处

［动～］ 开始～|允许(他们)～|继续～

［状～］ 和睦～|和(老人)～|长期～

［～补］ ～得好|～得融洽|～起来|～久了|～了一年

(1) 他和同屋相处得很好,从来没吵过架。

(2) 你跟他相处久了,会发现他有很多优点。

(六) 允许

［主～］ 父母～|领导～|公司～|国家～|法律～

［动～］ 开始～(他们打工)|获得～|希望～(他们请假)|得到～

［～动］ ～参观|～进去|～经商|～喝酒

［状～］ 只好～|应该～|已经～|不得不～|被迫～

［～中］ ～的条件|～的原因|～的结果|～的误差

(1) 现在国家允许个人经商,所以个体户越来越多。

(2) 在一些公共场所不允许抽烟,违者罚款。

(七) 提前

［～动］ ～上班|～下课|～回国|～发车|～打招呼|～完成

［状～］ 可以～|没必要～|已经～|不得不～

［～补］ ～得了|～不了|～了一会儿|～了几次|～了两小时

(1) 由于工人们的努力，工程提前完成了。

(2) 你什么时候回国，请提前告诉我，我去送你。

(八) 教训

[动~] 接受~|吸取~|得到~|总结~|记住~

[~宾] ~人|~孩子|~别人|~他

[定~] 深刻的~|很大的~|一个~|难忘的~

[状~] 应该~|狠狠地~|总是~(人)|好好~(他)

[~补] ~起(人)来|~(他)一下|~(他)一顿|~(他)一次

(1) 他接受了上次的教训，这次才没有犯错误。

(2) 他太欺负人了，应该好好教训他一顿。

四 语法例释

(一) 如果说过去我是被那些中国的神奇传说所吸引的话("被$_2$")

"被……所……"用来表示被动。"所"在这儿是助词，没有什么实在的意思，只起强调被动语气的作用。"所"后面的动词一般是双音节动词。例如：

(1) 她被那个电视剧的情节所感动，禁不住流下了眼泪。

(2) 他被那个漂亮的姑娘所吸引，第一次见面，就爱上了她。

(3) 他被骗子的甜言蜜语所迷惑，所以上了当。

(4) 他的研究成果已被学术界所承认。

(5) 工人们的建议已被公司所采纳。

(6) 放心吧，现在敌人的情况已经被我们所掌握。

(二) 我以这种方式来表达对中国的热爱

"以……方式"中的"以"是介词，相当于口语中的"用"、"拿"。此外，还可以说"以……身份"、"以……条件"、"以……能力"、"以……资历"等等。表示动作、行为赖以进行的凭借，有"凭、靠"的意思。在句子中作状语。例如：

(1) 他曾以知名学者的身份，访问过不少国家。

(2) 那个公司以各种优惠条件吸引人才。

(3) 他是以个人名义向"希望工程"捐款最多的人。

(4) 以他的资历、能力，别说当市长，就是当省长也能胜任。

(5) 桂林以它迷人的自然风光，吸引了成千上万的旅游者。

(6) 他以惊人的毅力，克服困难，刻苦训练，终于获得了金牌。

(三) 除此之外,我还有一百多名中国同事

"除此之外"是一个固定格式,也可以说"此外"。表示除了上面所说的事物或情况之外的。用来连接小句、句子或段落。例如:

(1) 他英语、法语的水平很高,除此之外,还会说一点儿德语。

(2) 暑假他要去南方旅行,除此之外,还要搞点儿翻译。

(3) 他一生只写过两本小说,除此之外,主要从事教学工作。

(4) 他来中国主要是做生意,此外,也想学点儿汉语。

(5) 她喜欢服装设计,此外,对美容化妆也很感兴趣。

(6) 他一生收藏了很多书籍、字画,除此之外,也收集了一些古币和邮票。

(四) 一旦你闯进中国家庭

"一旦",副词。意思相当于"只要有一天"。用在条件分句里,表示有了某种条件,就会产生并出现某种相应的结果。后面常常同"就"、"便"等词语配合使用。例如:

(1) 一旦找到了原因,问题就不难解决了。

(2) 一旦条件成熟,我们便会马上开展这方面的工作。

(3) 你一旦改正了错误,就会重新得到大家的信任。

(4) 那座发电站一旦建成,这里的用电问题便解决了。

"一旦"也可以表示某种跟过去不同的情况忽然出现,意思相当于"一下子"或"忽然"、"突然"。例如:

(5) 他平时为人和善,可是一旦发起脾气来,也很吓人。

(6) 出发前要做好准备,以防路上一旦出现意外情况。

(7) 他在故乡度过了童年,一旦离开,还真舍不得呢。

"一旦"用在动词后作宾语,是名词。意思是"一天之间",形容时间短。例如:

(8) 如果不坚持搞下去,已有的研究成果也会毁于一旦。

(五) 她把我当做了自己亲生的儿子("把$_3$")

"把"字句的谓语动词一般是及物的,而且不能是一个简单动词,后边必须有其他成分。如:把……看做/写成/建设成/翻译成……。例如:

(1) 我把他看做是自己的老师,非常尊敬他。

(2) 过去我把那个骗子当做朋友,多次听信他的谎言,现在我后悔死了。

(3) 十年的功夫,人们把深圳——一个小渔村,变成了一个现代化城市。

(4) 他把那本中文小说翻译成英文了。

(5) 他把原来的卧室改为书房了。

(6) 安娜把这句话理解成别的意思了。

(六) 总是悄悄地做许多我爱吃的菜

“悄悄”,副词。在句子中作状语,用来描写没有声音或声音很低,行动不让人知道或察觉。例如:

(1) 孩子还没醒,妈妈悄悄地离开了房间。

(2) 他悄悄地对我说:“到时间了,咱们走吧。”

(3) 她总是悄悄地干活,很少讲话。

(4) 她只是悄悄地听着别人说,自己从来不说。

(5) 行动要保密,你悄悄地去,悄悄地回来,别让人发现。

(6) 开会时他去晚了,在后边悄悄找了个座位坐下。

(七) 尤其是在操作程序及工作纪律方面决不允许随随便便

“尤其”,副词。表示几种事物或情况中,有一种比其余的突出、明显、重要。意思相当于“特别”。一般用在句子的后一部分。例如:

(1) 他喜欢运动,尤其喜欢踢足球。

(2) 同学们纷纷为“希望工程”捐款,尤其小王,捐得最多。

(3) 几年来,中国各地都发生了很大变化,尤其首都北京,每天都在变。

“尤其”也往往说成“尤其是”。“尤其是”可以用在动词成分前边,也可以用在名词成分前边。例如:

(4) 学习外语听、说、读、写都很重要,尤其是听、说。

(5) 音乐、舞蹈、绘画她都喜爱,尤其是音乐。

(6) 同学们对他帮助很大,尤其是小李,在他最困难的时候帮助过他。

(7) 他常常头疼,尤其是在学习紧张的时候。

(八) 有人偶尔会耍点儿小聪明

“偶尔”,副词。与“经常”相对,表示动作、行为、事情或现象发生的次数少,时间也不一定。有“有时候”的意思。例如:

(1) 他平时不喝酒, 偶尔喝点儿酒,喝得也不多。

(2) 我们来往不多,有事的时候,偶尔打个电话。

(3) 他不喜欢逛商店,只是偶尔陪妻子逛逛。

(4) 这种水果在北京并不多见,有时在大商场偶尔能见到。

(5) 他身体很好,偶尔有个头疼脑热的,不吃药也能好。

(6) 他是教书法的,偶尔画几张画儿,画得也不错。

(九) 我大致能猜出他们在什么地方

"大致",副词。一般作状语。主要意思和用法有两个:

1. 表示一种约略的情况,有"大体上"的意思。例如:

(1) 他们俩的意见大致上相同。

(2) 他的书大致是文学和历史方面的。

(3) 小杨只用了两年多的时间,就大致地学完了大学四年的课程。

(4) 人大致到齐了,我们开会吧。

(5) 你离开时,要大致检查一下门窗。

2. 表示推测和估计,有"大约"、"大概"的意思。例如:

(6) 完成这项工程,大致需要十年的时间吧。

(7) 这个传统习俗,大致有二百多年的历史了。

(十) 就把你从里面拖出来("把$_4$")

在"把"字句中,动词后边的其他成分还可以是趋向补语。例如:

(1) 他把东西从旅行袋里拿出来了。

(2) 他们自己动手,把新房子盖起来了。

(3) 今天他把为"希望工程"捐的款都寄出去了。

如果"把"字句中的趋向补语是复合趋向补语,而"把"字句的谓语动词的宾语又是处所时,那么这个表示处所的宾语一定要放在复合趋向补语之间。例如:

(4) 晚会结束,他开车把女朋友送回家去了。

(5) 老师把新同学带进教室来了。

(6) 为了买房子,他把节约下来的钱都存进银行去了。

五 副课文

(一)阅读课文　男人的天空也下雨

不知从什么时候开始,和丈夫开玩笑时,他总爱说上一句:"做你的丈夫真难。"开始听的时候,我并没有注意,可是后来仔细一想,觉得有点儿不对。心想,我年轻轻地嫁给你,一进你家门,什么活不干呀?远的不说,生活中用的东西,大大小小哪件不是我买回来的?他说买电脑,我马上举双手赞成,取消了自己买衣服的计划,几乎用尽了家里所有的钱,实现了他的电脑梦。作为妻子,我哪点儿对不起他呢?于是我再三(zàisān)问他,他终于说出了心中的烦恼。

"小英啊,你的希望你的爱确实是我的动力(dònglì),但是你对我的希望值(zhí)太高了,即使我是一匹好马,跑一段路也该休息休息,可你始终没有放下手中的鞭子(biānzi),我真的很累,很希望有轻松的时候……我当然知道你的心是好的,可任何事情都有一个度。今天回家你说谁的丈夫会赚钱,要我向人家学;明天又夸谁的丈夫当了大官,要我像人家一样;后天又说谁的丈夫什么活儿都会干,又会关心妻子……你在我面前树立了那么多榜样,可我要真能把他们的优点都学到了,那我就不是人,而是神了。"

事后我把丈夫的观点跟同事们一讲,大家几乎百分之百同意丈夫的观点,尤其是男同胞(tóngbāo)们。老李说:"从小父母就不允许男孩子哭,说这样不像个男人,于是只好把眼泪咽到肚子里去。长大了才明白,眼泪只属于女人,你说男人苦不苦……"

回想(huíxiǎng)着丈夫和同事们的话,忽然发现,我善良的挑剔(tiāotì)竟伤了丈夫的心。

记得刚结婚的时候,我曾鼓励他考研究生,为此,他没休息过一个星期天,认真准备,终于考上了。

从那以后,我就认为妻子应能以她特有的方式鼓励丈夫对生活和事业不断地追求(zhuīqiú)。难道我错了吗?后来发生了一件事,给我作出了回答。

那是他花了很长时间研究的一个题目,没被通过。回到家,他格外沉默(chénmò),一个人坐在房间里,连我进门都不知道。我悄悄地站到他身边,分明看见他眼里充满了泪水。从来就讨厌男人流眼泪的我,第一次体会到"男人有泪不轻弹"的含义。我紧紧地把他的头靠在我怀里,我知道他这时候是多么需要我。

从那天起我才感到,以前我对丈夫的理解太不够了,其实男人的心也会累,有时比女人更需要有一个安静的家。他们也更需要爱,需要理解和关心。

男人是太阳也是月亮,男人的天空也下雨,不会永远是晴天。

(二)会话课文　"气管炎"和"四二一综合症"

阿里:听说小王"气管炎"很厉害,我怎么从来没见他咳嗽过呢?

李明:看来你对这个"气管炎"的意思还不了解。这里的"气管炎"实际是"妻管严",意思是:妻子管得太严,也就是人们常说的"怕老婆"。因为"妻管严"和"气管炎"发音差不多,所以人们在开玩笑时把"妻管严"叫做"气管炎"。

阿里:哦,怪不得呢,前几天小王的妻子回娘家,小王就把以前的哥儿们都叫到家里,抽烟、喝酒、打牌,天昏地暗地玩了一个晚上。他还说:"要好好过过瘾,重新享受一下单身汉的快乐。"看来他妻子平时对他管得够严的。

李明：是呀，妻子不在家，他可算是自由了。
阿里：哦，你是不是也是"妻管严"呢？
李明：我？不，不，我可不是。不过我孩子得了"四二一综合症"(zōnghézhèng)。
阿里：什么是"四二一综合症"呢？
李明："四二一综合症"就是爷爷、奶奶、姥爷、姥姥四个人，加上父母两个人，共同爱一个孩子，把孩子惯(guàn)成了"小皇帝"。
阿里：是不是报纸上说的中国的"小皇帝"？
李明：对。"小皇帝"说的就是那些被惯坏了的孩子。中国现在提倡计划生育(shēngyù)，一对夫妇只生一个孩子，于是独(dú)生子女的教育就成了一个大问题。一家就一个孩子，全家都围着他转，孩子自然就成了家庭的"小太阳"、"小皇帝"。
阿里：是呀！我经常看见家长接送孩子上学，有的家长还给孩子背着书包。有一次，我还看见一位老奶奶蹲着给一个十多岁的孩子系(jì)鞋带呢。
李明：唉，这些事都不新鲜了。大人对孩子的过分宠爱(chǒng'ài)，使孩子饭来张口，衣来伸手(shēn shǒu)，自己什么也不会干。尽管现在有的家庭生活水平还不高，可是为了孩子，家长却不怕花钱，好吃的、好玩的都尽量满足他们。就拿我家来说吧，孩子要的东西，如果我不同意给他买，爷爷、奶奶、姥爷、姥姥准有人给他买。一旦孩子有个错儿，我批评得厉害了一点儿，孩子一哭，老人就心疼了，怕孩子受委屈，伤身体，这个哄，那个劝，有时还得批评我一顿。你说这样孩子还能教育好吗？
阿里：当然不能。他们将来离开父母怎么办呢？
李明：是呀，人们常说："娇(jiāo)子如害子。"看来我儿子这"四二一综合症"非得好好治治不可。
阿里：对，不然你就害了他，将来后悔也来不及了。

(三)听力课文　我的丈夫——老郭

老郭其实并不老，还不到30岁，但是他人长得老，做事情又特别认真，所以朋友们都喜欢叫他"老郭"。

我和老郭是三年前认识的。那时我还是个穷学生，同学之间经常开玩笑让人请客。有一天，来了一个历史系的同学，他自我介绍叫"老郭"，主动掏腰包请客，我们当然就不客气啦。没想到，有了第一次，就有第二次，第三次……。也不知道从什么时候开始，吃饭的就剩下了我们两个人。后来又过了不久，我就成了老郭的妻子。于是我就后悔，只是吃吃饭就结了婚，没有谈恋爱的浪漫。老郭呢，却十分得意，吃几顿饭，就轻易地娶了个老婆。

平日在家里，老郭特别善于精神鼓励。每天下班，不管我正忙着什么，他总是主动过来轻轻贴贴我的脸，作为见面礼。他非常想帮我干点儿家里的活儿，可是他什么也干不好，所以只好让他去休息。他呢，手不干活儿，嘴却不休息，一会儿夸我屋子打扫得干净，一会儿说我做的菜赶上大饭店的啦等等，说得我心里挺高兴的。

有时我累极了，也会发脾气。老郭却总是笑嘻嘻的，一点儿也不着急，一会儿哄，一会儿劝，一会儿又给我讲个笑话，我也就不生气了。

虽然没有谈恋爱的浪漫，可跟老郭在一起，总有那么一种幸福安全的感觉。

生　词

浪漫　（形）　làngmàn　romantic
romantique

六　练　习

（一）给下列词语各搭配上一个宾语、一个状语、一个补语：

1. 估计________
   ________估计
   估计________
2. 流行________
   ________流行
   流行________
3. 教训________
   ________教训
   教训________
4. 尽________
   ________尽
   尽________
5. 掏________
   ________掏
   掏________
6. 批评________
   ________批评
   批评________
7. 提前________
   ________提前
   提前________
8. 熟悉________
   ________熟悉
   熟悉________
9. 掏________
   ________掏
   掏________
10. 拖________
    ________拖
    拖________

（二）用指定词语完成句子：

1. 我________________________________，在那儿拍了几张照片。

（被……所……）

2. 我去过欧洲的许多国家，____________________。（除此之外）

3. 我们在一起工作了十几年，____________________。（一旦）

4. 那个大饭店____________________，受到了顾客的好评。（以）

5. 他们夫妻感情很好，____________________。（偶尔）

6. 那个孩子没有妈妈，但是老师对他很好，____________________

____________________。（把……看成/当做……）

7. 同学们的汉语水平都提高得很快，____________________。（尤其）

8. 教育孩子是每个家长____________________。（尽）

9. 那是现在最流行的中文小说，____________________

____________________。（把……翻译成……）

10. 阿里昨天病了，____________________。（把……送……）

（三）指出下列句子后面的词语应在哪个位置上：

（　）1. 那个孩子 A 被坏人 B 利用，C 结果走上了 D 犯罪的道路。（所）

（　）2. 这个商店 A 独特的经营方式，B 热情的服务，C 吸引了许许多多的顾客。（以）

（　）3. 你 A 取得 B 好成绩，C 就能得到 D 奖学金。（一旦）

（　）4. 他一生 A 主要从事翻译工作，B 此外，C 也写点儿 D 小说和诗歌。（偶尔）

（　）5. 为了 A 帮助失学儿童，B 他把存进银行的钱 C 都取 D 了。（出来）

（　）6. 他和大家一起，A 把有病的同学 B 送 C 医院 D 去了。（进）

（　）7. A 同学们学习都 B 很努力，C 是阿里，D 每次考试都是第一名。（尤其）

（　）8. 他 A 把那个故事 B 改编 C 电视剧 D 了。（成）

（　）9. 他特别喜欢 A 听音乐，B 还 C 对画画儿 D 感兴趣。（除此之外）

（　）10. 他 A 怕惊醒同屋，起床 B 以后，轻轻 C 地推开门，D 地走出了房间。（悄悄）

（四）用“稍稍”和“悄悄”填空：

1. 他太累了，于是______休息了一下，又开始工作了。

2. 今天天还不亮，小梅就______地爬了起来，为客人准备早饭了。

3. 请你______等一会儿，他马上就回来。

4. 教室里静______的，同学们正在紧张地答卷。

5. 他的年纪比妻子______大一点儿，可是看上去，妻子比他年轻多了。

6. 请您把昨天开会的情况介绍得______详细一点儿，好吗？

7. 不知是谁______给他的书包里塞进了一百元钱。

8. 他______地离开了故乡，没有跟任何人告别。

（五）用“偶然”和“偶尔”填空：

1. 昨天在路上，他______遇见一个老朋友，高兴得不得了。

2. 他是画中国画的，______也画几张西洋画。

3. 他考试成绩不好，不是______的，因为他平时就不努力学习。

4. 由于一个______的机会，我认识了他。

5. 发生那样严重的事故太______了，过去从来没有过。

（六）根据课文内容判断正误，并说明理由：

（ ）1. 我现在真的被中国的神话传说吸引住了。

（ ）2. 小时候我就从父母那儿听到过有关中国的故事。

（ ）3. 我住的房间里挂着一面五星红旗，我用这种方式来表达对中国的热爱。

（ ）4. 我有一百多名中国同事，除此之外，我还交了很多中国朋友。

（ ）5. 我跟一个上海姑娘结了婚，正学着做一个合格的中国女婿。

（ ）6. 中国的小夫妻之间流行“妻管严”，我也得了这种“病”。

（ ）7. 去年圣诞节，公司的职工让我掏腰包，请他们吃饭。

（ ）8. 公司中有的年轻人，耍点儿小聪明，提前洗澡回家什么的，我就严肃地教训他们。

（七）根据课文内容回答下列问题：

1. 为什么他一踏上中国这块土地，就觉得格外亲切？

2. 在他住的宾馆里，他为什么出名？

3. 他爱上了谁？从此他的生活发生了怎样的变化？

4. 他为什么愿意在杨华家度过业余时光？

5. 他怎样学做一个合格的中国女婿？

6. 他有一个什么梦想，实现了吗？他打算以后在哪儿生活？

7. 他为什么自己掏腰包请职工吃饭并组织旅游？

8. 为什么说中国是他的第二故乡？

（八）根据课文内容完成句子：

1. 虽然我到过许多国家，但________________________________。
2. 我的房间墙上__________________，我用__________________。
3. 近三年来，我交了_______________，除此之外_______________。
4. 我对上海的主要街道________________，我是说，我是______________。
5. 自从认识了杨华，我的生活_____________，每天______________。
6. 我现在正在学着做___________________，向_________________。
7. 我来中国前就梦想着_______________，没想到_______________。
8. 在中国我不仅找到了_______________，而且_________________。
9. 我跟中国同事相处得_______________，我把_________________。
10. 中国是我的第二故乡，这里__________，__________，__________。

（九）阅读练习：

1. 根据阅读课文的内容选择正确答案：

(1) 他觉得做“我”的丈夫真难。因为：

A.“我”始终没有放下手中的鞭子，常常打他。
B.“我”对丈夫的希望值太高。
C.“我”觉得别人的丈夫都比自己丈夫强。
D.“我”又爱上了别人的丈夫。

(2)“男人的天空也下雨”意思是：

A. 男人最喜欢下雨。
B. 男人也爱哭。
C. 男人的心变坏了。
D. 男人也有烦恼，也会累。

2. 根据阅读课文的内容回答问题：

(1) 丈夫的烦恼是什么？
(2) 现在妻子对丈夫有了什么新的理解？

（十）会话练习：

1. 分角色进行对话练习。注意语音语调。
2. 不看课文，分角色进行对话，尽量运用如下词语：

厉害、严、过瘾、享受、自由、独生、宠爱、惯、哄、劝、教育、尽量、满足

(十一) 听力练习:

1. 听录音判断正误:

( ) (1) 老郭是一个做事认真的老人。

( ) (2) "我"和老郭是在老郭请客吃饭的时候认识的。

( ) (3) "我"和老郭一共吃了三次饭。

( ) (4) "我"和老郭结了婚,但是很后悔。

( ) (5) 老郭很善于精神鼓励,不干活,弄得我不高兴。

( ) (6) "我"发脾气的时候,老郭却不发火。

2. 听录音后回答问题:

(1) 朋友们为什么都喜欢叫他"老郭"?

(2) "我"和老郭是怎么认识的?

(3) 为什么后来吃饭的人就剩下了他们俩?

(4) 老郭这个人有什么优点?

(5) "我"喜欢不喜欢老郭?

(十二) 交际训练:

1. 根据提示选择下列词语(至少5个)写一段话:

提示:我的外国老板

词语:从事、自信、佩服、事业、打扮、流行、甜蜜、相处、偶尔、尤其、一旦、大致、估计、除此之外、被……所……

2. 讨论:

(1) 你认识的人有没有和外国人结婚的? 你对这样的婚姻有什么看法?

(2) 在你们国家,岳父母跟女婿、公婆跟儿媳妇的关系怎么样?

(3) 在你们国家,子女也向父母"尽孝道"吗? 他们是怎样做的?

(4) 你们国家的年轻人结婚以后,喜欢和父母住在一起吗? 为什么?

(5) 你觉得做男人更难,还是做女人更难? 为什么?

3. 语言游戏:

(1) 抢答题:

A. 教师将各题答案写在黑板上。把学生分为三组,每组按1、2、3……的顺序为学生编号。教师按下列内容,打乱次序,向各组循环提问。第一个问题由第一组1号回答。第二个问题由第二组1号回答,以此类推。如果被提问的同学五秒钟内回答不出来,由本组其他同学抢答,如五秒钟内还是回答不出来,由其他组同学抢答。每组答对一题加10分,答错一题减10分,答不出来不加不减。抢答全部完成,评出名次。

B. 教师出示卡片,上面写出下面任何一题的答案,如:“姥姥”,由学生解释它的意思。方法是学生以组为单位自由抢答。计分方法同上,可和第一部分抢答问题共同计分,也可单独计分。

1) 孩子管爸爸的爸爸叫________。
2) 孩子管父亲的妈妈叫________。
3) 孩子管妈妈的爸爸叫________。
4) 孩子管母亲的母亲叫________。
5) 小王的儿子是小王父母的________。
6) 小王的女儿是小王爸爸、妈妈的________。
7) 小王的儿子是小王妻子父母的________。
8) 小王的女儿是小王妻子的爸爸、妈妈的________。
9) 孩子管爸爸的哥哥叫________。
10) 孩子管父亲的弟弟叫________。
11) 孩子管妈妈的姐姐、妹妹叫________。
12) 孩子管母亲的哥哥、弟弟叫________。
13) 丈夫管妻子的父亲叫________。
14) 丈夫管妻子的母亲叫________。
15) 妻子管丈夫的爸爸叫________。
16) 妻子管丈夫的妈妈叫________。
17) 妻子的父亲是丈夫的________。
18) 妻子的母亲是丈夫的________。
19) 丈夫的爸爸是妻子的________。
20) 丈夫的妈妈是妻子的________。
21) 女儿的丈夫是女儿父母的________。
22) 儿子的妻子是儿子父母的________。
23) 小王的妻子回自己父母家了,还可以说她回________了。
24) 小王的妻子去小王父母家了,还可说她去________了。
25) 小王去妻子父母家了,还可以说他去________了。

(2) 你知道下面这两个成语的意思吗?请讲给同学们听听。

入乡随俗(rù xiāng suí sú)

入国问俗(rù guó wèn sú)

4. 看一看，说一说，写一写。

——他们是双胞胎。

闻凤刚

报载：有些地区“双胞胎”增多。其中不少“双胞胎”年龄不一样大。

第十四课

一　课文　　在那遥远的地方

——记西部[1]歌王[2]王洛宾

在那遥远的地方
有位好姑娘
人们走过她的帐篷[3]
都要回头留恋[4]地张望[5]……

西部歌王——王洛宾边走边唱。人们一提起西部民歌[6]，就会想起《在那遥远的地方》、《达坂城的姑娘》、《可爱的一朵玫瑰[7]花》……这些优美动人[8]的歌曲[9]。五十多年过去了，优美的西部民歌伴随[10]着孩子们长大，伴随着青年人进入中年[11]，伴随着中年人步入老年[12]。而这些歌曲却青春[13]长在，至今仍然受到大家的喜爱[14]。

一位记者曾问王洛宾，为什么他创作[15]的歌曲都如此优美。王洛宾自豪[16]地答道："我听了一百首唱姑娘的民歌，我把最优美的一首唱给你，你说美不美？"

王洛宾曾去过许多地方，他在民歌的海洋里寻访[17]一个个村庄[18]，倾听[19]不同民族的歌声。哪里有歌声，哪里就有他。他爱上了这块土地。在西北，无意[20]中竟发现了他一生为之"留恋"的"花儿"。他喝着牧民[21]的奶茶，弹[22]着轻快[23]的冬不拉[24]，走过风沙[25]弥漫的戈壁[26]，最后定居[27]在歌舞之乡——新疆。那里流传[28]着许多民歌，这些民歌深深地打动[29]了他。于是他广泛[30]地收集[31]、改编[32]，使这些民歌更加优美动听，很快在祖国各地流传开来。

王洛宾第一次听到"花儿"——这种西北特有的艺术形式，是在六盘山下。当时正下着雨，山高路滑，车上不了山，他和同去的朋友们只好留在车马店里。回族老板娘[33]虽然五十多岁了，"花儿"却唱得很好，在当地很有名。那天夜晚，在马棚[34]里，他们围[35]着油灯，躺在干草上。在大家热情的掌声中，老板娘便唱起来。

走哩走哩者
越哟的远了
眼泪的花儿漂[36]满了
眼泪的花儿把心淹[37]下了……

听着听着，24岁的王洛宾流泪了，他从朴素的歌声里发现了美与忧伤[38]。雨哗哗[39]地一连下了三天，他也听了三天，记了三天。也就是从那个时候起，王洛宾离不开西北了。他走遍了黄河两岸，记下了各地的“花儿”近百首，成为第一个用乐谱[40]把民间[41]的“花儿”记录下来的人。

1939年，王洛宾在兰州遇到了一个汽车队。队里一位年轻的维吾尔族司机唱起了吐鲁番民歌《达坂城》，王洛宾立刻被那轻快、有趣的风格[42]吸引住了，他边听边记，然后又对歌曲进行了改编，重新配[43]写了歌词。几天之后的联欢会上，王洛宾为大家演唱[44]了这首《达坂城——马车夫[45]之歌》：

达坂城的石头硬又平啊
西瓜大又甜哪
达坂城的姑娘辫子[46]长啊
两只眼睛真漂亮……

歌曲不仅保留了原来的风格，而且听起来更加优美动人，维吾尔族朋友听了高兴得手舞足蹈[47]。这首歌很快传遍全国，它就是我们今天传唱的《达坂城的姑娘》。新疆的达坂城和达坂城姑娘也因此而名扬天下[48]。不过，许多人都对歌词中“领着你的妹妹，带着你的嫁妆[49]，赶着马车来”表示不理解。王洛宾幽默地解释[50]：“伊斯兰的古兰经中说，一个男人可以娶四个太太，所以让她把妹妹一块带来。”

在王洛宾改编的歌曲中，流传最广的要数《在那遥远的地方》了。这首民歌享誉[51]海内外，曾被世界著名歌唱家罗伯逊作为保留节目，世界有名的巴黎音乐学院也把它选入音乐教材，而这支歌曲后面的故事更是令人心动……

那是1941年春天，王洛宾随着一个拍摄[52]小组来到住着许多藏族人的西北部拍电影。当地有个叫卓玛的藏族姑娘扮演[53]影片里的牧羊[54]女，拍摄小组的负责人叫王洛宾帮助小卓玛做一些事。卓玛活泼[55]、美丽，红红的脸上总是带着微笑。她有一双明亮的眼睛,望着你时,大胆而又热情。像许多藏族姑娘一样,她把长长的黑发梳[56]成许多条细细的辫子。有一天拍完戏,两人一起回家。卓玛身穿金丝边的彩色藏裙,裙下露出一双红色藏靴[57],骑在马背[58]上。蓝天白云,绿色的草原,她手拿牧羊的鞭子[59],赶着羊群。羊儿在她的周围“咩咩”[60]地叫着,慢慢地向前移动,好像天上飘动着的白云。这时,王洛宾无意中打了马一鞭子,那匹马突然一惊,猛地向上一跳,卓玛差点儿从马背上摔下来。姑娘生气了,她扬[61]起鞭子朝马打去,不料这一鞭子正打在王洛宾身上。王洛宾又惊又奇[62],正当不知所措[63]之时,耳边却响起小卓玛的一串笑声。姑娘飞快地扬鞭而去,藏裙上饰物[64]发出的响声打破了草原的寂静[65]。望着远去的卓玛,王洛宾愣在那里了……

没想到一鞭子打出了感情。后来他俩常常骑在一匹马上欣赏草原的美景,任[66]马儿自由地奔跑[67],任时间悄悄地流走。风儿轻轻地吹过,飘来阵阵野花的香味……他们之间虽然语言不通,但他们的心却是相通的。

分别的日子不知不觉来到了,拍摄小组离开时,卓玛送了很远很远。望着渐渐消失在远方的姑娘,一段优美的旋律[68]从王洛宾心中流过:

她那粉红的笑脸
好像红太阳
她那美丽动人的眼睛
好像晚上明媚[69]的月亮
我愿做一只小羊
跟在她身旁
我愿她那细细的皮鞭
不断轻轻地打在我身上……

当这首歌曲被制作成金唱片颁发[70]给王洛宾时,王洛宾说:“探索[71]人民共同追求[72]的美,以此写出来的东西,才是真正的美。”这也许就是王洛宾的歌曲流传久远的原因吧。

王洛宾用生命和心血发掘[73]和传播[74]了民歌,民歌也以它的美和生命给了王洛宾灿烂[75]的艺术青春。

(选自《中国教育报》,作者:陈晓梅。有删改。)

二 生 词

1. 西部	（名）	xībù	west ouest	乙
2. 歌王	（名）	gēwáng	a song king roi des chansons	
3. 帐篷	（名）	zhàngpeng	tent tente	
4. 留恋	（动）	liúliàn	be reluctant to leave regretter; s'attacher à	丁
5. 张望	（动）	zhāngwàng	look around voir; regarder	丙
6. 民歌	（名）	míngē	folk song chanson folklorique	
7. 玫瑰	（名）	méigui	rose rose	丁
8. 动人	（形）	dòngrén	moving émouvant	乙
9. 歌曲	（名）	gēqǔ	song chant; chanson	丙
10. 伴随	（动）	bànsuí	accompany accompagner	丁
11. 中年	（名）	zhōngnián	middle age âge mûr(moyen)	丙
12. 老年	（名）	lǎonián	old age vieillesse	丙
13. 青春	（名）	qīngchūn	youth jeunesse	丙
14. 喜爱	（动）	xǐ'ài	like; love aimer	丙
15. 创作	（动）	chuàngzuò	write écrire	乙
16. 自豪	（形）	zìháo	proud fier-ère	丙
17. 寻访	（动）	xúnfǎng	look for chercher	
18. 村庄	（名）	cūnzhuāng	village village	丙

19. 倾听	（动）	qīngtīng	listen attentively to écouter attentivement	丁
20. 无意	（动）	wúyì	have no intention（of doing sth.） ne pas avoir envie de	丁
21. 牧民	（名）	mùmín	herdsman berger; gardien de troupeau	丙
22. 弹	（动）	tán	play jouer	乙
23. 轻快	（形）	qīngkuài	lively alerte; léger	丁
24. 冬不拉		dōngbùlā	a plucked stringed instrument, used by Kazak nationality dombra（nom d'une sorte d'instrument）	
25. 风沙	（名）	fēngshā	sand blown by the wind vent de sable	丁
26. 戈壁	（名）	gēbì	gobi désert; gobi	
27. 定居	（动）	dìngjū	settle down s'installer	丁
28. 流传	（动）	liúchuán	spread se répandre	丙
29. 打动	（动）	dǎdòng	move émouvoir	
30. 广泛	（形）	guǎngfàn	extensive large; vaste	乙
31. 收集	（动）	shōují	collect collectionner; recueillir	丙
32. 改编	（动）	gǎibiān	adapt adapter	丙
33. 老板娘	（名）	lǎobǎnniáng	proprietress patronne	
34. 马棚	（名）	mǎpéng	stable écurie	
35. 围	（动）	wéi	enclose entourer	乙
36. 漂	（动）	piāo	float flotter	丁

37. 淹　（动）　yān　flood　丙
noyer；submerger

38. 忧伤　（形）　yōushāng　distressed
mélancolique

39. 哗哗　（象声）　huāhuā　（onomatope）　丙
（onomatopé）

40. 乐谱　（名）　yuèpǔ　music score
musique；partition

41. 民间　（名）　mínjiān　folk　丙
populaire；parmi le peuple

42. 风格　（名）　fēnggé　style　丙
style

43. 配　（动）　pèi　write；compose　丙
composer；écrire

44. 演唱　（动）　yǎnchàng　sing（in a performance）　丁
chanter

45. 马车夫　（名）　mǎchēfū　cart driver
cocher

46. 辫子　（名）　biànzi　pigtail　丁
tresse；natte

47. 手舞足蹈　shǒu wǔ zú dǎo　dance for joy
danser de joie

48. 名扬天下　míng yáng tiānxià　become world-famous
être connu dans le monde

49. 嫁妆　（名）　jiàzhuang　dowry
dot

50. 解释　（动、名）　jiěshì　explain；explanation　乙
expliquer；explication

51. 享誉　xiǎng yù　enjoy the reputation
jouir d'un grand renom

52. 拍摄　（动）　pāishè　shoot（a film）　丙
tourner（un film）；photographier

53. 扮演　（动）　bànyǎn　act　丁
jouer（le rôle de...）

54. 牧羊　mù yáng　tend sheep
garder des moutons

55. 活泼	（形）	huópo	lively; vivid vivant; plain d'entrain	乙
56. 梳	（动）	shū	comb peigner	丙
57. 靴	（名）	xuē	boots botte; bottine	丁
58. 背	（名）	bèi	back dos	乙
59. 鞭子	（名）	biānzi	whip fouet	丁
60. 咩咩	（象声）	miēmiē	(onomatope) baa (onomatopé) bêler	
61. 扬	（动）	yáng	raise lever	丙
62. 惊奇	（形）	jīngqí	wonder étonné	丙
63. 不知所措		bù zhī suǒ cuò	be at a loss ne pas savoir que faire	
64. 饰物	（名）	shìwù	ornaments ornement	
65. 寂静	（形）	jìjìng	quiet calme	丁
66. 任	（动、连）	rèn	let; no matter au gré de; se laisser faire	丙
67. 奔跑	（动）	bēnpǎo	run courir	丙
68. 旋律	（名）	xuánlǜ	melody mélodie	丁
69. 明媚	（形）	míngmèi	bright and beautiful radieux; ravissant	
70. 颁发	（动）	bānfā	award conférer; décerner	丁
71. 探索	（动）	tànsuǒ	probe chercher; explorer	丙
72. 追求	（动）	zhuīqiú	seek; pursue rechercher	丙

73. 发掘	（动）	fājué	explore; seek explorer	
74. 传播	（动）	chuánbō	spread répandre; propager	乙
75. 灿烂	（形）	cànlàn	splendid splendide	丙

专　名

1. 王洛宾	Wáng Luòbīn	name of a person nom de personne
2. 达坂城	Dábǎn Chéng	name of a town nom d'une ville
3. 新疆	Xīnjiāng	Xinjiang Uygur Autonomous Region Région autonome Ouïghoure de Xinjiang
4. 六盘山	Liùpán Shān	Liupan Mountain montagne liupan
5. 回族	Huízú	the Hui nationality la nationalité Hui
6. 兰州	Lánzhōu	name of a city nom d'une ville
7. 维吾尔族	Wéiwú'ěrzú	the Uygur nationality la nationalité Ouïghoure
8. 吐鲁番	Tǔlǔfān	name of a place Turfan
9. 罗伯逊	Luóbóxùn	Robertson Robertson
10. 巴黎	Bālí	Paris Paris
11. 藏族	Zàngzú	the Zang(Tibetan) nationality la nationalité Tibétain
12. 卓玛	Zhuōma	name of a person nom de personne
13. 伊斯兰	Yīsīlán	Islam Islam; islamique
14. 古兰经	Gǔlánjīng	the Koran le Coran

三　词语搭配与扩展

(一) 喜爱

[动～]　表示～|得到～|受到(大家的)～|开始～(这种运动)

[～动/形]　～打猎|～运动|～游玩|～散步|～跳舞|～安静|～热闹|～凉爽

[～宾]　～小孩|～这幅画|～文学|～京剧|～科学

[状～]　深深地～|最～|一向～|确实～|特别～

[～补]　～得很|～得要命|～得不得了|～极了

[～中]　～的歌星|～的书籍|～的地方|～的专业

(1) 她特别喜爱这首西部民歌。

(2) 他最喜爱的歌星是杰克逊。

(二) 青春

[动～]　献出～|珍惜～|焕发～|虚度～|浪费～

[～动/形]　～恢复了|～耽误了|～(多)美好|～(多)美丽|～(多)壮丽

[定～]　美好的～|美妙的～|壮丽的～|灿烂的～

[～中]　～的活力|～的魅力|～的朝气|～的力量

(1) 他决心把青春献给祖国的建设事业。

(2) 老王跳起舞来,舞姿优美,步子轻快,浑身充满了青春的活力。

(三) 收集

[动～]　开始～|继续～|停止～|喜欢～

[～宾]　～资料|～材料|～情报|～意见|～证据|～废品|～邮票

[状～]　大量～|广泛～|定期～|顺利地～|把……～起来

[～补]　～得多|～得快|～了两年|～一下

[～中]　～的时间|～的地点|～的过程|～的资料

(1) 王红收集了许多证据来证明那个人有罪。

(2) 在试制这个新产品以前,刘工程师收集了大量的资料。

(四) 改编

[动～] 打算～|允许～|反对～

[～宾]　～(成)剧本|～(成)话剧|～(成)电影|～(成)舞蹈

[定～]　作品的～|民歌的～|剧本的～|舞蹈的～|电影的～

[状～]　尽快～|顺利～|紧张(地)～|匆忙地～|精心～

[～补]　把……～成(电影)|～完了|～出来了|～得很好|～一下|～了两次

[～中]　～的剧本|～的电影|～的方法|～的原因|～的目的

(1) 他把这个故事改编成了电视剧。

(2) 王洛宾改编的民歌受到了人们的喜爱。

(五) 流传

［动～］　禁止～｜开始～｜继续～｜停止～

［～宾］　～着一个美丽的神话｜～着一个笑话｜～着大量民歌｜～着一个说法

［状～］　广泛～｜长久地～｜迅速地～｜秘密地～

［～补］　～得很快｜～很久｜～得广泛｜～下来

［～中］　～的故事｜～的种种说法｜～的原因｜～的范围

(1) 小孔感人的事迹迅速在全国流传开来。

(2) 在云南的西双版纳流传着一个动人的传说。

(六) 拍摄

［动～］　开始～｜继续～｜停止～｜打算～｜参加～

［～宾］　～电影｜～电视连续剧｜～纪录片｜～了一个特写镜头｜～了几个惊险场面

［状～］　正式～｜紧张地～｜重新～｜正在～

［～补］　～完了｜～到(什么时候)｜～成(电视剧)｜～出来｜～得非常清楚｜～了三年｜～过两次

［～中］　～计划｜～人员｜～现场｜～过程｜～时间｜～地点

(1) 王平拍摄的电影获得了优秀影片奖。

(2) 他把那个动人的传说拍摄成了电视剧。

(七) 风格

［动～］　发扬……～｜形成……～｜追求……～｜继承……～

［～动/形］　～形成了｜～改变了｜～创新了｜～清新｜～幽默｜～独特

［定～］　语言～｜民族～｜表演～｜创作～｜崇高的～

(1) 他的作品具有鲜明的民族风格。

(2) 我们要注意研究电影的艺术风格。

(八) 欣赏

［动～］　值得～｜开始～｜喜欢～

［～宾］　～风景｜～音乐｜～歌剧｜～中国画｜～杂技｜～相声｜～工艺品｜～邮票

［状～］　尽情地～｜愉快地～｜特别～｜默默地～｜正在～

［～补］　～完了｜～不了｜～了一会儿｜～过两次

［～中］　～的角度｜～的眼光｜～能力｜～水平｜～的地方｜～的口气

(1) 他很欣赏小王的艺术才能。

(2) 阿里喜欢欣赏中国的民间艺术品。

四 语法例释

(一) 重新配写了歌词

“重新”,副词。表示从头开始,再一次。意义、用法跟“重”相近。例如:

(1) 他根据新的情况,重新写出了报告。

(2) 你应该重新考虑自己的意见。

(3) 那一年他已经60多岁了,又重新开始学习法语。

(4) 打开看了以后,他又重新把那盒礼物包好。

(5) 他把生词又重新默写了一遍,才放心地走进了考场。

(6) 孩子的哭声停止以后,他又重新进入了梦乡。

(二) 不仅保留了原来的风格,而且听起来更加优美动人

“不仅”,连词。多用于书面语。常跟“而且”配合使用,连接两个并列的单句。表示除所说的意思之外,还有更进一层的意思。例如:

(1) 学校的房子不仅要修,而且一定要修好。

(2) 玛丽不仅会说汉语,而且还说得很流利。

(3) 现在我家不仅不愁吃穿,而且还有存款。

(4) 杭州的丝绸不仅在国内有名,而且还销往世界各地。

(5) 今天不仅热,而且还闷得厉害。

(6) 他不仅自己努力学习,而且还热情帮助学习不好的同学。

(三) ……高兴得手舞足蹈

“手舞足蹈”在句中作情态补语。情态补语表示行为动作的程度或状态,位于动词或形容词之后,一般用助词“得”连接。

1. 单个形容词作情态补语。例如:

(1) 他病了,脸白得可怕。

(2) 冬天,天黑得早。

(3) 郑伟跑得快,让他参加运动会吧。

(4) 张红的毛笔字写得好!

2. 短语作情态补语。例如:

(5) 他兴奋得脸都红了。

(6) 我看书看得忘了吃饭。

(7) 那个人吓得两腿发抖。

(8) 小王吃惊得说不出话来。

(9) 一句笑话把他逗得眉开眼笑。

(10) 她的桌子干净得一尘不染。

（四）被……作为保留节目（“被$_3$”）

“被”，介词。引进动作的施动者。“被……作为＋宾语”表示宾语是主语受动作支配而达到的结果。能这样与“被”配合使用的还有“看成”、“当做”、“选为”等动词。例如：

（1）他被选为先进工作者了。

（2）那本书被评为一等奖。

（3）《天鹅湖》被剧院作为保留节目了。

（4）在风沙弥漫的戈壁，水被作为最宝贵的礼物送给客人。

（5）这些民歌已被改编成迪斯科舞曲。

（6）没想到，我被他们看成了胆小鬼。

（五）……，而这支歌曲后面的故事更是令人心动

“而”，连词。多用于书面语。连接意思相对或相反的两个分句。“而”用在后一分句的开头。例如：

（1）我们都很严肃，而她却在那里开玩笑。

（2）你喜欢美丽的姑娘，而我更喜欢聪明的姑娘。

（3）他已经当爸爸了，而你还把他当孩子。

（4）我们这儿已经春暖花开，而北方还是冰天雪地。

（5）别人都放弃了，而我们没有失去信心，继续努力钻研。

（6）大家都只看到了他今天的成功，而没有看到他平时付出的心血和劳动。

（六）正当不知所措之时

“正当”，表示正处在（某一时期或阶段）。有以下几种用法：

1.“正当＋宾语”作谓语。例如：

（1）你们正当学知识的时候，要努力学习啊！

（2）孩子正当长身体阶段，要多吃营养食品。

（3）那时正当困难时期，婚事只好简办了。

（4）那时正当复习阶段，我当然不能陪他去玩。

2.“正当＋宾语”作状语。例如：

（5）正当高考的关键时刻，他又发起烧来。

（6）正当红灯亮起来的那一刻，一辆黑色小车冲过了路口。

（7）正当他犹豫的时候，旁边的人抢先说出了答案。

（8）正当比赛快要结束之时，甲队突然又攻进了一个球。

（七）任马儿自由地奔跑

“任”有以下几种用法：

1. 动词，表示放任，不干涉，不过问。有“听凭”、“随便”、“由”的意思。例如：

(1) 年纪大的人总爱回忆过去,任他说吧,不要打断他的话。

(2) 水很宝贵,如果任其浪费,是很可惜的。

(3) 今天看电影的人不多,许多座位都空着,当然就任我们挑选啦!

(4) 他是个有主意的聪明人,不会任你摆布的。

2. 连词,句中有疑问词跟"任"相呼应,表示在任何情况下都是如此,有"不管"、"无论"的意思。例如:

(5) 任他怎么叫,小王也不开门。

(6) 任你怎么说,我也不答应。

(7) 任他是谁,也得遵守规定。

(8) 任他走到哪儿,我也能找到。

(八) 他们的心却是相通的

"是……的"多用来表示说话人的看法、见解和态度,对主语起解释、说明作用。"是"和"的"都表示语气,一般可以同时省略,或只省略"是"。在本句中是用肯定的语气来表示说话人的看法。例如:

(1) 只要努力学习,他的汉语水平是会提高的。

(2) 老马一天要记住这么多生词,困难是确实存在的。

(3) 虽然他爱批评人,可他的心是善良的。

(4) 要想打败他们,是不容易的。

(5) 你这样继续搞下去,是要倒霉的。

(6) 对于他们的帮助,我是很感谢的。

五 副课文

(一)阅读课文 贺绿汀(Hè Lùtīng)的音乐生活

贺绿汀是中国现代著名的作曲家、音乐教育家。他出生在湖南一个小山沟(shāngōu)里。山上松柏(sōng bǎi)常青,绿草满坡。山脚的小河唱着歌儿,流向远方。如画的家乡山水养育(yǎngyù)了他,也给他的童年带来许多欢乐。那时,他常跟小伙伴(huǒbàn)们一起到山坡上放牛(fàng niú)。他们一边放牛,一边愉快地唱起山歌(shāngē)。歌词大都是临时编的。歌曲简单朴素,伴随着哗哗的小河流水声,在绿色的山沟里一阵阵地回响(huíxiǎng),非常动听。有时两上小伙伴各站一个山头,隔着山沟就高声唱起来:"哎啰喂,山对面有个丑(chǒu)小孩啰……",既好笑,又有趣。

一天半夜，邻居家死了人，阵阵哭声传来，把贺绿汀吵醒了。许多为死者守夜的人不停地唱着哀悼(āidào)的歌，一直唱到天亮。歌声那么悲哀(bēi'āi)凄凉(qīliáng)，就是多年以后回想起来，那朴素的旋律，仍然有令他心痛的艺术力量。

贺绿汀的父亲虽然没有文化，但高兴时也喜欢唱唱山歌。每年收获季节到来时，只要收成(shōucheng)好，他常常在打谷场上望着堆起的粮食高兴地哼起湖南地方戏的曲调(qǔdiào)。尽管父亲的嗓音并不怎么好，但因为心情愉快，又是在明媚的月光下，所以在贺绿汀听来，父亲的歌声显得格外优美，很有些诗情画意(shīqíng huàyì)。

在乡村，要想看个戏什么的是很不容易的。每当十几里以外的地方演唱花鼓戏(huāgǔxì)的时候，村民们爬山过河也要赶去看，贺绿汀更是高兴地光着小脚去看热闹。这一切都在他童年的心里埋下了音乐的种子。

后来他到长沙当老师，常去在湖南师范(shīfàn)学校工作的二哥那里玩。那个学校条件比较好，他看到了五线谱(wǔxiànpǔ)，还有一些介绍音乐知识的书。这些书他以前没看到过，别的地方也很难找到。他好像得到宝贝(bǎobèi)似的，急切地翻阅着。可是书上的五线谱符号(fúhào)却让他发愣。不过，这并没有难倒他，没有人教，他就自己边看边学。就这样，他渐渐学会了识五线谱。

考音乐专科学校时，碰巧要考五线谱。考生里懂五线谱的人很少，而贺绿汀已经自己学会了，所以他的考试成绩特别好，被学校优先录取(lùqǔ)了。这所学校在当时思想开放，教师水平高，在湖南和全国都很有名。他在这里主要学习画画儿和音乐两门课。从此，他决心把自己的一生献给音乐事业。

1931年他考入了上海国立音乐学院。学习期间，他创作了《牧童短笛》这首著名的钢琴曲，并获得国际"中国作品比赛"一等奖，后由俄国作曲家齐尔品介绍到欧洲各国。全曲共分三段。第一段展现在我们面前的好像一幅美丽的图画：一个天真可爱的牧童骑在牛背上吹着笛子，在田野里漫游(mànyóu)。第二段旋律活泼欢快，是传统的民间舞蹈节奏(jiézòu)。第三段再现了第一段的主题。全曲具有浓郁(nóngyù)的民族风格。

抗日(Kàng Rì)战争爆发(bàofā)后，他创作了有很大影响的《游击队(yóujīduì)之歌》，在军队和群众中广为流传。人们非常喜欢那轻快流畅(liúchàng)的曲调，而且它很适合部队行军(xíngjūn)时边走边唱。

贺绿汀长期从事音乐创作和教育事业，多次参加国际音乐节，作品数量极多，代表作还有《天涯(tiānyá)歌女》、《四季歌》、《摇篮(yáolán)曲》等。他为中国现代音乐事业的发展做出了重大贡献。

(二)会话课文　“重大”发现

琼斯：最近我有一个“重大”发现。

周平：什么重大发现？那么严重？

琼斯：中国人表达谦虚(qiānxū)的方式跟我们西方人不一样。

周平：怎么不一样？

琼斯：比如说，自己受到别人称赞时，西方人一般都会高兴地回答：“谢谢！”

周平：中国人却不好意思地说：“哪里，哪里，还差得远呢。”“您过奖了……。”

琼斯：“我的工作没做好，请多指教(zhǐjiào)！”

周平：欸(éi)！你听谁说的？你也会这种中国式的谦虚了？

琼斯：我以前打工的美国公司有一个中国雇员(gùyuán)，他见到老板就爱这样说。老板以为他真的不行，就打算解雇(jiěgù)他，另雇别人。

周平：对了，我有个朋友在英国留学，也遇到过这种情况。那时他刚从中国到英国，一跟导师(dǎoshī)见面就说自己成绩不好，希望多指教。当时导师对他很失望，怪自己运气不好，碰到了一个笨学生。可是后来发现这个学生并不差，人很聪明，学得也特别好。

琼斯：导师和老板都产生了同样的误会，这也难怪他俩。因为西方人习惯于尽量表现自己的优势(yōushì)，这样才能得到对方或雇主的赏识(shǎngshí)。中国式的表达有时容易给人一种缺乏自信的印象。

周平：可是，在中国，这却是谦虚的表示。中国人把谦虚看成一种美德(měidé)，谦虚的人才容易获得别人的好感。当然啦，如果不了解这些交际文化中的差异(chāyì)，不仅会产生误会，还可能闹笑话。

琼斯：不瞒(mán)你说，我自己就闹过这方面的笑话。

周平：是吗？说说我听听。

琼斯：有一次，我去中国朋友家做客，主人做了很多好吃的菜，却对我说：“没什么好吃的，随便吃点儿吧！我的手艺(shǒuyì)不好……”我听了以后很不安。

周平：那为什么呢？主人的话正是一种谦虚、礼貌的表示呀！

琼斯：因为在我们国家，如果有客人来吃饭，主人会高兴地介绍说：“这是我最拿手的菜，味道好极了！”所以，当时我急忙站起来说：“对不起，我打扰你们了，我是不是应该……”

周平：你的中国朋友一定觉得奇怪了吧？

琼斯：是呀。小王问我：“你怎么啦？”我悄悄说出了自己的看法，小王赶忙笑着给我解释，我才安心地留下了。可是临走时，又遇到了问题。

周平：又遇到什么问题啦？

琼斯：我把一件礼物送给主人，主人说：“来玩儿就行了，带礼物干什么？”我心想，糟了！他们可能不喜欢我的礼物。

周平：你怎么会有这种想法呢？

琼斯：因为在我们国家，客人送礼物时，主人不仅会当面打开，而且还会把礼物称赞一番，表示喜欢……

周平：可是，在中国一般不会这样。如果这样做的话，好像意味着下次还要客人带礼物来，客人会认为主人太"看重礼物"了。

琼斯：啊，这些对我来说都太重要了。看来，在交往的过程中，一定要了解对方的心理、习惯、文化差异，不同国家的人互相交往更是如此。

周平：光会说汉语还不行啊。

琼斯：你说是不是"重大"发现？

（三）听力课文　误会

她是一个漂亮的姑娘。可当她在商店上班时，顾客从没见过她的笑脸。

一个浓眉大眼的小伙子最近常到这个商店买东西。他细细地看，慢慢地买，不时还向姑娘的脸上盯一眼。

姑娘起了疑心。她悄悄掏出小镜子照了照自己，又对着镜子画了画眉，抹了抹口红，鼻子里哼了一声，心里说：瞧你那样儿！还想打我的主意？我要让你尝尝我的厉害！

小伙子又来买东西了。姑娘扔出一大堆零钱找给他。有的硬币满桌乱滚，有的还掉到了地上。小伙子愣了一下："你……，这是干什么？""干什么？找你钱！""这叫人怎么拿？""没法拿，甭要！""你……什么态度！""就这态度！你花钱还买不起呢！""你这是为人民服务吗？""就不为你服务！"一场争吵发生了。

不料第二天，两张剧票送到了姑娘的面前，小伙子红着脸说："昨天我态度不好，向你道歉！今天我们剧院演出，请你和朋友光临……"

晚上姑娘和妈妈准时来到剧院，演出开始了。瞧！台上不是他吗？浓眉大眼，穿着售货员的工作服，正和"顾客"吵着："就怪你！""你这是什么态度？""就这态度，你花钱还买不起呢！""你这是为人民服务吗？""就不为你服务！"

姑娘脸红心跳，明白了一切……

生　词

1. 浓眉大眼		nóng méi dà yǎn	heavy features sourcils épais et grands yeux	
2. 疑心	（名）	yíxīn	suspicion doute; soupçon	丙

3. 口红	（名）	kǒuhóng	lipstick rouge à lèvres
4. 硬币	（名）	yìngbì	coin monnaie en métal
5. 争吵	（动）	zhēngchǎo	quarrel　丁 se quereller; se disputer
6. 光临	（动）	guānglín	presence(of a guest etc.)　丙 honorer quelqu'un de sa présence

六　练　习

(一) 画线连词：

受到　　资料　　　　广泛　　风格
焕发　　音乐　　　　拍摄　　改编
欣赏　　青春　　　　精心　　流传
收集　　喜爱　　　　艺术　　电影

(二) 给下列句子填上适当的情态补语：

1. 丁力听故事听得＿＿＿＿＿＿＿＿＿＿＿＿。
2. 听说父亲的病很重，他急得＿＿＿＿＿＿＿＿＿＿＿＿。
3. 终于爬到了山顶，阿里累得＿＿＿＿＿＿＿＿＿＿＿＿。
4. 这儿有快餐卖吗？我已经饿得＿＿＿＿＿＿＿＿＿＿＿＿了。
5. 水平考试开始了，同学们紧张得＿＿＿＿＿＿＿＿＿＿＿＿。
6. 让玛丽去参加汉语节目表演吧，她的汉语说得＿＿＿＿＿＿＿＿＿＿＿＿。
7. 天气又热又闷，我们渴得＿＿＿＿＿＿＿＿＿＿＿＿。
8. 儿子考上了那个有名的大学，父母高兴得＿＿＿＿＿＿＿＿＿＿＿＿。
9. 我已经两天两夜没睡觉了，困得＿＿＿＿＿＿＿＿＿＿＿＿。
10. 那本小说很有吸引力，小王看得＿＿＿＿＿＿＿＿＿＿＿＿。

(三) 用指定的词语回答问题：

1. 你认为老年人能学好外语吗？（是……的）

2. 王平爱批评人，我不喜欢他。你呢？（是……的）

3. 为什么玛丽还没写完作业？（重新）

4. 你的收音机坏了,怎么欣赏音乐呢?(重新)

5. 在农贸市场买水果,可以挑吗?(任)

6. 这可是秘密,你会告诉小王他们吗?(任)

7. 哎!北京大学队什么时候又攻进了一个球?(正当……的时候)

8. 王红是个很小心的人,昨天怎么出了交通事故?(正当……的时候)

9. 你知道王洛宾是谁吗?(不仅……而且……)

10. 玛丽会说汉语吗?(不仅……而且……)

11. 我们国家现在是冬季,你们国家呢?(而)

12. 你喜欢什么样的朋友?(而)

13. 你这么高兴,一定有什么喜事吧?(被……选为)

14. 为什么那个歌唱家每次演出总要唱《在那遥远的地方》呢?(被……作为……)

15. 这次汉语节目表演你们班怎么样?(被……评为……)

(四) 改写句子:

1. 她认为书就是最好的生日礼物。(被……看成……)

2. 周平把《达坂城的姑娘》改编成舞曲了。(被……改编为……)

3. 真没想到,他把我当成了骗子。(被……看成……)

4. 大家都选丁力当班长。(被……选为……)

5. 老舍的《骆驼祥子》是那个剧院的保留节目。(被……作为……)

6. 老师认为小王是同学们学习的榜样。(被……看成……)

7. 阿里学习很努力,玛丽却不喜欢学习。(而)

8. 现在北京是冬季,我们国家的首都却是夏季。(而)

9. 不管他怎么说,我就是不同意。(任)

10. 不管你是谁,对顾客也应该有礼貌。(任)

(五) 整理句子:

1. 吃惊 话 刘红 不 出 得 说 来

2. 喜欢 特别 西部 她 民歌 首 这

3. 开 流传 这 来 首 快 歌 很

4. 写 了 出 歌词 他 重新 又

5. 那 吸引 风格 了 住 的 被 他 幽默

6. 电视 成 把 他 剧 这 改编 了 个 故事

7. 作品 鲜明 风格 的 民族 他 的 具有

8. 音乐 中国 阿里 欣赏 喜欢 民族

(六) 根据课文内容回答问题:

1. 为什么西部民歌能长期受到大家的喜爱?
2. 王洛宾是怎样收集和改编西部民歌的? 举例说明。
3. 新疆的达坂城和达坂城姑娘为什么会闻名中外?
4. 王洛宾所改编的西部民歌哪一首最有名? 谈谈它的产生经过。
5. 为什么说民歌以它的美和生命给了王洛宾灿烂的艺术青春?

(七)阅读练习:

1. 根据阅读课文内容,选择一个最恰当的答案。

(1) 贺绿汀跟小伙伴们唱的山歌是:

A. 从书上学来的。

B. 别人编的。

C. 自己编的。

(2) 为什么那些哀悼的旋律能给贺绿汀留下很深的印象?

A. 因为歌声非常悲哀凄凉。

B. 因为守夜的人不停地唱。

C. 因为那天晚上他被哭声吵醒了。

(3) 他父亲什么时候喜欢唱湖南地方戏?

A. 收成好的时候。

B. 月亮出来的时候。

C. 嗓音不好的时候。

(4) 哪些事在他童年的心里埋下了音乐的种子?

A. 光着小脚。

B. 山上有松柏。

C. 听父亲唱湖南地方戏。

(5) 书上的五线谱符号让他发愣,是因为:

A. 他太激动了。

B. 他不认识五线谱。

C. 以前认识,现在不认识了。

(6) 为什么他考试成绩特别好?

A. 他唱山歌唱得好。

B. 他会作曲。

C. 他懂五线谱。

(7) 他的哪首钢琴曲具有浓郁的民族风格?

A.《游击队之歌》

B.《牧童短笛》

C.《摇篮曲》

2. 根据阅读课文内容回答:

(1) 哪些事在贺绿汀童年的心里埋下了音乐的种子?

(2) 他是怎么学会识五线谱的?

(3) 认识五线谱给他带来了什么好处?

(4) 贺绿汀在音乐创作方面取得了哪些成就?

(八) 口语练习:

1. 分角色练习对话。注意语音语调。

2. 两人一组进行问答练习:

(1) 在你们国家,人们交往时怎样用语言表示谦虚和礼貌?

(2) 有哪些表达方式跟中国人不一样?

(九) 听力练习:

1. 听录音判断正误,并说明理由。

( ) (1) 姑娘对顾客不热情。
( ) (2) 小伙子注意观察那个姑娘的工作情况。
( ) (3) 小伙子被姑娘的美貌迷住了。
( ) (4) 姑娘怀疑小伙子想偷东西。
( ) (5) 姑娘怀疑小伙子爱上了她。
( ) (6) 她瞧不起那个小伙子。
( ) (7) 她打算故意给小伙子找麻烦。
( ) (8) 小伙子不满意姑娘的服务态度。
( ) (9) 小伙子为了能跟姑娘谈恋爱,主动送给了她两张票。
( ) (10) 其实,那个浓眉大眼的小伙子是个演员。
( ) (11) 姑娘知道真实情况后,觉得很不好意思。
( ) (12) 小伙子常去商店,是工作的需要。

2. 根据录音内容复述大意。

(十) 交际训练:

1. 说一段话或写一段话。

提示: (1) 看京剧
(2) 欣赏音乐
(3) 看电影
(4) 参加舞会

下面的词语可以帮助你表达:

优美动听、艺术、风格、喜爱、拍摄、扮演、欣赏、手舞足蹈、旋律、是……的、重新、任、正当、轻快、不仅……而且……

2. 讨论:

(1) 你们会唱中国民歌吗? 你们最喜欢哪一首? 为什么?

(2) 你们国家有没有像王洛宾这样收集和改编民歌的人,讲一讲他们的故事。

(3) 介绍一下你们国家最有名的民歌,你能唱给我们听听吗? 并说说歌词的大意。

(4) 在与中国人的交往中,你们遇到过什么麻烦吗?这些麻烦是不是和两国的文化差异有关系?

3. 语言游戏:

(1) 接着说单词。

教师把学生分成人数相等的甲、乙两组。甲组记下乙组开始的时间,然后由乙组学生每人依次说出一个词语。接着说的单词,只要含有前一个词中的一个字即可。接得要快,不能中断,不能重复,尽量用上本课出现过的词语。当乙组全体说完时,再由甲组记下结束时间。然后甲、乙两组交换角色,由乙组记时,甲组进行。最后大家比一比,看哪个组说得又快又好。

举例:

1) 歌声—歌曲—歌词—民歌—歌王—歌唱家—歌舞之乡……

2) 扮演—表演—演唱—演出—演员……

3) 五线谱—乐谱—乐器—音乐—声音……

(2) 我说上句,你接下句。

教师把学生分成人数相等的 2~3 个小组。某一组开始时,先记下时间。教师或学生先说第一句,然后这个组的学生依次接着说一句意思连贯的话。尽量用上本课学过的句式和词语。请各组选一代表记下本组学生说的一段话,并念给大家听。最后大家根据每组所花时间和所写内容评出名次。

举例:

1) 玛丽放暑假去了遥远的歌舞之乡——新疆。

2) 她在那儿见到了西部歌王,

3) 还学会了西部民歌《达坂城的姑娘》。

4) 达坂城的姑娘教她跳活泼、轻快的民族舞,

5) 她被那种特有的艺术风格吸引住了。

6) 当她学会这种舞蹈时,

7) 达坂城姑娘高兴得手舞足蹈。

8) 她们又给玛丽演唱了几首西部民歌,

9) 那歌声优美动人,

10) 给玛丽留下了难忘的印象。

(3) 你知道下面这个成语的意思吗?请讲给同学们听听。

三人行,必有我师(sān rén xíng, bì yǒu wǒ shī)

4. 看一看,说一说,写一写。

—方成—

第十五课

一　课文　公文包[1]丢失[2]之后

去年三月的一天，李英和做公安[3]工作的老同学钱平一起去看电影。看完电影，退场时，他们发现一个座位下有个公文包，于是上前拾起。他俩在那儿等了一会儿，见没人来找，就带着包离开了电影院。

他俩走到一个胡同口，打开了公文包。查清了公文包内的物品[4]后，李英把公文包交给钱平，委托[5]他保管，但不让他交给派出所[6]。

丢公文包的人叫周立华，是某厂的工人，近年来一直兼[7]做汽车生意。公文包内装有现金[8]、私人图章[9]及朋友林大福的汽车提货单[10]等，总价值 80 多万元。发现公文包丢失后，他十分焦急，立即在两家报纸上连续刊登[11]寻包启事[12]，并表示对拾包人要重谢。很快，周立华便收到了匿名[13]电话，问"怎么谢"，希望将"重谢"具体化，并提出酬金[14]数为 1.5 万元。

一周后，周立华的朋友林大福从外地赶来。二人商量后，以林大福的名义[15]又在报上两次刊登寻包启事，明确表示愿付给还包者 1.5 万元。

几天后，李英就给周立华和林大福回了电话，双方约好当天下午三点在光华中学门口见面。

见面时，周立华发现公文包内的现金和某些物品已被取出，于是，双方发生争吵[16]，因此，周立华未付 1.5 万元酬金。这一切，被周立华派在远处等候[17]的人看见并[18]报告了附近的派出所。

因为周立华未付 1.5 万元酬金，李英便向区人民法院[19]起诉[20]，要求周立华履行[21]交付酬金的承诺[22]。区人民法院受理[23]了这个案件[24]。

经过调查后，区人民法院进行第一次开庭[25]审理[26]。双方委托的律师[27]根据民事[28]诉讼[29]法[30]第 127 条的规定进行法庭[31]辩论[32]。原告[33]委托的律师认为：这个案件的性质是由合同而产生的债务[34]问题，被告[35]应根据合同付酬金。理由是被告在启事中作了承诺，原告根据被告的承诺向被告做出了送还丢失物品的决定,这样,此合同便确定下来;被告违背[36]承诺,因而形成了因为违反合同而产生的债务。原告律师还指出:被告不止[37]一次,而且在不止一种报纸上刊登寻包启事,表明了被告的真实[38]意思和焦急心情[39]。因此,原告有理由根据启事中的规定得到利益,被告有责任履行义务[40];然而被告违背规定,以诈骗[41]为理由报告派出所,这不符合有关法律规定的诚实[42]、信用[43]原则。律师要求法院保护原告应获得的利益。

被告的律师则认为:根据法律规定,拾得物品应当还给失主[44]。因此,原告应该把拾得的公文包还给被告。有关法律还规定,乘人之危[45],使对方在违背真实意思的情况下做出决定的行为[46]是无效[47]的行为,因此,启事中所提到的酬金问题是无效的。被告的律师进一步指出:一、原告李英在拾到公文包后在主观上没有主动[48]寻找失主的表示;二、原告在客观上是在等待有偿[49]还包;三、钱平本身[50]是个公安人员,应该懂得法律上对拾得物品如何处理的规定,但他却为李英保存公文包,并帮助李英向失主索要[51]酬金。钱平没有履行公安人员的义务,他的行为不符合他的身份。被告律师还对被告刊登启事的背景[52]作了介绍。他说,被告本来打算给拾包人 3 千元;但接到匿名电话后,觉得如果不答应对方提出的条件,拾包人就不会交还公文包,只好答应了拾包人的要求。见面时,被告曾要付给对方 3 千元表示感谢,但原告坚持要 1.5 万元,在这种情况下,被告才未付酬金给原告。

经过法庭辩论,区人民法院驳回[53]了原告的诉讼请求,原因是:原告李英拾到被告所丢失的物品后,没有根据拾得物品应当还给失主的法律规定,按照包内物品提供的线索[54],积极寻找失主,反而在家等待寻包启事。这种行为,违背社会道德[55]。至于[56]两个被告在报纸上刊登的寻包启事中所提到的酬金,没有法律效力[57],而且并不是失主的"真实意思"。

区人民法院判决[58]后,在社会上引起[59]了不同的议论[60]。一种看法认为,法院的判决是正确的,凡拾得的物品都应该无条件地还给失主,以维护[61]法律,维护社会道德。另一种看法则认为,法院的判决不太合理,因为现在人们的道德观念、价值观念已经发生了很大变化。拾金不昧[62]固然[63]是中华民族的传统美德[64],但在目前干什么都讲效益的情况下,拾到别人的物品要求得到报酬也不能算不道德。在人们的议论中,有一位法律工作者指出,被告在启事中的承诺也应当受到法律的制约[65],有关法律规定的诚实、信用的原则也应当遵守。

原告对法院的判决不服,表示要向市中级人民法院提出上诉[66]。"公文包丢失"的案件没有结束,人们的思考还在继续。为了适应和推动时代的发展,传统的观念、道德标准受到了挑战[67]。人们在思考中选择,这种选择,有时十分艰难[68]。

(选自《北京日报》,作者:刘晓辰。有删改。)

二 生 词

1. 公文包	(名)	gōngwénbāo	briefcase serviette	
2. 丢失	(动)	diūshī	lose perdre	丁
3. 公安	(名)	gōng'ān	public security sécurité publique	丙
4. 物品	(名)	wùpǐn	thing; goods chose; objet	丙
5. 委托	(动)	wěituō	entrust confier; charger	丙
6. 派出所	(名)	pàichūsuǒ	police substation commissariat de police	丁
7. 兼	(动)	jiān	hold a concurrent post cumuler; en même temps	丙
8. 现金	(名)	xiànjīn	cash argent comptant	丁
9. 图章	(名)	túzhāng	seal cachet; sceau	
10. 提货单	(名)	tíhuòdān	bill of lading bulletin de livraison	
11. 刊登	(动)	kāndēng	publish in a newspaper or magazine publier	丁
12. 启事	(名)	qǐshì	notice annonce	丁
13. 匿名	(形)	nìmíng	anonymous anonyme	
14. 酬金	(名)	chóujīn	remuneration rémunération	

15. 名义	（名）	míngyì	name nom; titre	丁
16. 争吵	（动）	zhēngchǎo	quarrel se quereller	丙
17. 等候	（动）	děnghòu	wait attendre	丙
18. 并	（连、副）	bìng	and; actually et; aussi	乙
19. 法院	（名）	fǎyuàn	law court tribunal	丙
20. 起诉	（动）	qǐsù	sue intenter un procès à qn; porter plainte en justice	丁
21. 履行	（动）	lǚxíng	carry out accomplir; exécuter	丁
22. 承诺	（名）	chéngnuò	promise to undertake promesse	
23. 受理	（动）	shòulǐ	accept and bear a case admettre une cause	
24. 案件	（名）	ànjiàn	case affaire	丁
25. 开庭		kāi tíng	open a court session ouverture d'une séance	
26. 审理	（动）	shěnlǐ	hear; try juger	丁
27. 律师	（名）	lǜshī	lawyer avocat	丁
28. 民事	（名）	mínshì	civil affaire civile	丁
29. 诉讼	（动）	sùsòng	bring in a lawsuit against intenter un procès	丁
30. 法	（名）	fǎ	law loi	丁
31. 法庭	（名）	fǎtíng	tribunal tribunal	丁
32. 辩论	（动、名）	biànlùn	debate débattre; discuter	丙
33. 原告	（名）	yuángào	plaintiff plaignant; accusateur	丁

34. 债务	（名）	zhàiwù	debt dette	丁
35. 被告	（名）	bèigào	defendant accusé	丁
36. 违背	（动）	wéibèi	violate violer；agir contre	丙
37. 不止	（动）	bùzhǐ	be more than ne pas se limiter à	丙
38. 真实	（形）	zhēnshí	real；true réel；vrai	乙
39. 心情	（名）	xīnqíng	state of mind sentiment	乙
40. 义务	（名）	yìwù	duty obiligation	丙
41. 诈骗	（动）	zhàpiàn	swindle escroquer	丁
42. 诚实	（形）	chéngshí	honest honnête	乙
43. 信用	（名）	xìnyòng	credit crédit	丁
44. 失主	（名）	shīzhǔ	owner of lost property propriétaire d'un objet perdu(volé)	
45. 乘人之危		chéng rén zhī wēi	take advantage of sb.'s precarious position profiter de la situation précaire de qn	
46. 行为	（名）	xíngwéi	action action	丙
47. 无效	（形）	wúxiào	invalid nul；non valide	丁
48. 主动	（形）	zhǔdòng	initiative prendre l'initiative	丙
49. 有偿	（形）	yǒucháng	paid payant	
50. 本身	（代）	běnshēn	itself soi-même	丙
51. 索要	（动）	suǒyào	ask for demander	

52. 背景	（名）	bèijǐng	background arrière-plan；fond	丙
53. 驳回	（动）	bóhuí	reject rejeter	
54. 线索	（名）	xiànsuǒ	clue piste；fil	丁
55. 道德	（名）	dàodé	morals morale；moralité	乙
56. 至于	（连、副）	zhìyú	as for quant à	丙
57. 效力	（名）	xiàolì	effect effet；force de loi	丁
58. 判决	（动）	pànjué	judge juger	丁
59. 引起	（动）	yǐnqǐ	lead to；evoke introduire	乙
60. 议论	（名、动）	yìlùn	comment；talk discussion；discuter	乙
61. 维护	（动）	wéihù	defend protéger；sauvegarder	乙
62. 拾金不昧		shí jīn bú mèi	not pocket the money one picks up ne pas garder pour soi l'argent acquis	
63. 固然	（连）	gùrán	of course；admittedly sans doute...(mais)	丙
64. 美德	（名）	měidé	virtue vertu	丁
65. 制约	（动）	zhìyuē	restrict restreindre	丁
66. 上诉	（动）	shàngsù	appeal faire appel	丁
67. 挑战		tiǎo zhàn	challenge jeter le gant；défier	丁
68. 艰难	（形）	jiānnán	difficult；hard difficile；dur	丙

专　名

1. 李英	Lǐ Yīng	name of a person nom de personne

2. 钱平	Qián Píng	name of a person nom de personne
3. 周立华	Zhōu Lìhuá	name of a person nom de personne
4. 林大福	Lín Dàfú	name of a person nom de personne
5. 中华民族	Zhōnghuá Mínzú	the Chinese nation nation chinoise

三　词语搭配与扩展

(一) 委托

[动～]　受……～|打算～(他去)|同意～……

[～宾]　～(给)老乡|～同事(去办)

[状～]　已经～(给他)|正式～(一个人)|把……～(给他)

[～补]　～错了人|～给朋友|～过他一次

[～中]　～的目的|～的人|～的事

(1) 张经理委托老李完成这项任务。

(2) 我把邮包委托给小赵保管。

(二) 保管

[动～]　进行～|接受～|开始～|继续～

[～宾]　～邮包|～书信|～收录机|～电器

[状～]　可以～|不～|已经～|认真～

[～补]　～得好|～不了|～一下|～了一个月

[～中]　～的原因|～的方式|～的过程|～的报酬

(1) 咱们商量一下,这些资金由谁来保管。

(2) 那些资料我只保管了一个月就转交给马强了。

(三) 刊登

[动～]　主张～|放弃～(这个广告)|决定～|支持～(这条消息)

[～宾]　～广告|～……启事|～小说|～照片

[状～]　常～|尽量～|要～|随便～|偶尔～

[～补]　～得及时|～得早|～在……上|～了三次

[～中]　～的文章|～的内容|～的消息|～的时间

(1) 我几乎不看报上刊登的广告,我觉得大部分广告不真实。

(2)《语文学习》杂志这一期刊登了刘先生两篇文章。

(四) 履行

[动~]　开始~|准备~|决定~|需要~

[~宾]　~承诺|~……义务|~合同|~手续|~协议

[状~]　必须~|尽快~|严格~|始终~

[~中]　~的手续|~的义务|~……的过程

(1) 爱护和保护公共财产是每个人都应该履行的义务。

(2) 你们没有履行合同的规定,要赔偿我们的损失。

(五) 辩论

[动~]　组织~|支持~|重视~|参加~|展开~

[~动]　~开始|~继续|~提前|~进行(了一小时)

[~宾]　~……的问题|~……方案|~(这个)题目

[状~]　热烈地~|激烈地~|正在~|公开~|可以~

[~补]　~清楚|~完|~下去|~了一个上午|~了三次

[~中]　~的内容|~的性质|~的理由|~的地点

(1) 通过这场辩论,大家统一了认识。

(2) 关于经费问题,我们已经辩论过好几次了。

(六) 违背

[动~]　反对~(规章制度)|不准~(原则)|担心~(合同)

[~宾]　~……道德|~……制度|~……规定|~诺言

[状~]　竟然~(原则)|决不~……|完全~……|多次~……

[~补]　~不了|~了一次

(1) 你的行为违背了组织原则,应该受到批评。

(2) 偷看别人的信件是违背道德的,也是违法的。

(七) 真实

[主~]　内容~|消息~|材料~|背景~

[动~]　觉得~|显得~|要求~|不够~

[状~]　很~|不太~|确实~|要~

[~补]　~极了|~一点儿|~得很

[~中]　~的思想|~的看法|~的经历|~的情况

(1) 这个材料反映的情况是不真实的,要重新调查一下。

(2)《根》这部电影反映的背景是相当真实的。

(八) 主动

[动~]　缺乏~(的精神)|显得~|做到~|开始~(起来)

[~动]　~接触|~让座|~向……道歉|~选择(艰苦的工作)

[状~]　十分~|比较~|应该~|确实~

[～补]　～极了|～一点儿|～起来|～了一阵儿

(1) 无论谁遇到困难,他都主动帮助解决。

(2) 大学毕业时,孙利主动要求到最艰苦的地区工作。

(九) 维护

[动～]　继续～(妇女的权益)|要求～……|希望～……|加以～|进行～

[～宾]　～秩序|～团结|～和平|～(合法)权利|～……名誉

[状～]　努力～|要～|共同～|坚决～(他们的利益)|以行动～(和平)

[～中]　～的对象|～的原则|～的范围

(1) 维护人民利益是我们义不容辞的责任。

(2) 他这样做,是为了维护公司的名誉。

四 语法例释

(一) ……并表示对拾包人要重谢

连词"并"可连接动词、动词性词组或分句,表示递进关系。多用于书面语。例如:

(1) 昨天上午的会议讨论并通过了你们的建议。

(2) 他们提出并找到了解决问题的办法,值得称赞。

(3) 老马嘱咐我多安慰她,并要我多帮助她解决生活上的困难。

(4) 吴坚的儿子在国外考上了一所名牌大学并获得了奖学金。

(5) 张技术员给我推荐了几本书,并把他的工作经验传给了我。

(6) 我们要求出售劣质皮鞋的东方商店向顾客道歉并赔偿经济损失。

"并"作副词时可用在"不、没、未、非"等否定词前边,以加强否定的语气,略含反驳和说明真实情况的意味。例如:

(7) 作品的价值并不决定于字数的多少。

(8) 他们说问题已经解决,实际上并非如此。

(9) 他们两个不再争吵了,可问题并未解决。

(10) 这个问题极其重要,但并没有引起人们的重视。

(二) 这个案件的性质是由合同而产生的债务问题

介词"由"与连词"而"构成"由……而……"格式,"由"后跟名词、动词或词组,表示原因,"而"引出产生的结果。常用于书面语。例如:

(1) 你们必须赔偿由出售伪劣产品而给顾客造成的损失。

(2) 由几代人的努力钻研而换来的这些成果是多么宝贵啊!

(3) 市政府正在研究由旱灾而产生的群众吃水难问题。

(4) 魏明举例说明了由丢失发票而带来的许多麻烦。

(5) 他由感冒而引起了肺炎，正在治疗。

(6) 由谁该履行义务而引起的争论持续了好几天。

（三）被告违背承诺，因而形成了因为违反合同而产生的债务

“因而”，连词。常用于因果复句的后一个分句。前一个分句表示原因或理由，后一个分句表示推论、判断或结果。常用于书面语。例如：

(1) 陈光这学期学习刻苦，因而学习成绩有了显著提高。

(2) 小张朋友多，因而参加他结婚典礼的人也多。

(3) 由于观点不一致，因而在讨论会上两个人争论得很激烈。

(4) 我们没做过这项调查，因而有必要向经验丰富的人请教。

(5) 由于高大夫是有名的治癌专家，因而找他治疗的癌症患者特别多。

(6) 杜特莱先生热爱中国古代文化，又懂中文，因而来中国访问时购买了不少中国古书。

(7) 李小红这次数学考试获得了第一名，因而受到了老师的表扬。

（四）然而被告违背规定，以诈骗为理由报告派出所

介词“以”和动词“为”搭配构成“以……为……”格式。这里的“以……为……”相当于“把（拿）……作为（当做）……”，“为”的宾语是名词性成分。例如：

(1) 普通话的语音是以北京语音为标准的。

(2) 他以医疗为职业，对技术精益求精。

(3) 从农村回来后，他以农村生活为题材，写了一个电影剧本。

(4) 老三不喜欢自己的工作，常以生病为借口不去上班。

(5) 方明以交通不便为理由，提出调动工作的申请。

(6) 周教授以环境保护为题做了一次学术报告。

（五）被告的律师则认为……

“则”，连词。常表示对比关系，有时有转折的意味，相当于“却”。多用于书面语。例如：

(1) 今年春季南方雨水充足，北方则出现了干旱。

(2) 中原公司的经济效益不错，而我们公司则越来越差。

(3) 这篇文章篇幅不长，内容则十分丰富。

(4) 多数百货店的服务水平是一流的，但个别售货员则服务态度较差。

(5) 小事情可以不计较,原则问题则不能让步。

(6) 有问题可以通过法律来解决,毁坏对方财物的做法则是错误的。

(六) 被告本来打算给拾包人 3 千元

"本来",副词。意思相当于"原先、先前",后面有时和"但、可"相呼应。可用在主语前,也可以用在主语后。常用于口语。例如:

(1) 村北边那块地本来是块荒地,现在成葡萄园了。

(2) 我本来学习历史,但后来改学法律了。

(3) 我本来想给他提意见,可一见面,又不好意思了。

(4) 小张本来不想安空调,可他妻子非要安,我就帮他安了。

(5) 牛牛本来失学一年多了,由于得到"希望工程"的帮助,又重返校园了。

(6) 父亲的腿本来摔得不太厉害,可是由于没有及时治疗,现在连路都走不了了。

(七) ……反而在家等待"寻包启事"的出现

"反而",连词。表示跟前面说的意思相反或出乎意料和常情之外,起转折作用。例如:

(1) 我以为走这条路会近一点儿,没想到反而更远了。

(2) 我讽刺了他几句,他不但没生气,反而笑起来。

(3) 你不必跟她解释,一解释她反而会多心。

(4) 老秦的病是找私人医生治疗的,病不但没治好,反而恶化了。

(5) 这个故事叙述的是东郭先生救了狼,狼反而要吃他。

(6) 朱力腿脚有残疾,走得反而比我还快。

(八) 拾金不昧固然是中华民族的传统美德

"固然",连词。用于转折复句的前一个分句,表示先承认或肯定某一事实;后一个分句常以"但是、可是、不过、然而"等词语与之呼应,以引出所要表达的本意。"固然"相当于"虽然",一般在主语之后。例如:

(1) 你反映的情况固然很重要,不过我们还要做进一步的调查。

(2) 这种收录机的质量固然好,可是价格太贵了。

(3) 考上了名牌大学固然值得自豪,没考上也不必灰心丧气。

(4) 教师的教学办法固然重要,但学生是否努力更为关键。

(5) 你工作固然很忙,然而还是可以抽出时间来锻炼身体的。

(6) 父母固然肯给我钱,不过我还是要靠自己打工挣钱去旅行。

五　副课文

(一)阅读课文　女儿的肖像(xiàoxiàng)权

当她接到市中级人民法院的判决时,心跳个不停。看完之后,眼泪止不住流了下来:女儿小菲的官司(guānsi)终于打赢了。

事情还得从头说起——

她有个聪明可爱的女儿叫小菲。小菲一生下来,她就决心把女儿培养(péiyǎng)成艺术人才。她以音乐教育法使女儿从小就受到艺术的熏陶(xūntáo)。因此,小菲4岁时就在一出戏中成功地扮演(bànyǎn)了一个重要角色(juésè)。接着又连续参加了几部电影的拍摄。在女儿演出的过程中,她始终陪着,替导演(dǎoyǎn)给孩子说戏,使孩子尽快进入角色。看到女儿在艺术道路上健康成长,她是多么高兴啊!

1990年夏天,某出版单位的吕伯找到她,要求拍一些小菲的照片,以举办个人摄影(shèyǐng)艺术展览。她答应了,但提醒他不要发表:她不愿女儿的艺术道路受到"商业活动"的影响。

然而,她担心的事还是发生了。一天,她发现女儿的肖像被印到挂历(guàlì)上,许多书店都在出售。很快便听到许多人议论:她拿女儿当摇钱树。好心的朋友也劝她不要为了赚钱影响孩子的前途;女儿也委屈地告诉她,许多小朋友笑话自己到处去挣钱。这一切,给她造成了很大的精神压力。

于是,她找到吕伯,要求他讲信用,保证以后不再发表小菲的照片。但这一合理的要求竟遭到拒绝。她本来不愿意浪费时间打官司,可一直等了吕伯三个月,小菲的照片仍在继续出售,她只好到法院起诉。不料区人民法院开庭后,判决她败诉(bàisù)。

她很伤心,几天吃不下饭,觉得对不起女儿。今年二月,在朋友的鼓励和支持下,她又向市中级人民法院上诉。中级人民法院审理后认为:被告使用小菲肖像的行为已构成了对小菲肖像权的侵害(qīnhài),应立即停止侵害,消除影响,向原告公开道歉,并赔偿原告精神损失费三千元。

她擦干了眼泪,对记者说:"法律是公正(gōngzhèng)的。法院判决被告赔偿的钱我们一分也不要,除去律师的诉讼费,其余的钱全部捐给'希望工程'。"

她维护了女儿的名誉(míngyù),维护了自己的权利,也维护了法律。

(二)会话课文　　姓名问题

（于忠的美国好友费阳来到于忠的家。两个人坐在沙发上喝茶、聊天——）

于忠：你这次怎么没跟常太太一起来中国？

费阳：我们是一起来的。她母亲病了，所以没跟我一起到你这儿来。你知道吗？去年我们结婚时还惹出了一点麻烦呢。

于忠：怎么回事？为了什么？

费阳：关于她的姓名的问题。我在美国大学学中文时认识了常英。经过一段时间的恋爱，我们就结婚了。按照美国的传统，新娘子结婚后一般要改姓丈夫的姓。因此，在举行婚礼时，我母亲拥抱着常英说："作为斯皮尔太太，你的感受如何？""斯皮尔"是我的英文姓。不料，常英直率(zhíshuài)地说："我可不是斯皮尔太太。尽管我嫁给了你的儿子，可我还姓常。"当时我妈妈听了，心都要碎了。

于忠：你妈妈后来同意常英不改姓了吗？

费阳：我妈妈长时间不肯放弃她的主张，甚至有时故意找常英的麻烦。有一天，我不得不对妈妈说："如果你以后再提改姓的事，我就去法院申请(shēnqǐng)改我的姓，那时你将得到一个姓常的儿子！"

于忠：你真行，坚决站在妻子一边。其实，中国从古时候到新中国成立前，一般女子(nǚzǐ)结婚后都随丈夫的姓。比如一个姓刘的女子嫁给一个姓张的男人，她的名字就叫张刘氏(shì)。新中国成立以来，女子结婚后就不再随丈夫的姓了。

费阳：现在我对中国的姓名问题越来越感兴趣。我很想知道，中国到底有多少个姓？

于忠：据统计，古今大约使用过一万多个姓。姓李的人最多，全国有一亿人姓李；其次是王、张、刘、赵，每个姓都在五千万人以上。

费阳：我总感觉一些中国人之间的姓名十分相似。你说呢？

于忠：中国的姓名一般为两个字或三个字。孩子大都随父姓。孩子一出生，父母便要给孩子起个吉祥、文雅(wényǎ)或有纪念意义的名字。所以不仅相当多的人姓名相似，重(chóng)名的现象也十分普遍。比如，仅北京就有四千五百多人叫张力，而沈阳竟有四千多人叫王淑兰，三千多人叫张淑琴。

费阳：哎呀，这会不会引起什么麻烦呀？

于忠：那还用说。比如山东省曹县公安部门到某村逮捕(dàibǔ)一个叫李松伟的罪犯(zuìfàn),结果错抓了另一个叫李松伟的,而这个公安部门的一位负责人也叫李松伟!

费阳:真是"无巧不成书"啊!看来,为了避免重名,中国人的姓名得改革一下了。

于忠:是啊,现在有的人就给孩子起保罗、玛丽之类的洋名了。北京还有个机构(jīgòu)专为孩子、公司、商店起名字。也有人主张实行父母双姓制(zhì),即孩子的姓是两个字——父姓加母姓。事实上已经有的父母这样做了。

费阳:这个办法不错。不过,我觉得起洋名并不好……

于忠:我也这么看,中国人还是要起中国名,要有中国姓氏的特点。父姓加母姓,一方面可以减少重名,一方面也改变了中国传统的姓氏观念。

费阳:不断地探索嘛。

于忠:是啊,这既是一门学问,也是一种文化啊!

(三)听力课文　　租房

初春的一个夜晚,从一个小胡同里跑出一位女青年,敲开老王的家门,焦急地对老王说:"王主任,不好了,后边有两个坏人在追我!"

这时门外传来叫骂声:"出来,你这个骗子!要不然我们就不客气了!"

女青年是住在胡同里的小刘。王主任听了,心想:"小刘说要打她的两个人是坏人,可这两个人却骂她是骗子,这到底是怎么回事呢?无论怎么样,这事我得管。"

王主任想到这儿,立刻把门外的两个小伙子叫进屋里,镇静地说:"我是这个居民区的主任,你们有什么话可以跟我说。"

原来,这两个小伙子是随公司老板做生意的。公司需要租房,小刘说自己家有两间房子可以租给他们。于是,双方便签订了租房合同。一年房租四万元。他们先付给了小刘两万元现金。小刘答应一个月内腾出房子。不料,一个月后,小刘并没有按时腾出房子。经过了解,他们知道小刘的父母不同意把房子租出去。他们找到小刘,让她退钱。小刘说,钱花完了。他们找到刘家,小刘的父母答应他们过几天一定退钱。一个月、两个月过去了,小刘仍然找借口不退钱。

王主任觉得事情很严重,就对两个小伙子说:"解决问题要靠法律,不能打人。你们放心,如果你们说的话是真实的,我保证帮你们把钱要回来。"

第二天,王主任来到小刘家。对小刘和小刘的父母说:"办事要讲信用,随便违背合同的规定是不对的。你们不腾房子,又不退钱,这种行为是不道德的。”听了王主任的批评，小刘和父母认识到了自己的错误，感到十分惭愧。几天后，小刘主动地向那两个小伙子道歉，并退还了两万元现金。

生词

1. 租	（动）	zū	rent louer	丙
2. 居民	（名）	jūmín	resident habitant	丙
3. 腾	（动）	téng	vacate libérer	丁
4. 惭愧	（形）	cánkuì	ashamed être confus; avoir honte de	丙

六　练　习

（一）熟读下列词和词组：

具体化　一种美德　拾金不昧　守信用
绿化　职业道德　乘人之危　违背诺言
现代化　社会公德　无可奈何　履行义务
机械化　高尚品德　弄虚作假　受理案件

（二）给下列词语搭配上宾语和状语：

1. 委托________　　2. 保管________
3. 刊登________　　4. 履行________
5. 维护________　　6. ________辩论
7. ________主动　　8. ________真实
9. ________违背　　10. ________保管

（三）用指定词语完成句子：

1. 他把那位老人扶上汽车，________________。（并）
2. 刘辉要跟同学们一起去南方旅行，妈妈给他买了一双旅游鞋，________________。（并）
3. 爷爷虽然八十多岁了，但每天早晨出去散步，________________。（因而）
4. 她平时很注意打扮自己，________________。（因而）
5. ________________，因为天气不好，就改为今天了。（本来）
6. 这件衣服太贵，________________，朋友劝我买，我就买了。（本来）

7. 雨不但没停，________________________________。（反而）

8. 这孩子小时候很懂事，从不让父母操心，____。（反而）

9. ________________________，可你是负责人，你也有责任啊！（固然）

10. ____________________，但在国内学习也可以学得很好，成为对国家有用的人才。（固然）

（四）根据课文内容判断句子对错，并说明理由：

（　）1. 李英正在看电影的时候发现座位下有个公文包，就拾了起来。

（　）2. 李英委托钱平保管公文包，但不让他交给派出所。

（　）3. 周立华发现公文包丢失后立即在两家报纸上刊登"寻包启事"。

（　）4. 公文包内有现金、图章及提货单等重要物品。

（　）5. 李英向法院起诉的原因是周立华没有付给他1.5万元酬金。

（　）6. 按法律规定，凡拾得的物品都应当无条件地归还失主。

（　）7. 法院驳回李英的诉讼请求，李英表示服从。

（　）8. 法院判决后，人们对法院的判决十分满意。

（五）把下列词语整理成正确的句子：

1. 录像机　我　他　小李　保管　的　委托　两台

2. 就　他　喜欢　那种　我　不　风格　本来　演唱

3. 的　你们　不　是　行为　的　道德

4. 图章　里　丢失　和　现金　他　的　有　钱包

5. 受理　由……而……　法院　这个　引起　吸烟　火灾　案件　的

6. 几天　不　爸爸　心情　这　好　的　很

7. 经济　公司　效益　今年　非常　我们　的　好

8. 把　可以　提　你　问题　随时　出来

9. 雨　再　即使　大　得　下　要　也　我　去

10. 主动地　物品　老王　拾得　把　的　失主　归还

(六) 选词填空：

……化　辩论　不止　则　引起　维护　并　履行　反而　主动　至于

1. 保卫祖国是每个青年都应该______的义务。
2. 由质量不合格而______的事故，生产单位要负责赔偿。
3. 先解决种子问题，______农药，以后再想办法。
4. 去年李老师发表的论文______三篇。
5. 我们班长总是______帮助学习吃力的同学。
6. 在旧中国，地主拥有大量土地，而贫苦农民______没有或只有少量土地。
7. 我们决心提前______超额完成任务。
8. 昨天下午的______非常吸引人。
9. 吃了这种药，母亲的病不但没好，______更重了。
10. 为了实现祖国的现代______，人们都在自己的岗位上努力工作。
11. 我们每个人都应该______首都的交通秩序。

(七) 根据课文内容回答：

1. 李英和钱平是怎样拾到公文包的？
2. 拾到公文包后他们是怎样做的？
3. 周立华丢失公文包后是怎样做的？他为什么那么着急？
4. 周立华见到李英后，为什么未付1.5万元酬金？
5. 双方委托的律师看法有什么不同？
6. 法院是怎样判决的？
7. 社会上对法院的判决有哪些议论？

(八) 阅读练习：

1. 根据阅读课文内容判断：

(1) 看完判决书，小菲妈妈的眼泪止不住流下来，因为她：

A. 非常痛苦。

B. 太高兴了。

C. 伤心得不得了。

D. 特别爱哭。

(2) 小菲那么小就拍了几部电影，因为：

A. 妈妈的培养使她具有艺术才能。

B. 小菲觉得拍电影很好玩。

C. 妈妈和导演的关系非常好。

D. 小菲一生下来就有表演才能。

(3) 小菲的妈妈打官司，因为：

A. 吕伯发表了小菲的照片却未付钱。

B. 吕伯用小菲的照片举行了个人摄影艺术展览。

C. 小菲的照片发表后，小菲的身体越来越坏。

D. 吕伯侵害了小菲的肖像权。

2. 根据阅读课文内容回答：

(1) 小菲为什么演电影演得那么好？

(2) 吕伯为什么要拍小菲的照片？

(3) 吕伯按着小菲妈妈的要求做了吗？

(4) 小菲的妈妈为什么要打官司？

(5) 她为什么又向市中级人民法院起诉？结果怎样？

(九) 口语练习：

1. 分角色熟读会话课文。注意语音语调。

2. 完成对话：

A:“心都要碎了”是什么意思？

B:________________________。

A:“随丈夫的姓”是指女人婚后改姓丈夫的姓吗？

B:________________________。

A:“十分相似”的意思是“完全一样”吗？

B:________________________。

A:“重名”是名字很多的意思吗？

B:________________________。

A:“那还用说”是表示肯定对方的话还是否定对方的话？

B:________________________。

A:“洋名”是名字很漂亮的意思吗？

B:________________________。

A:“无巧不成书”是什么意思？你会用吗？

B:________________________。

3. 根据会话课文回答：

(1) 费阳的妈妈为什么有时故意找常英的麻烦？

(2) 举例说明在姓名问题上费阳站在妈妈一边还是常英一边？

(3) 为什么在中国有很多重名的现象？

(4) 举例说明重名会引出什么麻烦。

(十) 听力练习：

1. 听录音，然后根据录音内容填空：

(1) ________的一个夜晚，从一个________里跑出一位女青年。

(2) 女青年对________说：“后边有________在追我。”

(3) 王主任想，________怎么样，这事我得________。

(4) 王主任对两个小伙子说：“我是这个________的主任，你们有什么话

________我说。”

(5) 两个小伙子是随老板________的，公司急需________。

(6) 两个小伙子跟小刘__________了租房合同，先付给小刘两万元________。

(7) 小刘并没有按时________出房子，原来小刘的________不同意。

(8) 小刘总是找借口不________钱，她把两万元钱________了。

(9) 王主任对小伙子说：“解决问题要________法律，我________帮你们把钱要回来。”

(10) 王主任对小刘的父母说：“办事要________信用，你们不腾房子，又不________钱，这种行为是不道德的。”

(11) 几天后，小刘________向两个小伙子道歉，________退还了两万元现金。

2. 回答问题：

(1) 两个小伙子为什么追小刘？他们是坏人吗？

(2) 王主任是怎样帮助双方解决问题的？

(十一) 交际训练：

1. 根据提示说一段话或写一段话(约150字)：

提示：帮助一个在学习上或生活上遇到困难的人。

下列词语可以帮助你表达：

由……而……、以……为……、至于、反而、主动、保管、委托、本来、固然、真实、丢失、心情

2. 讨论：

(1) 归还别人丢失的物品时应该不应该要酬金？在你们国家的日常生活中有没有类似的问题？

(2) 未经本人同意而发表其肖像的行为是不是侵权行为？

(3) 在你们国家起名字有什么特点？有无重名现象？

3. 根据下面的内容进行自由对话：

(A和B是朋友，A结婚时，B送给A一块进口表。一年后，二人因某事发生争吵。于是，B向A索要那块手表，遭到A的拒绝。按法律规定，自愿把物品送给对方后，对方便具有物品的所有权。)

B：去年你结婚的时候，我送给你一块表，对吗？

A：是呀。

B：你把那块表还给我吧！

A：那块表……

下列词语可以帮助你表达：

真实、法律、规定、违背、主动、行为、道德、固然、打官司、赢、赔偿、丢

失、公正、尽管、付、并

4. 语言游戏：

(1) 把以下12个姓名(可根据情况增减)写在黑板上，依次叫几个学生到前面，男学生在表示男性的姓名上划“√”，女学生在表示女性的姓名上划“√”，然后说明理由(先思考一下，可查词典)。

周菊花　王富贵　刘淑珍　白丽英

张怀仁　李美芳　朱大鹏　林　强

吴　勇　陈　娇　许高峰　郑　娜

(2) “知法犯法”(zhī fǎ fàn fǎ)是一句成语，你知道它的意思吗？本课书中哪个人物知法犯法了？为什么？

5. 看一看，说一说，写一写。

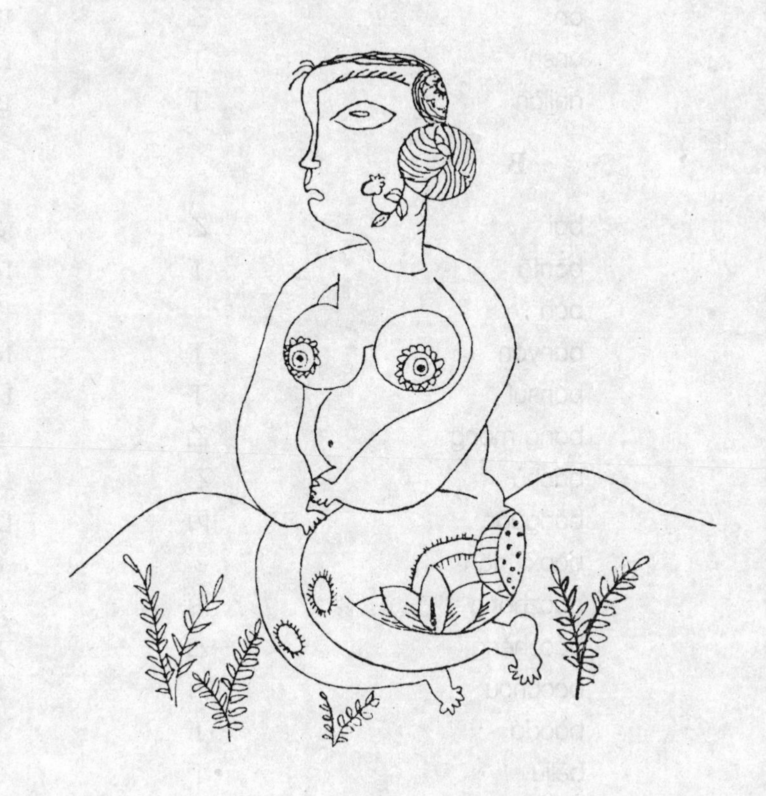

mǔ
母　古文“母”突出了女性的两个乳房，是抚育过孩子的妇女，即母亲的形象。因为母亲对孩子最有权威，特别是在母系社会，所以，“母”被借作表示“不要”的禁止词。字义的分化导致了字形的分化，为了区别，表示“不要”的字形后来改写做“毋”，读作wú。

——选自《汉字的故事》，施正宇编著

词 汇 总 表

A

挨	（动）	āi	乙	11
挨	（动）	ái	丙	5
癌	（名）	ái	丙	7
唉	（叹）	ài	丙	5
安	（动、形）	ān	丙	13
安慰	（动、名）	ānwèi	乙	3
按	（动、介）	àn	乙	12
暗示	（动）	ànshì	丁	13
案件	（名）	ànjiàn	丁	15

B

白	（副）	bái	乙	2
颁发	（动）	bānfā	丁	14
绊	（动）	bàn		2
扮演	（动）	bànyǎn	丁	14
伴随	（动）	bànsuí	丁	14
帮忙		bāng máng	乙	4
保护	（动、名）	bǎohù	乙	11
保管	（动、名）	bǎoguǎn	丙	12
保修单	（名）	bǎoxiūdān		8
保障	（动、名）	bǎozhàng	丙	7
保证	（动、名）	bǎozhèng	乙	8
报酬	（名）	bàochóu	丙	9
报答	（动）	bàodá	丁	1
悲剧	（名）	bēijù	丁	3
背	（名）	bèi	乙	14
背景	（名）	bèijǐng	丙	15
被动	（形）	bèidòng	丙	7
被告	（名）	bèigào	丁	15
被面	（名）	bèimiàn		12
奔跑	（动）	bēnpǎo	丙	14
本科	（名）	běnkē		13
本来	（形）	běnlái	乙	10

本身	（代）	běnshēn	丙	15
甭	（副）	béng	丙	5
笔	（量）	bǐ	甲	9
彼此	（代）	bǐcǐ	丙	13
比喻	（名、动）	bǐyù	丁	11
闭	（动）	bì	乙	6
毕竟	（副）	bìjìng	丙	7
闭幕		bì mù	丙	6
鞭子	（名）	biānzi	丁	14
贬义	（名）	biǎnyì	丁	7
便	（副）	biàn	乙	12
便道	（名）	biàndào	丁	4
辩论	（动、名）	biànlùn	丙	15
辫子	（名）	biànzi	丁	14
标准	（名、形）	biāozhǔn	乙	6
表白	（名、动）	biǎobái		3
憋	（动）	biē	丁	5
并	（连、副）	bìng	乙	15
拨	（动）	bō	丙	12
菠菜	（名）	bōcài	丙	11
驳回	（动）	bóhuí		15
脖子	（名）	bózi	乙	6
不安	（形）	bù'ān	丙	1
不当	（形）	búdàng	丁	11
不得不		bùdébù	乙	1
不断	（副）	búduàn	乙	10
不见得		bú jiàndé	丙	12
不仅	（连）	bùjǐn	乙	5
不觉		bù jué	丙	4
不良	（形）	bùliáng	丁	15
不料	（连）	búliào	丙	8
部门	（名）	bùmén		2
不由得	（副）	bùyóude	丙	10
不在乎		bú zàihu	丙	7
不知不觉		bù zhī bù jué	丁	11
不知所措		bù zhī suǒ cuò		14
不止	（动）	bùzhǐ	丙	15
不至于	（副）	búzhìyú	丁	12

C

财富	（名）	cáifù	丙	11
彩票	（名）	cǎipiào		12
残疾	（名）	cánjí	丁	9
惭愧	（形）	cánkuì	丙	15
灿烂	（形）	cànlàn	丙	14
苍蝇	（名）	cāngying	丙	11
操作	（动）	cāozuò	丙	13
插曲	（名）	chāqǔ		12
差不多	（形）	chàbuduō	乙	2
差点儿	（副）	chàdiǎnr	乙	4
拆	（动）	chāi	乙	1
搀	（动）	chān	丁	5
颤抖	（动）	chàndǒu	丙	1
长统袜	（名）	chángtǒngwà		9
尝	（动）	cháng	乙	10
场	（量）	cháng		3
场合	（名）	chǎnghé	丙	10
场面	（名）	chǎngmiàn	丙	6
超短裙	（名）	chāoduǎnqún		9
钞票	（名）	chāopiào	丙	12
车铺	（名）	chēpù		4
称赞	（动）	chēngzàn	乙	2
承诺	（动）	chéngnuò		15
成千上万		chéng qiān shàng wàn	丙	1
乘人之危		chéng rén zhī wēi		15
诚实	（形）	chéngshí	乙	15
程序	（名）	chéngxù	丙	13
吃惊		chī jīng	乙	6
吃亏		chī kuī	丙	8
吃力	（形）	chīlì	丙	6
池	（名）	chí	丙	11
迟	（形）	chí	丙	2
持续	（动）	chíxù	丁	3
充满	（动）	chōngmǎn	乙	6
崇拜	（动）	chóngbài	丁	6
重新	（副）	chóngxīn	乙	1
冲	（介）	chòng	乙	4

踌躇	（动）	chóuchú	丁	4
酬金	（名）	chóujīn		15
出事		chū shì	丙	1
出售	（动）	chūshòu	丁	1
初中	（名）	chūzhōng	丙	9
传播	（动）	chuánbō	乙	14
传达室	（名）	chuándáshì		1
传染	（动）	chuánrǎn	丙	11
传说	（动、名）	chuánshuō	丙	13
传送	（动）	chuánsòng	丁	3
传统	（名）	chuántǒng	乙	13
喘	（动）	chuǎn	丙	12
串	（动、量）	chuàn	丙	4
闯	（动）	chuǎng	乙	9
创造	（动、名）	chuàngzào	乙	7
创作	（动、名）	chuàngzuò	乙	14
醇美	（形）	chúnměi		4
纯朴	（形）	chúnpǔ		13
瓷器	（名）	cíqì		13
慈祥	（形）	cíxiáng	丁	13
刺儿	（名）	cìr	丁	11
聪明	（形）	cōngming	乙	13
从此	（副）	cóngcǐ	乙	2
从而	（连）	cóng'ér	乙	5
从来	（副）	cónglái	乙	3
从容	（形）	cóngróng	丙	2
从事	（动）	cóngshì	乙	9
凑	（动）	còu	丙	12
促成	（动）	cùchéng		3
促销	（动）	cùxiāo		8
窜	（动）	cuàn	丙	5
村庄	（名）	cūnzhuāng	丙	14
搓	（动）	cuō	丙	4
挫折	（名）	cuòzhé	丙	1

D

搭	（动）	dā	乙	2
达	（动）	dá	丙	7
打扮	（动）	dǎban	乙	9

打动	（动）	dǎdòng		14
打的		dǎ dí		5
打工		dǎ gōng		1
打扰	（动）	dǎrǎo	乙	10
大致	（形）	dàzhì	丙	13
蛋白质	（名）	dànbáizhì	丙	11
代办	（名、动）	dàibàn	丙	12
代表	（名、动）	dàibiǎo	甲	2
胆子	（名）	dǎnzi	丁	47
当场	（名）	dāngchǎng	丁	8
当初	（名）	dāngchū	丙	6
倒霉		dǎo méi	丙	4
倒	（副）	dào	乙	10
道德	（名）	dàodé	乙	15
道歉		dào qiàn	乙	10
得体	（形）	détǐ		3
德行	（名）	déxíng		2
得意	（形）	déyì	丙	13
蹬	（动）	dēng	丙	5
等候	（动）	děnghòu	丙	15
瞪	（动）	dèng	丙	2
典礼	（名）	diǎnlǐ	丙	8
电器	（名）	diànqì	丙	10
盯	（动）	dīng	丙	6
定居	（动）	dìngjū	丁	14
丢失	（动）	diūshī	丁	15
冬不拉	（名）	dōngbùlā		14
动人	（形）	dòngrén	乙	14
逗	（动）	dòu	乙	4
独立	（动）	dúlì	乙	9
毒品	（名）	dúpǐn		7
独自	（副）	dúzì	丙	4
赌	（动）	dǔ	丁	12
赌博	（动）	dǔbó	丁	10
度过	（动）	dùguò	乙	13
断断续续		duànduànxùxù	丁	2
缎子	（名）	duànzi	丁	12
堆	（动）	duī	乙	10
堆	（名）	duī	丙	12

对得起		duì de qǐ	丙	1
对……来说		duì…láishuō	丙	1
蹲	（动）	dūn	乙	4
顿时	（副）	dùnshí	丙	3
多心		duō xīn		4

E

噩梦	（名）	èmèng		4
而	（连）	ér	乙	1

F

发表	（动）	fābiǎo	乙	6
发布	（动）	fābù	丁	1
发财		fā cái	丁	9
发愁		fā chóu	丁	9
发掘	（动）	fājué		14
发票	（名）	fāpiào	丁	8
发起	（动）	fāqǐ	丁	12
罚	（动）	fá	丙	5
法	（名）	fǎ	丁	15
法号	（名）	fǎhào		2
法庭	（名）	fǎtíng	丁	15
法院	（名）	fǎyuàn	丙	15
法制	（名）	fǎzhì	丙	5
番	（量）	fān	丙	6
翻阅	（动）	fānyuè		10
凡	（副）	fán	乙	2
烦恼	（名、形）	fánnǎo	丁	7
反而	（连）	fǎn'ér	丙	8
反复	（副、名）	fǎnfù	乙	1
反正	（副）	fǎnzhèng	乙	7
犯	（动）	fàn	乙	5
饭馆	（名）	fànguǎn	丙	7
犯罪		fàn zuì		10
房租	（名）	fángzū	丁	9
放弃	（动）	fàngqì	乙	9
肥皂	（名）	féizào	丙	12
纷纷	（形）	fēnfēn	乙	6
分明	（形）	fēnmíng	丙	2

分手	（形）	fēn shǒu		6
疯	（名）	fēng	丙	12
风格	（名）	fēnggé	丙	14
风沙	（名）	fēngshā	丁	14
夫妻	（名）	fūqī	丙	13
伏	（动）	fú	丁	3
拂	（动）	fú		4
服(老)	（动）	fú(lǎo)	丙	5
付	（动）	fù	乙	8
付出	（动）	fùchū	丁	10
负担	（名）	fùdān	丙	1
副	（量）	fù		12
富裕	（形）	fùyù	丙	1
复制	（动）	fùzhì	丙	8

G

改编	（动）	gǎibiān	丙	14
改锥	（名）	gǎizhuī		4
干脆	（形）	gāncuì	乙	7
干涉	（动）	gānshè	丙	7
感	（尾）	gǎn	丁	1
感激	（动）	gǎnjī	乙	1
感觉	（动、名）	gǎnjué	乙	13
感情	（名）	gǎnqíng	乙	3
感受	（动、名）	gǎnshòu	丙	1
高中	（名）	gāozhōng	丙	9
稿	（名）	gǎo	丙	5
歌曲	（名）	gēqǔ	丙	14
歌王	（名）	gēwáng		14
戈壁	（名）	gēbì		14
格外	（副）	géwài	丙	4
各行各业		gè háng gè yè	丁	5
个体户	（名）	gètǐhù	丙	4
各种各样		gè zhǒng gè yàng	丙	9
公安	（名）	gōng'ān	丙	15
公布	（动）	gōngbù	丙	7
攻击	（动、名）	gōngjī	丙	6
公文包	（名）	gōngwénbāo		15
公寓	（名）	gōngyù		9

购买	（动）	gòumǎi	丙	8
姑姑	（名）	gūgu	乙	9
股	（量）	gǔ	丙	3
股份	（名）	gǔfèn	丁	12
顾客	（名）	gùkè	乙	8
固然	（连）	gùrán	丙	15
故意	（形）	gùyì	乙	3
怪	（动、形）	guài	丙	8
观察	（动）	guānchá	乙	11
关心	（动）	guānxīn	甲	3
观念	（名）	guānniàn	丙	5
灌溉	（动）	guàngài	丙	11
光临	（动）	guānglín	丙	14
广泛	（形）	guǎngfàn	乙	14
广告	（名）	guǎnggào	乙	8
归	（动）	guī	丙	4
规定	（动、名）	guīdìng	乙	8
规格	（名）	guīgé	丁	8
柜子	（名）	guìzi	丙	8
过渡	（动）	guòdù	丙	10
过头		guò tóu		5

H

海外	（名）	hǎiwài	丁	6
含	（动）	hán	乙	3
行业	（名）	hángyè	丙	5
毫不		háo bù	乙	8
毫无		háo wú	乙	6
豪华	（形）	háohuá	丁	13
好不	（副）	hǎobù		10
好在	（副）	hǎozài	丁	2
盒	（名、量）	hé	乙	9
合	（动）	hé	乙	3
合并	（动）	hébìng	丁	10
合格	（形）	hégé	丙	8
何必	（副）	hébì	丙	2
河流	（名）	héliú	丙	11
和气	（形）	héqi	丁	5
黑黝黝	（形）	hēiyōuyōu		4

红薯	（名）	hóngshǔ		1
哄	（动）	hǒng	丁	2
后果	（名）	hòuguǒ	丙	11
后悔	（动）	hòuhuǐ	乙	6
忽略	（动）	hūlüè	丁	13
胡同	（名）	hútòng	丙	1
糊涂	（形）	hútu	乙	6
哗哗	（象声）	huāhuā	丙	14
华侨	（名）	huáqiáo	丙	9
化肥	（名）	huàféi		11
化妆	（名）	huàzhuāng	丁	9
怀疑	（动）	huáiyí	丙	5
怀孕		huái yùn	丁	7
恍然	（副）	huǎngrán		5
挥手致意		huī shǒu zhì yì		13
昏	（形）	hūn	丙	4
婚礼	（名）	hūnlǐ		8
活泼	（形）	huópo	乙	14
祸	（名）	huò	丁	6

J

激动	（形）	jīdòng	乙	3
几乎	（副）	jīhū	乙	5
机枪	（名）	jīqiāng	丁	4
讥笑	（动）	jīxiào	丁	11
吉祥	（形）	jíxiáng	丁	12
即将	（副）	jíjiāng	丙	3
即使	（连）	jíshǐ	丙	11
疾病	（名）	jíbìng	丙	11
嫉妒	（动）	jídù	丁	12
计较	（动）	jìjiào	丁	2
记性	（名）	jìxing	丁	12
记忆	（名）	jìyì	乙	2
纪律	（名）	jìlǜ	乙	13
寂静	（形）	jìjìng	丁	14
寂寞	（形）	jìmò	丙	12
既……又……		jì…yòu…	乙	2
家具	（名）	jiājù	乙	8
假冒	（动）	jiǎmào	丁	8

价钱	（名）	jiàqian	丙	9
嫁	（动）	jià	丙	12
嫁妆	（名）	jiàzhuang		14
尖锐	（形）	jiānruì	乙	6
坚决	（形）	jiānjué	乙	6
艰难	（形）	jiānnán	丙	15
兼	（动）	jiān	丙	15
简历	（名）	jiǎnlì		9
简直	（副）	jiǎnzhí	丙	6
检验	（动）	jiǎnyàn	丙	11
见效	（动）	jiànxiào	丁	8
件	（量）	jiàn	甲	6
建议	（名、动）	jiànyì	乙	9
讲究	（形、动）	jiǎngjiu	丙	2
讲述	（动）	jiǎngshù	丁	1
奖券	（名）	jiǎngquàn		12
交	（名）	jiāo		2
交份儿		jiāo fènr		5
交易	（动、名）	jiāoyì	丙	11
焦急	（形）	jiāojí	丙	2
教训	（动、名）	jiàoxun	乙	13
接触	（动）	jiēchù	乙	3
接连	（副）	jiēlián	丙	6
洁白	（形）	jiébái	丙	4
结果	（名）	jiéguǒ	丙	6
结婚		jiéhūn	乙	3
解释	（动、名）	jiěshì	乙	14
解脱	（动）	jiětuō		3
界	（名）	jiè	丁	6
戒	（动）	jiè		7
借口	（名）	jièkǒu	丙	3
尽管	（连）	jǐnguǎn	乙	1
尽快	（副）	jǐnkuài	丁	13
尽量	（副）	jǐnliàng	乙	10
尽	（副）	jìn	乙	10
进价	（名）	jìnjià		9
惊	（动）	jīng	丙	4
经历	（动、名）	jīnglì	乙	10
经营	（动）	jīngyíng	丙	8

惊奇	（形）	jīngqí	丙	14
精神	（名）	jīngshén	甲	10
精细	（形）	jīngxì	丙	2
竟	（副）	jìng	丙	3
敬意	（名）	jìngyì		10
酒吧	（名）	jiǔbā		9
酒店	（名）	jiǔdiàn	丙	7
救助	（动）	jiùzhù		1
居民	（名）	jūmín	丙	15
居然	（副）	jūrán	丙	7
局面	（名）	júmiàn	丙	11
举办	（动）	jǔbàn	丙	6
沮丧	（形）	jǔsàng		4
举行	（动）	jǔxíng	乙	8
聚	（动）	jù	丙	5
据	（动、介）	jù	丙	11
拒绝	（动）	jùjué	乙	1
决不		jué bù	丁	9

K

开奖		kāi jiǎng		12
开幕		kāi mù	丙	6
开庭		kāi tíng		15
开心	（形）	kāixīn	丁	2
开眼界		kāi yǎnjiè		9
开业		kāi yè		4
开张	（动）	kāizhāng		10
刊登	（动）	kāndēng	丁	15
看待	（动）	kàndài	丁	10
拷贝	（名）	kǎobèi		5
靠	（动）	kào	乙	10
可惜	（形）	kěxī	丙	5
可笑	（形）	kěxiào	丙	8
客观	（名、形）	kèguān	丙	11
客厅	（名）	kètīng	丙	9
课余	（名）	kèyú		9
恳求	（动）	kěnqiú	丁	1
空调	（名）	kōngtiáo	丁	13
恐惧	（动）	kǒngjù	丁	4

恐怕	（副）	kǒngpà	乙	7
控制	（动）	kòngzhì	乙	1
口	（名、量）	kǒu	甲	3
口福	（名）	kǒufú		7
口红	（名）	kǒuhóng		12
口味	（名）	kǒuwèi		2
窟窿	（名）	kūlong	丙	11
哭笑不得		kū xiào bù dé		12
跨	（动）	kuà	乙	4
况且	（连）	kuàngqiě	丙	7
葵花子	（名）	kuíhuāzǐ		1

L

拉锁	（名）	lāsuǒ		8
辣	（形）	là	丙	10
篮子	（名）	lánzi	丙	11
懒	（形）	lǎn	乙	2
浪漫	（形）	làngmàn	丁	13
老板娘	（名）	lǎobǎnniáng		14
老年	（名）	lǎonián	丙	14
老外	（名）	lǎowài		13
老乡	（名）	lǎoxiāng	丙	3
姥姥	（名）	lǎolao	丙	12
落	（动）	lào		12
乐极生悲		lè jí shēng bēi		12
愣	（动、形）	lèng	丙	4
理解	（动、名）	lǐjiě	乙	5
礼品	（名）	lǐpǐn	丁	9
力不从心		lì bù cóng xīn		5
连……带……		lián…dài…	丁	6
连续	（动）	liánxù	乙	13
恋爱	（名、动）	liàn'ài	乙	3
链套	（名）	liàntào		4
链子	（名）	liànzi	丁	4
粮食	（名）	liángshi	乙	11
量	（名、尾）	liàng	丙	11
了如指掌		liǎo rú zhǐ zhǎng		13
咧	（动）	liě		4
临	（动）	lín	乙	4

灵	（形）	líng	丁	5
零件	（名）	língjiàn	丙	10
令	（动）	lìng	丙	11
另	（副）	lìng	乙	12
另外	（形）	lìngwài	乙	9
流传	（动）	liúchuán	丙	14
留恋	（动）	liúliàn	丁	14
流行	（动、形）	liúxíng	丙	13
遛	（动）	liù		5
履行	（动）	lǚxíng	丁	15
……率		…lǜ	丁	7
律师	（名）	lǜshī	丁	15
掠	（动）	lüè		4
轮椅	（名）	lúnyǐ		10
轮子	（名）	lúnzi	丙	10
逻辑	（名）	luójí	丙	10

M

马车夫	（名）	mǎchēfū		14
马棚	（名）	mǎpéng		14
迈	（动）	mài	乙	5
满足	（动）	mǎnzú	乙	5
玫瑰	（名）	méigui	丁	14
美德	（名）	měidé	丁	15
门	（量）	mén	甲	3
猛	（形）	měng	丙	1
梦	（名）	mèng	乙	6
迷	（动）	mí	丙	7
迷人	（形）	mírén		11
弥漫	（动）	mímàn	丁	7
秘书	（名）	mìshū	丙	9
勉强	（形、动）	miǎnqiǎng	丙	3
面的	（名）	miàndí		5
面积	（名）	miànjī	乙	11
咩咩	（象声）	miēmiē		14
民歌	（名）	míngē		14
民间	（名）	mínjiān	丙	14
民事	（名）	mínshì	丁	15
敏感	（形）	mǐngǎn	丁	11

名牌	（名）	míngpái	丁	8
名声	（名）	míngshēng	丁	1
名义	（名）	míngyì	丁	15
名扬天下		míng yáng tiānxià		14
明白	（动）	míngbai	丙	3
明媚	（形）	míngmèi		14
命	（名、动）	mìng	丙	10
命运	（名）	mìngyùn	乙	1
摸	（动）	mō	乙	1
磨蹭	（动）	móceng		5
模糊	（形）	móhu	丙	1
抹	（动）	mǒ	丙	9
莫	（副）	mò	丁	3
陌生	（形）	mòshēng	丙	10
某些	（代）	mǒuxiē	丙	9
目光	（名）	mùguāng	丙	6
牧民	（名）	mùmín	丙	14
牧羊		mù yáng		14

N

拿……来说		ná…láishuō	丙	12
哪怕	（连）	nǎpà	乙	12
难道	（副）	nándào	乙	12
难怪	（副、动）	nánguài	丙	7
难受	（形）	nánshòu	乙	7
难为情	（形）	nánwéiqíng		4
难以	（副）	nányǐ	丙	11
嫩	（形）	nèn	丙	11
匿名	（形）	nìmíng		15
娘家	（名）	niángjia		2
牛仔	（名）	niúzǎi		9
扭	（动）	niǔ	乙	1
农药	（名）	nóngyào	丙	11
浓	（形）	nóng	乙	9
浓眉大眼		nóng méi dà yǎn		14
弄虚作假		nòng xū zuò jiǎ	丁	8
女婿	（名）	nǚxu		13
暖流	（名）	nuǎnliú		10
挪	（动）	nuó	丁	10

O

偶尔	（副）	ǒu'ěr	丙	12
偶然	（形）	ǒurán	丙	9
偶像	（名）	ǒuxiàng		3

P

拍摄	（动）	pāishè	丙	14
排放	（动）	páifàng		11
牌子	（名）	páizi	丙	6
派出所	（名）	pàichūsuǒ	丁	15
盘	（量）	pán	乙	6
盼	（动）	pàn	丙	1
判决	（动）	pànjué	丁	15
泡	（名）	pào	丙	12
赔不是		péi búshi		2
赔偿	（动）	péicháng	丙	8
佩服	（动）	pèifú	丁	9
配	（动）	pèi	丙	14
批	（量）	pī	丁	13
劈	（动）	pī	丁	8
偏偏	（副）	piānpiān	丙	7
骗	（动）	piàn	乙	12
骗子	（名）	piànzi		6
漂	（动）	piāo	丁	14
撇	（名）	piě	丁	2
贫困	（形）	pínkùn	丁	1
贫穷	（形）	pínqióng	丙	1
品德	（名）	pǐndé	丙	12
平房	（名）	píngfáng		4
平均	（动、形）	píngjūn	乙	1
平日	（名）	píngrì	丁	13
平行	（动、形）	píngxíng	丙	3
凭	（动、介）	píng	丙	1
评论	（动、名）	pínglùn	丙	6
葡萄	（名）	pútao	丙	8
普通	（形）	pǔtōng	乙	6
普通话	（名）	pǔtōnghuà	丙	6

Q

妻管严		qī guǎn yán		13
欺骗	（动）	qīpiàn	乙	8
其实	（副）	qíshí	丙	1
启事	（名）	qǐshì	丁	15
起诉	（动）	qǐsù	丁	15
企业	（名）	qǐyè	乙	8
气	（名）	qì	丙	2
气味	（名）	qìwèi	丙	2
气质	（名）	qìzhì		10
卡	（动）	qiǎ	丁	4
钱包	（名）	qiánbāo		4
墙角	（名）	qiángjiǎo		10
敲锣打鼓		qiāo luó dǎ gǔ		8
悄悄	（副）	qiāoqiāo	乙	13
惬意	（形）	qièyì		13
亲人	（名）	qīnrén	丙	13
亲生	（形）	qīnshēng	丁	13
亲自	（副）	qīnzì	乙	6
青春	（名）	qīngchūn	丙	14
轻快	（形）	qīngkuài	丁	14
轻松	（形）	qīngsōng	乙	1
轻易	（副、形）	qīngyì	丙	1
倾诉	（动）	qīngsù		14
倾听	（动）	qīngtīng	丁	14
清晨	（名）	qīngchén	丙	11
清晰	（形）	qīngxī	丙	3
清醒	（动、形）	qīngxǐng	丙	6
求职		qiú zhí		9
娶	（动）	qǔ	丙	6
取消	（动）	qǔxiāo	乙	5
去世	（动）	qùshì	丁	13
权利	（名）	quánlì	丙	7
却	（副）	què	乙	6
确实	（形）	quèshí	甲	5

R

然而	（连）	rán'ér	乙	7

让座		ràng zuò		5
饶	(动)	ráo	丙	5
人间	(名)	rénjiān	丙	1
人类	(名)	rénlèi	乙	11
任	(动、连)	rèn	丙	14
任何	(代)	rènhé	甲	1
任意	(副)	rènyì	丙	8
仍然	(副)	réngrán	乙	3
融洽	(形)	róngqià	丁	13
如此	(代)	rúcǐ	丙	8

S

洒	(动)	sǎ	乙	1
塞	(动)	sāi	丙	3
嫂子	(名)	sǎozi	乙	4
山沟	(名)	shāngōu	丁	1
商贩	(名)	shāngfàn		11
商人	(名)	shāngrén	丙	6
上风	(名)	shàngfēng		4
上升	(动)	shàngshēng	丙	7
上市		shàng shì		10
上诉	(动)	shàngsù	丁	15
稍	(副)	shāo	乙	4
舍得	(动)	shěde	丙	4
设想	(名、动)	shèxiǎng	丙	10
身份	(名)	shēnfen	丙	9
神秘	(形)	shénmì	丙	6
神奇	(形)	shénqí	丁	13
神仙	(名)	shénxiān	丁	7
审理	(动)	shěnlǐ	丁	15
甚至	(副、连)	shènzhì	丙	7
生存	(动)	shēngcún	丙	11
生气	(名)	shēngqì	乙	7
生意	(名)	shēngyi	乙	9
生长	(动)	shēngzhǎng	乙	11
声响	(名)	shēngxiǎng		13
失去	(动)	shīqù	乙	3
失望	(形)	shīwàng	乙	6
失学		shī xué	丁	1

失主	（名）	shīzhǔ		15
时光	（名）	shíguāng	丁	5
时髦	（形）	shímáo	丁	3
拾金不昧		shí jīn bú mèi		15
实事求是		shí shì qiú shì	乙	8
食用	（动）	shíyòng	丁	11
始终	（副）	shǐzhōng	乙	3
是否	（副）	shìfǒu	丙	9
嗜好	（名）	shìhào		7
侍女	（名）	shìnǚ		3
饰物	（名）	shìwù		14
式样	（名）	shìyàng	丁	12
事业	（名）	shìyè	乙	13
适应	（动）	shìyìng	乙	9
市场	（名）	shìchǎng	乙	10
市长	（名）	shìzhǎng	丙	13
收藏	（动）	shōucáng	丁	6
收集	（动）	shōují	丙	14
收录机	（名）	shōulùjī		6
首饰	（名）	shǒushi		9
手术	（名）	shǒushù	乙	6
手舞足蹈		shǒu wǔ zú dǎo		14
受理	（动）	shòulǐ		15
梳	（动）	shū	丙	14
书信	（名）	shūxìn	丁	3
熟悉	（动）	shúxī	乙	13
属	（动）	shǔ	丁	12
树干	（名）	shùgàn	丁	6
树立	（动）	shùlì	丙	5
树木	（名）	shùmù	丙	11
耍	（动）	shuǎ	丙	13
双	（量）	shuāng	甲	3
死亡	（动）	sǐwáng	丙	11
四季	（名）	sìjì	丁	11
似笑非笑		sì xiào fēi xiào	丁	4
诉讼	（动）	sùsòng	丁	15
素质	（名）	sùzhì	丁	13
算	（动）	suàn	甲	2
算(是)	（动）	suàn(shì)	丙	1

算卦		suàn guà		12
随便	（形）	suíbiàn	乙	13
随即	（副）	suíjí	丙	4
随时	（副）	suíshí	乙	12
随着	（介）	suízhe	丁	10
损失	（动、名）	sǔnshī	乙	8
锁	（动、名）	suǒ	丙	12
所	（助）	suǒ	乙	13
索要	（动）	suǒyào		15
所谓	（形）	suǒwèi	乙	3

T

踏实	（形）	tāshi	丙	9
踏	（动）	tà	丙	13
摊	（动）	tān	丙	9
弹	（动）	tán	乙	14
谈论	（动）	tánlùn	丙	7
探索	（动）	tànsuǒ	丙	14
趟	（量）	tàng	乙	12
掏	（动）	tāo	乙	4
掏腰包		tāo yāobāo		13
淘汰	（动）	táotài	丁	9
陶醉	（形）	táozuì		13
讨厌	（动、形）	tǎoyàn	乙	7
特地	（副）	tèdì	丁	10
特意	（副）	tèyì	丁	12
腾	（动）	téng	丁	15
提前	（动）	tíqián	乙	13
提货单	（名）	tíhuòdān		15
提醒	（动）	tíxǐng	丙	6
体面	（名、形）	tǐmiàn	丙	9
T 恤衫	（名）	tìxùshān		9
天昏地暗		tiān hūn dì àn		13
天空	（名）	tiānkōng	丙	11
添	（动）	tiān	乙	10
甜蜜	（形）	tiánmì		13
调皮	（形）	tiáopí	丙	4
挑战		tiǎo zhàn	丁	15
贴	（动）	tiē	乙	9

同情	（动）	tóngqíng	乙	7
同事	（名）	tóngshì	丁	13
统计	（动、名）	tǒngjì	丙	7
痛苦	（形）	tòngkǔ	乙	3
偷偷	（副）	tōutōu	乙	12
投产	（动）	tóuchǎn	丁	13
投诉	（动）	tóusù		8
投向	（动）	tóuxiàng	乙	11
透	（形）	tòu	乙	13
途径	（名）	tújìng	丙	11
图章	（名）	túzhāng		15
吐	（动）	tǔ	乙	8
团聚	（动）	tuánjù	丁	5
推荐	（动）	tuījiàn	丙	3
退休	（动）	tuìxiū	丙	5
拖	（动）	tuō	乙	13

W

外露	（动）	wàilù		13
玩笑	（名）	wánxiào	丙	9
晚餐	（名）	wǎncān	丁	13
万一	（连）	wànyī	丙	12
围	（动）	wéi	乙	14
违背	（动）	wéibèi	丙	15
维护	（动）	wéihù	乙	15
尾数	（名）	wěishù		12
伪劣	（形）	wěiliè		8
委屈	（动）	wěiqu	丙	7
委托	（动）	wěituō	丙	15
未成年		wèi chéngnián		7
未免	（副）	wèimiǎn	丁	2
温暖	（形）	wēnnuǎn	乙	13
文明	（名、形）	wénmíng	乙	10
吻	（动、名）	wěn	丙	6
卧室	（名）	wòshì	丁	7
污	（形）	wū	丙	11
污染	（动）	wūrǎn	乙	11
无比	（形）	wúbǐ	丙	8
无价之宝		wú jià zhī bǎo		1

无可奈何		wú kě nàihé	丙	4
无论	（连）	wúlùn	乙	1
无数	（形）	wúshù	乙	2
无所谓	（动）	wúsuǒwèi	丙	3
无限	（形）	wúxiàn	乙	13
无效	（形）	wúxiào	丁	15
无意	（动）	wúyì	丁	14
物品	（名）	wùpǐn	丙	15

X

西部	（名）	xībù	乙	14
膝盖	（名）	xīgài	丁	3
吸引	（动）	xīyǐn	乙	8
席	（名）	xí	丁	5
习俗	（名）	xísú	丁	13
喜爱	（动）	xǐ'ài	丙	14
喜事	（名）	xǐshì	丁	12
瞎	（副、形）	xiā	丙	4
先进	（形）	xiānjìn	乙	13
显然	（形）	xiǎnrán	乙	11
显得	（动）	xiǎnde	乙	3
现金	（名）	xiànjīn	丁	15
线索	（名）	xiànsuǒ	丁	15
相比	（动）	xiāngbǐ	丁	11
相处	（动）	xiāngchǔ		13
香烟	（名）	xiāngyān	丙	7
想像	（动）	xiǎngxiàng	乙	7
享受	（动、名）	xiǎngshòu	乙	10
享誉	（动）	xiǎngyù		14
相貌	（名）	xiàngmào		2
向日葵	（名）	xiàngrìkuí		1
象征	（动、名）	xiàngzhēng	丙	10
项	（量）	xiàng	乙	9
削	（动）	xiāo	丙	3
消毒		xiāo dú	丙	11
消费	（动）	xiāofèi	乙	11
消磨	（动）	xiāomó		5
小儿麻痹症		xiǎo'ér mábìzhèng		10
孝道	（名）	xiàodào		13

效力	（名）	xiàolì	丁	15
效益	（名）	xiàoyì	丁	8
笑嘻嘻	（形）	xiàoxīxī		2
协会	（名）	xiéhuì	丙	8
心爱	（形）	xīn'ài	丙	7
心理	（名）	xīnlǐ	丙	1
心灵	（名）	xīnlíng	丁	1
心气儿	（名）	xīnqìr		5
心情	（名）	xīnqíng	乙	15
心疼	（动）	xīnténg	丁	7
心意	（名）	xīnyì	丙	3
新郎	（名）	xīnláng	丁	8
新娘	（名）	xīnniáng	丁	8
新兴	（形）	xīnxīng	丁	5
欣赏	（动）	xīnshǎng	丙	9
欣慰	（形）	xīnwèi		11
信号	（名）	xìnhào	丙	11
信任	（动、名）	xìnrèn	丙	8
信用	（名）	xìnyòng	丁	15
信誉	（名）	xìnyù	丁	8
星级	（形）	xīngjí		13
兴	（动）	xīng	丁	12
兴奋	（形）	xīngfèn	乙	8
行为	（名）	xíngwéi	丙	15
幸亏	（副）	xìngkuī	丙	10
幸运	（形）	xìngyùn	丁	8
宣布	（动）	xuānbù	乙	1
旋律	（名）	xuánlǜ	丁	14
选择	（动、名）	xuǎnzé	乙	9
靴	（名）	xuē		14
学历	（名）	xuélì	丁	13
寻	（动）	xún	丙	2
寻访	（动）	xúnfǎng		14
训	（动）	xùn		5

Y

压力	（名）	yālì	丙	1
牙齿	（名）	yáchǐ	丙	3
牙膏	（名）	yágāo	丙	8

雅座	（名）	yǎzuò		10
烟囱	（名）	yāncōng	丙	11
烟雾	（名）	yānwù	丁	7
淹	（动）	yān	丙	14
严厉	（形）	yánlì	丙	13
严肃	（形）	yánsù	乙	13
研究生	（名）	yánjiūshēng	丙	3
眼光	（名）	yǎnguāng	丙	6
眼角膜	（名）	yǎnjiǎomó		6
眼看	（副、动）	yǎnkàn	丙	12
演唱	（动）	yǎnchàng	丁	14
扬	（动）	yáng	丙	14
洋	（形）	yáng	丙	13
痒	（动）	yǎng	丁	4
养成	（动）	yǎngchéng	丙	7
养活	（动）	yǎnghuo	丁	10
遥远	（形）	yáoyuǎn	丙	1
要不然	（连）	yàobùrán	丙	10
钥匙	（名）	yàoshi	丙	11
耀眼	（形）	yàoyǎn	丁	4
业务	（名）	yèwù	乙	9
业余	（形）	yèyú	乙	13
夜班	（名）	yèbān	丁	4
一旦	（副、名）	yídàn	丁	13
一股脑儿	（副）	yìgǔnǎor		4
一口气	（副）	yìkǒuqì	丙	12
一连	（副）	yìlián	丙	10
一流	（形）	yìliú		10
一面……一面		yímiàn…yímiàn	丙	2
一去不复返		yí qù bú fù fǎn		5
一时	（名）	yìshí	乙	2
一下子	（副）	yíxiàzi	乙	3
医	（名、动）	yī	丁	2
姨	（名）	yí	丙	12
咦	（叹）	yí		4
遗憾	（形）	yíhàn	丙	3
疑心	（名）	yíxīn	丙	14
移居	（动）	yíjū		13
移植	（动）	yízhí		6

毅力	（名）	yìlì	丙	7
议论	（名、动）	yìlùn	乙	15
意识	（动、名）	yìshi	丙	7
意味	（动）	yìwèi	丙	9
义务	（名）	yìwù	丙	15
引起	（动）	yǐnqǐ	乙	15
引人注目		yǐn rén zhù mù	丁	13
瘾	（名）	yǐn		7
饮用	（动）	yǐnyòng		11
印象	（名）	yìnxiàng	乙	5
硬币	（名）	yìngbì		14
硬朗	（形）	yìnglang		5
拥有	（名）	yōngyǒu	丁	11
涌	（动）	yǒng	丙	10
勇气	（名）	yǒngqì	乙	5
幽默	（形）	yōumò	丁	11
忧伤	（形）	yōushāng		14
由	（介）	yóu	乙	12
尤其	（副）	yóuqí	甲	13
邮包	（名）	yóubāo	丙	1
犹豫	（形）	yóuyù	丙	8
油污	（名）	yóuwū		4
游子	（名）	yóuzǐ		13
有偿	（形）	yǒucháng		15
于是	（连）	yúshì	乙	2
语无伦次		yǔ wú lúncì		4
原告	（名）	yuángào	丁	15
源	（名）	yuán	丁	11
缘分	（名）	yuánfèn		3
缘故	（名）	yuángù	丙	10
怨	（动）	yuàn	丙	3
岳父	（名）	yuèfù		13
乐谱	（名）	yuèpǔ		14
晕	（动）	yūn	丙	6
允许	（动）	yǔnxǔ	乙	13
孕妇	（名）	yùnfù		5
运气	（名）	yùnqi	丙	9

Z

杂剧	（名）	zájù		3
宰人		zǎi rén		5
在场	（动）	zàichǎng		8
暂且	（副）	zànqiě	丁	10
糟	（形）	zāo	丙	11
造成	（动）	zàochéng		11
责怪	（动）	zéguài	丁	10
贼	（名）	zéi	丁	3
眨	（动）	zhǎ	丁	4
诈骗	（动）	zhàpiàn	丁	15
债务	（名）	zhàiwù	丁	15
展销	（动）	zhǎnxiāo	丁	8
张望	（动）	zhāngwàng	丙	14
丈母娘	（名）	zhàngmuniáng		13
账	（名）	zhàng	丙	2
帐篷	（名）	zhàngpeng		14
障碍	（名、动）	zhàng'ài	丙	10
招呼	（动）	zhāohu	乙	4
招聘	（动）	zhāopìn	丁	9
照例	（副）	zhàolì	丙	12
照样	（副）	zhàoyàng	丙	7
者	（尾）	zhě	丙	2
这样一来		zhèyàng yì lái	丙	12
真实	（形）	zhēnshí	乙	15
真切	（形）	zhēnqiè		13
珍惜	（动）	zhēnxī	丙	3
枕头	（名）	zhěntou	丙	2
镇静	（形）	zhènjìng	丙	4
阵	（名、量）	zhèn	乙	6
争吵	（动）	zhēngchǎo	丁	14
整整	（形）	zhěngzhěng	丁	12
正常	（形）	zhèngcháng	乙	10
正当		zhèng dāng	丙	3
挣	（动）	zhèng	丙	1
枝	（名、量）	zhī	丙	6
汁（儿）	（名）	zhīr	丁	11
之间		zhījiān	甲	13

……之类		…zhīlèi	丙	10
值	（动）	zhí	丙	5
职员	（名）	zhíyuán	丙	13
至多	（副）	zhìduō	丁	5
至于	（连、副）	zhìyú	丙	15
致富	（动）	zhìfù	丁	5
质量	（名）	zhìliàng	乙	8
治	（动）	zhì	乙	2
治疗	（动）	zhìliáo	丙	8
制品	（名）	zhìpǐn	丁	13
制约	（动）	zhìyuē	丁	15
制作	（动）	zhìzuò	丙	8
智慧	（名）	zhìhuì	丙	8
中年	（名）	zhōngnián	丙	14
终于	（副）	zhōngyú	乙	3
种类	（名）	zhǒnglèi	丙	12
中	（动）	zhòng	丙	12
中毒		zhòng dú		11
周末	（名）	zhōumò	丙	12
咒	（动）	zhòu		4
主动	（形）	zhǔdòng	乙	15
助残日	（名）	Zhùcánrì		10
专	（形）	zhuān	丙	8
转业		zhuǎn yè		5
传	（名）	zhuàn	丁	2
赚	（动）	zhuàn	丙	9
追求	（动）	zhuīqiú	丙	14
资格	（名）	zīgé	丙	8
资金	（名）	zījīn	丙	10
仔细	（形）	zǐxì	乙	11
自卑	（形）	zìbēi	丁	10
自豪	（形）	zìháo	丙	14
自然	（名）	zìrán	乙	11
自身	（名）	zìshēn	丙	10
自卫	（动）	zìwèi	丁	4
自信	（动、形）	zìxìn	丙	9
字眼	（名）	zìyǎn		7
总得	（助动）	zǒngděi	丙	12
总算	（副）	zǒngsuàn	丙	1

走调儿		zǒu diàor		8
走街串巷		zǒu jiē chuàn xiàng		13
租	(动)	zū	丙	15
足(足)	(副)	zú	丙	12
钻	(动)	zuān	乙	5
钻研	(动)	zuānyán	乙	10
醉	(动)	zuì	乙	4
尊重	(动)	zūnzhòng	丙	6
座	(量)	zuò	甲	3

专　名

B

巴黎	Bālí	14

C

昌平	Chāngpíng	5
常明	Cháng Míng	8
陈静	Chén Jìng	4
崔莺莺	Cuī Yīngying	3

D

达坂城	Dábǎn Chéng	14
东方宾馆	Dōngfāng Bīnguǎn	13

E

二环路	Èrhuánlù	5

G

古兰经	Gǔlánjīng	14
广东	Guǎngdōng	9
广州	Guǎngzhōu	9

H

恒祥商场	Héngxiáng Shāngchǎng	12
红娘	Hóngniáng	3
湖南	Húnán	3
黄志强	Huáng Zhìqiáng	1

回族	Huízú	14

J

江苏	Jiāngsū	3
江西	Jiāngxī	2
井冈山	Jǐnggāng Shān	1

L

兰州	Lánzhōu	14
李群	Lǐ Qún	9
李英	Lǐ Yīng	15
利成商店	Lìchéng Shāngdiàn	12
立美商店	Lìměi Shāngdiàn	9
林大福	Lín Dàfú	15
六盘山	Liùpán Shān	14
罗伯逊	Luóbóxùn	14

M

马甸桥	Mǎdiànqiáo	5

P

胖嫂	Pàngsǎo	2

Q

钱平	Qián Píng	15

S

山西	Shānxī	2
陕西	Shǎnxī	2
苏州	Sūzhōu	3

T

婷婷	Tíngting	6
吐鲁番	Tǔlǔfān	14

W

王洛宾	Wáng Luòbīn	14
王瞎子	Wáng Xiāzi	14
维吾尔族	Wéiwú'ěrzú	12

X

西安 Xī'ān 2
西厢记 Xīxiāngjì 3
香港 Xiānggǎng 9
新疆 Xīnjiāng 14
徐民 Xú Mín 10

Y

杨华 Yáng Huá 13
伊斯兰 Yīsīlán 14
英国 Yīngguó 9
圆通大师 Yuántōng Dàshī 2

Z

藏族 Zàngzú 14
张生 Zhāng Shēng 3
中国青少年发展基金会 Zhōngguó Qīngshàonián Fāzhǎn Jījīnhuì 1
中华民族 Zhōnghuá Mínzú 15
周立华 Zhōu Lìhuá 15
卓玛 Zhuōmǎ 14